Bibliotheek Slotermeer
Plein '40 - '45   nr. 1
1064 SW Amsterdam
Tel.: 020 - 613.10.67

afgeschreven

Het meisje van ver

Het meisje van ver

Een zoektocht naar voorouders, vergeten verhalen
en een gevoel van thuis

Sadia Shepard

*

Vertaald door Janet van der Lee

*

Bibliotheek Slotermeer
Plein '40 - '45 nr. 1
1064 SW Amsterdam
Tel.: 020 - 613.10.67

J.M. MEULENHOFF

Voor Nana

Oorspronkelijke titel *The Girl from Foreign*, first published in 2008 by
The Penguin Press, a member of Penguin Group (USA) Inc.
Copyright © 2008 Sadia Shepard
Copyright Nederlandse vertaling © 2009 Janet van der Lee en
J.M. Meulenhoff bv, Amsterdam
Vormgeving omslag Suzan Beijer
Vormgeving binnenwerk © Steven Boland
Foto voorzijde copyright © Arcangel Images/[Image]store
Foto achterzijde copyright © Andreas Burgess

www.meulenhoff.nl
ISBN 978 90 290 8433 8 / NUR 302

Inhoud

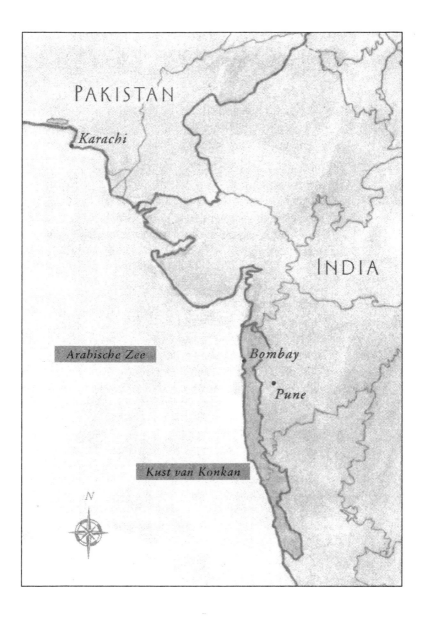

'Als ik nu aan Bombay denk, na zo veel tijd,
lijkt het alsof ik een caleidoscoop voor mijn
oog houd. Ik hoor het slaan van de stukjes
glas als de fantastische figuren veranderen
en uiteenvallen en figuur na figuur nieuwe
vormen aannemen, en met de geboorte
van elke nieuwe vorm voel ik mijn huid
rimpelen en met elke nieuwe golf vol van
verwondering en verrukking voel ik dat
mijn zenuwbanen worden geprikkeld. De
beelden die ik me herinner drijven in een
serie contrasten voorbij; ze hebben altijd
dezelfde volgorde, flitsen voorbij en verdwijnen weer met de snelheid van een
droom, waardoor ik achterblijf met het gevoel dat het een ervaring was die hooguit
een uur heeft geduurd, terwijl het in werkelijkheid, denk ik, dagen duurde.'

*

Following the Equator, Mark Twain

'En kan het niet zo zijn, vervolgde Austerlitz, dat we ons ook aan afspraken uit het
verleden moeten houden, aan wat eerder
is geweest en grotendeels is vergaan, en
daar naar plaatsen en mensen zoeken die,
om zo te zeggen, contact met ons hebben
vanaf de andere kant van de tijd?'

*

Austerlitz, W.G. Sebald

Aankomst

We worden gevormd door de geluiden die we als kinderen horen.

De kruiden die knappend onder de muis van mijn grootmoeders hand worden geplet. Haar vingertoppen die een vis zacht spetterend in het kurkumawater laten glijden. Haar handpalmen die kletsen op de platte steen en de chapati's tot leven wekken, elke keer in een perfecte cirkel. Het ruisen van haar sari, het klikken van haar breinaalden, het zachte tikken van haar voetzolen tegen de zool van haar sandalen. Daarin ligt mijn grootmoeders morsecode verborgen.

Als ze mijn haar vlecht is haar stem rustig en krachtig. Ze vertelt me gedeelten van verhalen, stukjes van haar leven in India. Ze fluistert haar dromen in mijn kinderoren – vreemde, angstaanjagende dromen die haar al sinds ze een kind was in haar slaap bezoeken en elke dood in onze familie hebben voorspeld. Ze verwerkt deze dromen en verhalen in mijn vlechten. Ze zijn nu van mij, samengebonden met rode linten.

Luister goed. Dit zijn de geluiden van mijn huis. Beneden op de oprit leert mijn vader mijn broertje van zes, Cassim, fietsen. Cassim is nog te klein, hij valt van zijn fiets en lacht. Mijn vader roept dat hij recht voor zich uit moet kijken en niet naar beneden. Zo is het goed. 'Blijf rechtdoor fietsen! Op de oprit blijven!' Mijn moeder is in de keuken. Ze is aan de telefoon met haar broers in Pakistan. Het is middag in Boston en midden in de nacht in Karachi. Ze schreeuwt in het Urdu om zich over zo'n grote afstand verstaanbaar te maken. 'Ik kom volgende maand op de zestiende aan! Wat hebben jullie nodig van hier? Stuur de chauffeur naar het vliegveld!'

Jaren later breng ik als volwassene een bezoek aan Bombay. De stad lijkt op een vreemde manier vertrouwd, als het einde van een onderbroken gesprek. De geuren: verbrande thee, pas ontstoken vuren, opengespreide vis die te drogen hangt aan lange stokken, van die puntige antennes. De geluiden: een kakofonie van claxons, een zwerm vogels die overvliegt en op de achtergrond de altijd blèrende popmuziek. Het licht: de ochtendnevel die langzaam plaatsmaakt voor de fragmentarische helderheid van de middag, en om halfzes high tea, waarbij de stad eruitziet als een reusachtige, snel voorbijschietende diavoorstelling – als chaos badend in een laagje stoffig goud.

De verhalen die mijn grootmoeder me vertelde waren ruwe schetsen: zwarte inktafdrukken op een bladzijde, de opvallendste details. *Ik ben in Bombay geboren. Mijn moeder had twaalf kinderen, zes zijn er gestorven.* Alles wat Nana me over haar leven vertelde was een restje, een deel van een zin. Elke keer als Nana me een verhaal vertelde, drong ik aan op zo veel mogelijk details en vroeg alles wat er in me opkwam. Ik maakte me zorgen dat op een dag, als ik deze verhalen moet vertellen om duidelijk te maken wie ik ben en me afvraag welke kleur de jurk had die ze op een bepaalde zwartwitfoto droeg, zij er niet meer zal zijn om mij de details te geven. De essentie van wat ik me van India kon voorstellen werd bewaard in het bruine plastic fotoalbum van mijn grootmoeder, in honderden piepkleine afdrukken met gekartelde randjes. Wat er tússen al die details staat heb ik zelf bedacht; het verfraaien van vorm en nuance is de taak van een kleinkind. Het heeft me jaren gekost om de kleuren goed te krijgen.

Omdat ik een Fulbright-beurs kreeg kon ik mijn baan opzeggen, mijn spullen in de opslag dumpen en een enkele reis naar India boeken. Nu ik eenmaal hier ben zijn de mogelijkheden duizelingwekkend. Ik kijk naar het nieuwe stempel in mijn paspoort, volg het reliëf met mijn vingertoppen en ben nieuwsgierig naar wat het komende jaar me zal brengen. Boven in de linkerhoek van mijn visum staat een 'R' voor 'Research'. Veel van wat ik graag over mijn grootmoeder en mijn voorouders zou willen weten is nog een mysterie, een goed bewaard geheim. Ik ben hier als een amateurdetective op die meest Amerikaanse van alle Amerikaanse reizen: de zoektocht naar de wortels van de heel eigen boom. Het is een omgekeerde migratie. Ik ben teruggekeerd naar het land dat mijn grootmoeder en moeder heeft gekoesterd, om te lopen waar zij hebben gelopen en mijn eigen plattegrond te trekken in hun plattegrond. In mijn schoudertas zit een merkwaardige verzameling voorwerpen: een half vergaan stencil met familienamen, vijf vergeelde boeken met geliefde gebroken ruggen en een handvol sepiakleurige foto's met onbekende gezichten.

Ik heb het gevoel dat ik ver verwijderd ben van Chestnut Hill, van het witte huis gemaakt van gepotdekselde planken waarin ik ben opgegroeid, van de kleine ogen van de miniatuurafbeeldingen van de mogols en van de oplettende, elegante blik die me vanaf het portret van de betovergrootmoeder van mijn vaders kant aanstaart. De sfeer van dat huis is altijd bij me: de vrolijke wanorde tijdens vakanties die in de omarming van de diepe, brede deuropeningen en het donkere hout lagen te wachten. Het was een degelijke plek die door mijn drie ouders werd bestierd: mijn vader, mijn moeder en mijn grootmoeder van moeders kant, Nana. Als kind beschouwde ik ons huis als een klein koninkrijkje dat werd geregeerd door een streng maar welwillend driemanschap. Het is het vooruitzicht van volwassenheid dat me hiernaartoe heeft gebracht, op zoek naar het Bombay en de achtergrond van de verhalen waarmee ik ben opgegroeid. Ik wil weten of het bestaat, het mythische huis dat mijn moeder en grootmoeder in hun verhalen sponnen. Ik wil dat deze stad de hiaten in mijn begrip opvult en mij één maakt.

Terwijl mijn taxi door het verkeer van Bombay racet, klinkt de stem van Nana, met die kenmerkende onderdrukte geestdrift, in mijn oren. 'Jouw grootvader heeft een huis voor mij gebouwd in Bombay met uitzicht over de oceaan. In je slaap kon je het geluid van de golven horen. Het was alsof je op een schip sliep...'

Ik ken alleen de fragmenten. Ik ben hier gekomen om ze met elkaar te verweven, er een nieuw verhaal van te maken, een verhaal dat helemaal alleen van mij is.

DEEL EEN

Verhalen vertellen

1

De beschilderde stad

Chestnut Hill, 1985 / Bombay, september 2001

In het huis niet ver van Boston waarin ik ben opgegroeid, hing op de overloop aan de voorkant van het huis een groot, levendig portret van mijn moeder. Het was geschilderd door bioscoopschilders uit Bombay, van die posterromantici die droomden van een onverdeeld India. Ik weet nog dat we het schilderij op een plakkerige avond in 1985 kregen. Mijn broer, Cassim, mijn vader, mijn grootmoeder en ik stonden ongeduldig op Logan Airport te wachten tussen een grote groep emigranten van het Indisch Subcontinent – een zee van bruine gezichten en mijn grote blanke vader, die in de internationale aankomsthal een halve maan vormden om de nachtvlucht van Karachi te verwelkomen. De dubbele deuren gingen met een mechanische klik en klap open, en de passagiers begonnen naar buiten te stromen. Bordjes voorzien van met de hand geschreven namen gingen de lucht in als een zwerm vogels, flap-flap, hoger! Hoger! En kreten als: 'Hier ben ik! Hier ben ik!' En: 'Daar is ze!'

Mama kwam naar buiten met het portret onder haar arm en een gelukkige, triomfantelijke uitdrukking op haar gezicht. We zagen al snel waarom. Ze had de schilders gevraagd om datgene waar de natuur haar mee gezegend had een handje te helpen – op het schilderij was ze knapper, slanker en voluptueuzer. Haar donkere haar werd door gouden schaduwen verlicht en haar slanke wang rustte in haar rechterhand, alsof ze in gedachten verzonken was. Een paar schouderlange diamanten oorhangers hangen net boven haar kraagje. Het lijkt opmerkelijk goed. Er is onmiskenbaar iets bekends in het hartvormige gezicht met de guitige kin. Maar om dit portret als een nauwkeurige weergave van mijn moeder te accepteren, is als het accepteren van een dubbele werkelijkheid, als de Indiase manier van met het hoofd schudden – van voor naar achter, van links naar rechts, ja en nee tegelijk.

Ik heb altijd gedacht dat de stad op de achtergrond van het schilderij – blauw, met minaretten waarvan de punten als tenten op de achtergrond opdoemden – Bombay was, de stad die mijn moeder en grootmoeder tijdens de opdeling van India hadden achtergelaten en de stad die mijn grootmoeder zo erg mist. Ik twijfel er niet meer aan dat het een dromerige, vage weergave was van het India van voor de opsplitsing, die gelijkenis vertoont met het nooit vergeten huis van de familie. Deze mythische stad vormt het decor van de verhalen die me als kind werden verteld, een plaats bevroren in de tijd. Het kan onmogelijk hetzelfde India zijn waar ik als volwassene doorheen loop.

Het is een snikhete dag in september 2001 als ik in Bombay aankom, vijftien maanden na de dood van mijn grootmoeder. Ik heb een Fulbright-beurs gekregen om een jaar in India te kunnen studeren en heb de inboedel van mijn New Yorkse appartement voor een jaar in een opslagruimte gestald. Ik heb vijf camera's en twee koffers vol spullen bij me. Ik wil de tijd hier graag gebruiken om de plaatsen te bezoeken waar mijn grootmoeder haar jeugd heeft doorgebracht en om een belofte na te komen die ik haar voor haar dood heb gedaan: ik ga proberen meer te weten te komen over haar voorouders. De eerste tijd ga ik in Poona wonen, een stad die 170 kilometer noordoostelijker ligt, maar mijn allereerste bestemming is Bombay, de stad waar mijn grootmoeder is geboren.

Ik besluit de nacht door te brengen in Colaba, een gedeelte van Bombay waar westerse reizigers vaak verblijven. De aanslagen op het World Trade Center zijn nog maar een paar dagen geleden, en als ik over de Causeway loop, een overdekte straat waar straatventers goedkope kleding en hebbedingetjes verkopen, verdring ik de gedachten aan de chaos thuis naar een ver hoekje van mijn gedachten. Ik loop langs stapels kranten in het Engels, Marathi en Hindi, die allemaal dezelfde foto's van rook en puin laten zien.

Ik vind een kamer in een oud pension. Ik dump mijn koffers, neem een douche en trek daarna een afgedragen katoenen *salwar kameez* aan die ik nog heb van een van mijn reizen naar Pakistan. Om mijn hals draag ik iets wat ik tussen de papieren van mijn grootmoeder heb gevonden: een piepklein, gebogen koperen sleuteltje aan een lange gouden ketting. Ik heb geen idee waar het voor dient, maar sinds haar dood draag ik het als een soort talisman, een herinnering aan haar. Ik vind het een prettig idee dat er iets van haar is dat samen met mij deze reis maakt.

Ik loop de intense hitte van de dag in, hou een taxi aan en zeg tegen de chauffeur dat hij me naar Worli Sea Face moet brengen – een deel van de stad dat voornamelijk als woonwijk dient met uitzicht over de oceaan. Terwijl we door de drukke straten rijden, komen verhalen van mijn grootmoeder bij me boven. Ik herinner me een gesprek dat we hadden – hoe vaak wel niet? – terwijl we bij het fornuis stonden, tenen knoflook pellend en gember schillend, en die stampten totdat het de scherpe pasta was geworden die de basis vormde voor alles wat we aten. Het verhaal begint altijd hetzelfde en ik stel altijd dezelfde vragen.

'Je grootvader heeft op Worli Sea Face een huis voor mij gebouwd met uitzicht over zee. Het was een prachtig wit huis met twee verdiepingen en twee tuinen, een aan de voorkant en een aan de achterkant. Je kon de golven op het strand horen breken. Het was alsof je op een schip sliep. Een groot schip. Aan de voorkant stond de naam van het huis, Rahat Villa.'

'Het is naar u genoemd, hè Nana?'

'*Haan*, naar mij genoemd. Mijn echtgenoot heeft het huis naar mij genoemd. Je moeder is er geboren en we hebben er gewoond totdat we naar Pakistan moesten vertrekken. Mijn moeder en broers woonden bij me in, en in die tijd was ik onafhankelijk, het was mijn eigen huis. Het was niet zoals in Karachi, waar zo veel vrouwen en kinderen waren.'

'Nana, waarom bent u met grootvader getrouwd terwijl u wist dat hij al getrouwd was?'

'Dat is geen geschikt onderwerp voor een jong meisje.'

Ik heb de taxichauffeur alles verteld wat ik weet: Worli Sea Face, een groot wit huis, Rahat Villa, uitzicht over zee. We rijden langs de oceaankust en ik zie dat er nog maar nauwelijks particuliere woningen over zijn. Ze zijn allemaal vervangen door hoogbouw. De moed zakt me in de schoenen. Misschien is het er niet meer, is het afgebroken. We komen aan het eind van de gebouwen met uitzicht over het water en ik vraag de chauffeur om dezelfde weg terug te nemen, maar dit keer langzamer. Ik zie een wit gepleisterde bungalow in art-decostijl, maar die heeft maar één verdieping, niet twee. Is dat het huis? Nee, ze zei twee verdiepingen, met een tuin aan de voorkant en een tuin aan de achterkant. En een schrijn. Ik weet nog dat er een heel kleine soefischrijn was, een alkoofje in de muur dat door mijn grootvader in ere was hersteld.

Plotseling zie ik het huis. Het ziet er vertrouwd uit, alsof ik het al duizenden keren heb gezien, en ik realiseer me dat ik er in mijn grootmoeders fotoalbum foto's van moet hebben gezien. Waar 'Rahat Villa' hoort te staan staat nu 'Shandilya Villa', maar het is onmiskenbaar hetzelfde huis. Ik vraag de chauffeur te stoppen en stuur hem weg, voordat ik besef dat ik geen flauw idee heb waar ik een taxi voor de terugweg kan vinden.

Maar ik ben er. Ik loop de oprit op naar het huis, de zee achter me. Op het gazon voor het huis staat een tuinhuisje van bewerkt hout, omringd door geknotte bomen, en daar is de indrukwekkende voordeur van donker hout met een koperen deurknop. Daar is de muur waar mijn moeder overheen gluurde naar de tuin van de buurman, en riep om haar *ayah*, haar kindermeisje Lucy, die bij het gezin ernaast meer geld kon verdienen. En daar is de overdekte veranda waar mijn overgrootmoeder kokos raspte.

Een bewaker komt langzaam naar me toe lopen, nieuwsgierig naar wat ik kom doen.

'*Mr. Shandilya hain?*' vraag ik. '*Is meneer Shandilya thuis?*' Ik gok erop dat de eigenaar het huis naar zichzelf heeft genoemd.

Hij beduidt dat ik door mag lopen en ik ga naar de zij-ingang. Als ik heb aangebeld besef ik plotseling dat ik geen idee heb wat ik ga zeggen. Een huisknecht doet de deur open en ik herhaal mijn vraag. '*Mr. Shandilya hain?*'

Er ontstaat enige verwarring. Blijkbaar zijn er twee mannen die Shandilya heten, een oudere en een jongere. Als me om opheldering wordt gevraagd, zeg ik dat ik graag de oude meneer Shandilya wil spreken. Ik word naar de hal gebracht en het verbaast me weer hoe bekend alles me voorkomt. Iets in het zware witte marmer en het ingewikkelde patroon van het traliewerk zorgen ervoor dat Nana dicht bij me is. Zíj heeft deze wanden, schoorsteenmantels en materialen uitgekozen, en deze keuzes waren als blijvend bedoeld, gemaakt van sterke, zware en tijdloze materialen. De zes jaar die ze samen met haar oudste twee kinderen, haar moeder en haar broers in dit huis heeft gewoond, is de enige keer geweest dat ze een plek voor zichzelf had, en dat was iets waar ze de rest van haar leven naar heeft gezocht maar nooit meer heeft gevonden. Haar echtgenoot, de kostwinner, kwam in die tijd maar zelden naar Rahat Villa. Hij kwam dan onaangekondigd en vertrok later weer naar een van zijn andere huizen en zijn andere vrouwen en kinderen, zonder daarover mededelingen te doen. Toen Nana na de opdeling van India van Bombay naar Karachi, in Pakistan, vertrok, liet ze haar geboorteplaats en haar gemeenschap achter en ruilde die in voor een nieuw leven. Ze werd de derde vrouw in een islamitisch huishouden, met drie gezinnen onder één dak.

Mijn hart bonst. Ik heb het gevoel dat ik ben gekomen om het huis terug te nemen. Ik word door de voorste hal naar de grote zitkamer geleid, die nog steeds gemeubileerd is in de art-decostijl die populair was toen mijn grootmoeder het huis inrichtte aan het eind van de jaren dertig: donker, bewerkt houten meubilair met gestileerde vormen en geschulpte randen. De meubels staan zo opgesteld dat men gemakkelijk met elkaar kan praten, en het doet me erg denken aan mijn grootmoeders kamer in Boston. Ik besef wat ze daar heeft geprobeerd na te maken. Het is allemaal hier. Ik zie het.

We lopen de grote trap op en mijn adem stokt als ik een laag ladekastje herken in een van de kamers. Het heeft hetzelfde met ivoor ingelegde patroon en houtsnijwerk als een grote kast van mijn grootmoeder in het huis van onze familie in Karachi, waarin ze haar juwelen en belangrijke papieren bewaarde. Ik gebaar vragend naar de huisknecht of ik de kamer binnen mag gaan en hij knikt. Ik stel me voor dat dit misschien haar slaapkamer is geweest. In gedachten stuur ik haar een telegram: 'Ik zit op uw bed in Rahat Villa, Nana. Ik stel me voor dat u hier ook bent.'

Meneer Shandilya zit op de veranda van de eerste verdieping van het huis te rusten en zijn pijp te roken, zijn stoel gericht naar de tuin. Hij lijkt midden tachtig, de leeftijd die mijn grootmoeder ook zou hebben gehad als ze was blijven leven. Hij is in het wit gekleed en ziet eruit alsof hij van papier is en dat hij wordt weggeblazen als er een beetje wind opsteekt. Ik leg uit dat ik de kleindochter ben van Rahat, uit Amerika, en dat nieuws brengt hem duidelijk van zijn stuk. Hij glimlacht een verontschuldigende, warrige glimlach en is plotseling druk met zijn pijp in de weer terwijl ik al het Hindi spreek dat ik ken. Als ik aan het eind van mijn betoog ben gekomen, begin ik opnieuw, deze keer in het Engels. 'Ik kom uit New York. Ik heet Sadia. Mijn grootmoeder was Rahat.' En deze keer vertel ik hem ook andere dingen.

'Mijn grootmoeder heeft me over dit huis verteld. Soms werd ze wakker en dan dacht ze dat ze hier was, boven in haar slaapkamer met uitzicht over zee. Ze zat vaak op de rotsen over het water uit te kijken. Daar, aan de andere kant van de straat.'

Meneer Shandilya bonkt zachtjes met zijn stok op de vloer en er komt een huisknecht aangerend. Er wordt thee gebracht en daar ben ik dankbaar voor. Ik weet dat hij me waarschijnlijk niet verstaat, maar ik heb het gevoel dat het belangrijk is om hier over Nana te praten, op deze enige plek die ooit echt van haar is geweest. We zijn omringd door een welwillende, vreemde stilte. Het zweet loopt langs mijn zij.

Er schiet me iets te binnen wat ze vaak tegen me heeft gezegd. Voor ieder van ons is er een tijd waar we in gedachten keer op keer naar teruggaan, een plaats die we in stilte passeren. De mijne is de lente voorafgaand aan Nana's dood. Als ik slaap zit ik in de april- en meimaand van mijn grootmoeders laatste levensjaar gevangen, toen ik Nana nog steeds kon zien en met haar kon praten. Voor Nana waren het de jaren die ze in Rahat Villa had gewoond. Als ze in de rest van haar leven midden in de nacht gedesoriënteerd wakker werd, kwam ze uit dit huis gestommeld.

Meneer Shandilya draait zijn stok rond tussen zijn duim en wijsvinger, heen en weer, heen en weer. Een vogel begint zijn middagroep.

'Ik wilde het met mijn eigen ogen zien,' zeg ik tegen hem.

Hij knikt, ernstig, alsof het hem helemaal duidelijk is. Hij is te beleefd of te doof om te reageren. Hij vult opnieuw zijn pijp. Er verschijnt een jongeman die een paar woorden met meneer Shandilya wisselt. Hij heet Vitin en is de kleinzoon van meneer Shandilya. Ik leg hem uit wie ik ben en hij knikt snel. Hij stelt voor om me de rest van het huis te laten zien. Ik wil het allerliefst het dak zien: Nana heeft zo vaak verteld dat ze boven op het huis zat te kijken hoe het water op het strand sloeg. Vitin leidt me door de kamers boven en ondertussen stel ik hem vragen over zijn familie en zijn studie. Hij beantwoordt mijn vragen snel en verlegen. Hij is iets jonger dan ik en studeert computerwetenschappen. Hij neemt me mee de trap op naar het dak en we lopen over het grote, egale oppervlak dat door een balustrade wordt omsloten; we kijken neer op de golven die onder ons stukslaan.

'Weet je grootvader wie ik ben?' vraag ik hem.

Hij is even stil en zegt dan bedachtzaam: 'Eigenlijk is het heel bijzonder. Hij denkt dat je Rahat bent, de oorspronkelijke eigenaresse van het huis.'

'Ze was mijn grootmoeder,' zeg ik, terwijl ik kijk naar een wasvrouw aan de rand van het strand die een lap natte was hoog boven haar hoofd tilt en die telkens weer hard, als een knetterende zweep, op de zware rotsen slaat. 'Voordat ze stierf, heeft ze me gevraagd hiernaartoe te gaan. Ze wilde dat ik haar huis zou zien. Het is precies zoals ze het heeft beschreven.'

We staan daar maar, kijkend naar het water en de auto's die voorbij zoeven over de weg, ver beneden ons. Nana vergeleek Rahat Villa altijd met een groot schip, en voor het eerst begrijp ik wat ze bedoelde.

'Het is goed dat je bent gekomen,' zegt Vitin.

2

Voorouders die schipbreuk leden

Chestnut Hill, 1988

Op een zaterdag, ik was toen dertien, hing ik rond bij de deur van mijn grootmoeders slaapkamer. Mijn moeder zat aan mijn grootmoeders voeten met haar hoofd tussen mijn grootmoeders knieën, en Nana masseerde mama's schedel met kokosolie. Ze spraken Urdu met elkaar, hun eigen taal, en ik wilde dat ik kon volgen waar ze het over hadden.

Op de planken bij de deur bewaarde Nana haar waardevolle porselein en de vreemde voorwerpen en spulletjes die ze van haar reizen naar het buitenland had meegebracht: een theekopje uit Zweden waar 'Farmor = Grandma' op stond, een klein eitje in een aardewerken nestje, een miniatuurlid van de crewacht van Buckingham Palace. Op de achtergrond klonk de radio, een vrouw zong een popsong in het Hindi. Ik wilde naar binnen gaan, maar wist niet zeker of ik welkom was.

Het midden van de kamer werd in beslag genomen door Nana's enorme hemelbed van donker hout. Voor de ramen hingen gordijnen van chintz, naar Engels voorbeeld, met grote rode rozen die pasten bij haar rozenrode gestikte deken. Rechts was de open haard met de schoorsteenmantel vol familiekiekjes. Er waren foto's van Nana's kinderen: mijn moeder en haar broers tijdens hun jeugd in Pakistan; mijn moeder als vijftienjarig meisje op de dag dat ze naar Amerika vertrok: trots, versierd met slingers van goudsbloemen, haar lange zwarte vlecht die bijna tot haar middel reikte; mijn ooms, ergens in de twintig, op hun eigen bruiloft. Er stonden ook foto's van mijn directe familie: het huwelijk van mijn ouders bij het huis van mijn vader in de Rocky Mountains van Colorado; mijn jongere broer, Cassim, en ik als baby; wij tweeën als peuter en als kinderen van dertien en tien.

Nana praatte met mijn moeder op een andere manier dan met mij. Met mij sprak ze langzaam en aarzelend Engels. Met mama praatte ze snel in het Urdu, en dan klonk het vaak alsof ze boos was. Ik vermoed dat ze die dag over de eigendomsperikelen rondom Siddiqi House praatten, ons familiehuis in Karachi, het gemeenschappelijke bezit van mijn grootvaders drie weduwes en tien kinderen. Nana's zonen, de vier jongere broers van mijn moeder, woonden op verschillende plaatsen in Europa en de Verenigde Staten. We zagen ze vaak lange perioden niet, maar plotseling verschenen ze dan, chic gekleed en in mooie auto's, beladen met cadeaus. Dan leek mijn grootmoeder het allergelukkigst, als haar kinderen bij elkaar waren. Het is niet gebruikelijk dat een vrouw bij haar dochter en schoonzoon inwoont, en Nana had het er vaak over dat ze bij een van haar zonen wilde gaan wonen. Elk jaar was ze maanden op reis om hen te bezoeken, en ze zeulde haar grote, zorgvuldig gepakte koffer naar een van hen, in plaatsen ver weg in Pakistan, Engeland of Zweden, of soms heel dichtbij in New Jersey. De rest van het jaar woonde ze bij ons en was ze de ogen en oren van ons huishouden. Haar kamer lag boven aan de trap en vanuit haar hemelbed bekeek ze het komen en gaan van onze gezinsleden.

Ik sloop voorzichtig de kamer in. Die was vervuld van de doordringende geur van kokosolie en de bedwelmende combinatie van suikergoed en muskus. Ik wist dat ik ze beter niet kon onderbreken en daarom liep ik zachtjes naar het bureau van mijn grootmoeder en legde mijn handen op de twee handgrepen. Ik zei dat ik op zoek was naar een veiligheidsspeld en vroeg of ik het bureau mocht openmaken.

Mama en Nana hoorden me nauwelijks. Nana goot olie uit een klein, donker flesje op mijn moeders schedel en gebruikte haar rechterhand om het te verspreiden, sloot de vingers en masseerde de huid. Mama had haar ogen dicht van genot, en ze mompelde dat ik kon doen wat ik wilde.

Ik ging snel door de inhoud van de bovenste la, op zoek naar een excuus om naar hun gebabbel te blijven luisteren. Ik had het gevoel dat ik een privévertrek was binnengedrongen. Ik had hetzelfde gevoel als wanneer ik Nana's kamer binnenging en haar aantrof met bedekt hoofd, bezig met haar middaggebed.

Ik vond klosjes garen en kleine houten doosjes met munten en stukjes papier erin. Ik maakte een klein doosje open. Er lag op blauw fluweel een kleine, ronde ijzeren speld in met daarop een afbeelding van Florence Nightingale en het volgende devies:

Er wordt van u verwacht dat u eenvoudig, eerlijk, oprecht, betrouwbaar, punctueel, kalm, ordelijk, schoon en netjes bent.

Op de speld zat een glanzend gepoetst plaatje bedoeld voor een naam, en op die plek stond:

Toegekend aan: Rachel Jacobs

'Nana, wie is Rachel Jacobs?' vroeg ik, haar onderbrekend.
'Zo heette ik voordat ik trouwde,' zei ze rustig.

Het werd stil in de kamer, en in mijn herinnering aan dat moment vond zelfs de popster dat ze even een korte pauze moest inlassen.

Ik wist niet hoe ik het had. Ik had Nana altijd gekend als Rahat, niet als Rachel. 'Maar dat klinkt als een Amerikaanse naam.'

Mijn moeder deed haar ogen open en draaide zich om om haar moeder met een voorzichtige glimlach aan te kijken, alsof ze benieuwd was naar wat ze zou gaan zeggen.

'Dat was mijn joodse naam voordat ik ging trouwen.'

'Hoe bedoelt u, uw joodse naam?' Ik wist dat mijn grootmoeder moslima was. Ze had een Koran waar ze uit bad en ze werd heel erg boos als ze merkte dat mijn vader bacon in huis had gehaald.

Ze goot wat olie op de palm van haar rechterhand, keek naar het kleine poeltje en wachtte even. Toen begon ze een verhaal te vertellen dat ik nog nooit eerder had gehoord.

'Heel lang geleden vertrokken je voorouders per boot uit Israël – een grote, brede houten boot – en ze leden schipbreuk in India. Ze waren joden, maar ze vestigden zich in India. Bij de schipbreuk waren ze de Thora kwijtgeraakt, en ze vergaten hun geloof.'

'Waren ze vergeten wie ze waren?'

'Dat waren ze niet vergeten, maar ze herinnerden zich nog maar één gebed en ze bleven in één God geloven, Allah, maar ze hadden een andere naam voor hem. Ze bleven in India en daar woonden ze generatie na generatie, totdat de tijd kwam om naar Israël terug te keren. Toen je moeder zo oud was als jij nu, ging mijn familie naar Israël, behalve mijn broer Nissim, die in India achterbleef.'

Ik knikte en vroeg haar waarom zij, omdat haar familie naar Israël was vertrokken, niet ook was gegaan. Nana glimlachte en sloeg haar ogen neer. 'Ik was toen al getrouwd en was omwille van het huwelijk met je grootvader moslima geworden. Ik kon dus niet gaan.'

Nana zei dat met iets van spijt in haar stem. Ik vroeg me af waarom.

'Bent u dan moslima of joodse?' Ik wilde dat Nana een kant koos en ik wilde dat ze onze kant koos.

'Ik ben nu moslima, maar beide geloven hebben dezelfde God.'

Mijn hoofd tolde van al die nieuwe informatie. Ik staarde naar een foto op de schoorsteenmantel: Nana en haar moeder in glanzende zijden sari's. Ik probeerde me voor te stellen dat Nana de tempel Emanuel in Newton zou bezoeken, waar ik was geweest voor bar en bat mitswa's van vriendjes en vriendinnetjes, maar dat leek me onmogelijk. Ik keerde me om met een nieuwe gedachte. Mijn moeder was stil; ze leek ver weg.

'Dat betekent dat u ook joods bent,' zei ik tegen haar. Ik had tijdens maatschappijleer geleerd dat je joods bent als je moeder joods is.

'Volgens de joodse wetten ben ik joods,' zei mama. 'Maar toen ik klein was heb ik de Arabische gebeden geleerd. Die ken ik.'

'Kan ik kiezen?' vroeg ik. Ondertussen probeerde ik te bevatten dat mijn moeder mohammedaans, mijn vader christen en mijn grootmoeder joods was. Ik was naar de moskee, de kerk en de synagoge geweest. Had ik een keuze?

'Natuurlijk,' zei mijn moeder. 'We kunnen je alles laten zien, en dan kun jij een keuze maken.'

'Bent u er verdrietig om dat u niet meer joods bent?' vroeg ik Nana.

Ze antwoordde niet en na een tijdje zei ze iets tegen mijn moeder in het Urdu. Het was duidelijk dat ze de deur naar haar wereld weer had gesloten. Ze begonnen weer aan hun 'alleen voor volwassenen'-gesprek.

Ik legde de speld terug in de la en liep naar beneden, naar buiten, knipperend tegen het felle zonlicht op de oprit. De naam raasde rond in mijn hoofd als de naam van een nieuw meisje op school.

Rachel Jacobs. Ik probeerde me Nana als een meisje zoals ik voor te stellen, met de naam Rachel, maar het lukte me niet. Ik kon me haar niet anders voorstellen dan als Nana.

Die avond was ik rusteloos. Ik dwaalde naar de overloop die mijn slaapkamer van de slaapkamer van mijn jongere broertje scheidde en bleef in de deuropening staan om te luisteren naar de diepe, lage en gelijkmatige stem van mijn vader die een verhaaltje voor het slapengaan voorlas. Mijn vader viel altijd vóór Cassim in slaap, en zijn verhaaltjes voor het slapengaan werden een lijst van termen die met zijn laatste architectuurproject te maken hadden – 'vrijdragende balken', 'erkerraam' – en hele series nummers: '18 bij 24', '36 en 42'. Cassim tikte hem zachtjes op zijn arm. 'Abba, wat gebeurde er toen? Wat gebeurde er daarna?'

Mijn vader schrok wakker en vertelde verder. Die avond spon mijn vader weer een fantastisch sprookje, hij verzon het ter plekke – een lange, wijdlopige saga over koning Ludwig en zijn koningin met de groene ogen, Lucinda, en hun zoon, prins Humphrey. Cassim keek hem vol spanning aan, volgde het verhaal aandachtig, met ogen als twee grote manen in het schemerdonker.

'Prins Humphrey had besloten om een lange en vermoeiende reis te maken naar het koninkrijk van prinses Tristianna, om haar snoepjes en ander lekkers te brengen en om mee te doen aan het koninklijke poëziefestival. Hallo Sadu,' zei hij, toen hij mij zag staan. 'Wil je erbij komen zitten?'

Ik knikte en hij schoof op om plaats voor me te maken op het bed.

'Prins Humphrey wilde graag indruk maken op prinses Tristianna, dus stroopte hij het platteland af op zoek naar bijzondere schatten waar zij misschien van zou genieten en schreef prachtige gedichten om ter harer ere op het festival voor te dragen...'

'Wilde hij met de prinses trouwen?'

'Ja, Casu, heel graag. Maar zij was al verloofd met iemand uit het ver weg gelegen koninkrijk Monchubeestan, een slechte graaf die een opvliegend karakter had...'

Terwijl hij vertelde zag ik Cassims oogleden trillen, hoewel hij heel erg zijn best deed om wakker te blijven om de rest van het verhaal te horen. Uiteindelijk gaf hij zich over aan de slaap en mijn vader en ik hoorden zijn ademhaling dieper worden. We luisterden in stilte naar het zachte, hese geluid.

'Abba, Nana is jóóds,' kondigde ik aan. Ik liet die informatie door de kamer zweven. Ik wist niet zeker wat mijn vader ervan zou zeggen.

'Dat klopt,' zei hij en keek me aan. 'Dat is zo.'

'Maar wat zijn Cassim en ik dan?' vroeg ik hem.

'Nou, eigenlijk kun je zijn wat je wilt.'

'Jij bent christen,' zei ik, want ik wilde dat graag bevestigd zien.

'Klopt.'

'Maar je bent van geloof veranderd om met mama te trouwen. Ik dacht dat je daardoor moslim was geworden.'

'Dat klopt. Mijn ouders hebben me met de Episcopaalse Kerk opgevoed. Maar toen ik met je moeder trouwde, heb ik van alles over haar geloof geleerd. Ik geloof dat ik mijn eigen geloof niet heb opgegeven toen ik de islam omarmde; het christendom is nog steeds een deel van mij.'

'En daarom vieren we Kerstmis.'

'Precies, daarom vieren we Kerstmis. En voor je mammie vieren we de Ramadan en het Suikerfeest.'

'Maar we vieren geen Chanoeka of joods paasfeest.'

'Dat is waar, dat doen we niet.'

'Als Nana joods is, dan moeten we haar heilige dagen ook vieren. Misschien voelt ze zich wel buitengesloten.'

'Daar had ik nog nooit bij stilgestaan. Dat is een goed idee, lieverd.'

In mijn eigen kamer deed ik snel mijn nachtpon aan en kroop onder de dekens, en ik dacht aan Nana. Ik herhaalde haar oude naam telkens weer. Rachel Jacobs. Ik had het gevoel dat ik als een ledenpop was opgetild en dat mijn hoofd steeds hoger werd opgeheven en me met een hele groep mensen in contact bracht van wie ik het bestaan niet had vermoed.

Ik kon kiezen. Wat zou ik kiezen?

3

Het meisje van ver

Poona, september 2001

De dag na mijn trip naar Rahat Villa neem ik de sneltrein naar Poona. Op het station van Poona tref ik een wrevelige man die een bord omhoog houdt met SHEPARD, SADIA MISS, FILM AND TV INSTITUTE OF INDIA. Mijn telegrammen aan het instituut zijn dus toch aangekomen. Ik voel me opgelucht en opgewonden. Ik 'ben ontmoet' zoals mijn moeder zou zeggen.

Tijdens mijn Fulbright-beurs is het Film- en TV-Instituut van India, oftewel FTII, mijn gastgever, en het is mijn bedoeling om hier de komende maanden mijn tenten op te slaan. Toen ik me voor een Fulbright aanmeldde, stelde een van mijn voormalige docenten voor om contact op te nemen met de directeur van het instituut, en via een hele serie brieven is het gelukt dat ik hier mocht komen. Of ik van plan was lessen te volgen aan het instituut, wilde de directeur weten. Ik schreef hem dat ik vooral op zoek was naar een bibliotheek, een plek om te wonen en de kans om me tussen andere jonge filmmakers te mengen. 'Jonge filmmakers, daar hebben we er genoeg van,' was zijn antwoord, 'dat wil zeggen: als ze niet staken.' Het instituut is een publieke overheidsinstelling, gevestigd op het terrein van een voormalige filmstudio. Studenten uit heel India moeten een zwaar examen afleggen om kans te maken op een van de felbegeerde plaatsen in het programma. Een afgeronde studie aan de FTII betekent dat je mee mag doen in de concurrentiestrijd van de Indiase filmindustrie. De paden die de afgestudeerden bewandelen variëren van een toonaangevende rol in de Indiase avant-garde tot de uiterst lucratieve Bollywood block-buster. Toen de directeur twee jaar geleden werd benoemd voerde hij meteen een aantal onpopulaire maatregelen door, waaronder een sterke stijging van het jaarlijkse collegegeld, waarna de studenten in opstand kwamen.

De details van mijn Fulbright-project zoals ik die in mijn voorstel heb verwoord, zijn vaag. Tegen de United States Educational Foundation heb ik gezegd dat ik de Bene Israël-gemeenschap in India, waar mijn grootmoeder van moederskant van afstamt, wil bestuderen. Het is een kleine gemeenschap die zich voornamelijk in Bombay bevindt, en de leden denken dat ze tot een van de verloren stammen van Israël behoren. Mijn plan is om de Bene Israël in een serie foto's en een documentairefilm vast te leggen. Ik heb veel te veel camera's bij me: een videocamera, een 16-mm Bolex, een Super-8 camera, een mediumformaat fotocamera, een 35-mm camera en, *last but not least*, een automatische camera die ik altijd bij me heb, bang als ik ben om iets te missen. Bij de douane op het vliegveld van Bombay wekte ik de nodige nieuwsgierigheid: wat was ik van plan te gaan doen met al die apparatuur? De beambte zag de titel van mijn onderzoek op mijn visum: 'De joden van India'. 'Hoeveel joden zijn er in Bombay?' vroeg hij. 'Vijfendertighonderd,' antwoordde ik. Veel meer dan dat weet ik niet, maar het antwoord verleende me toegang tot de mensenmassa op de luchthaven en de krioelende stad daarbuiten.

Poona heeft, op Bombay na, een van de grootste Bene Israël-gemeenschappen van India, en het lijkt me een overzichtelijker plaats om mijn onderzoek te beginnen. Ik heb de bestuursleden van Fulbright vol zelfvertrouwen verteld dat ik een goed contact onderhoud met de leiders van de Bene Israël-gemeenschap en dat ze hun verhaal graag met me willen delen. De waarheid is echter dat ik alleen maar een lijst heb met haastig neergekrabbelde telefoonnummers afkomstig uit oude adresboekjes van mijn grootmoeder, de naam van een aangetrouwde, oude neef en twee etnografische werken, die eind jaren tachtig door een paar antropologen zijn geschreven. Er is maar weinig gedrukte informatie over de Bene Israël en er zijn bijna geen afbeeldingen van hoe ze eruitzien.

Ik had er al half en half rekening mee gehouden dat ik moeizaam mijn weg naar de campus in deze vreemde stad in een geelzwarte taxi zou moeten zoeken. Mijn moeder slaat de angst om het hart bij het idee dat ik in India in mijn eentje een taxi moet nemen. Terwijl ik mijn koffers op de bagageafdeling afhaal, hoor ik mijn moeders stem: 'Als je nu naar Pákistan zou zijn gegaan, dan had ik je laten afhalen. Maar nee, jij gaat naar India...'

Ik zeg tegen haar: 'Maar wij kómen uit India, mama. Voordat we uit Pakistan kwamen, kwamen we uit India.'

'Klopt,' zegt ze, toegevend. 'Maar toch, we kennen daar helemaal níemand.'

Ik heb voor India gekozen om mijn belofte aan Nana in te lossen, maar er is nog een reden, eentje waar ik me bijna schuldig over voel. Hier heb ik een bepaalde bewegingsvrijheid die ik in Pakistan nooit zal hebben. In Pakistan ben ik de dochter van Samina, de kleindochter van Rahat, het Amerikaanse nichtje, de ongetrouwde bezienswaardigheid, de incidentele bezoeker. Als wij in Karachi aankomen, worden we altijd afgehaald door Sajjad, de hoofdbediende van Nariman, een vriend van mijn moeder, ongeacht een goddeloos tijdstip dat niets met ochtend of avond te maken heeft. Als we dan naar het huis van oom Nariman rijden, kijk ik altijd uit het raam en verwonder me over de nieuwe gebouwen die er sinds mijn laatste bezoek bij zijn gekomen. Toen ik hier de laatste keer was, was ik stomverbaasd toen ik na vertrek van het vliegveld een fonkelnieuwe McDonald's zag, omgeven door massa's kleine kinderen die allemaal bedelden om kleingeld. In Karachi ga ik nooit te voet ergens naartoe; als ik tandpasta nodig heb of een zoutoplossing, ga ik dat met een chauffeur of een familielid halen. Het is een verstikkend soort luxe om in een onveilige stad te weten dat je altijd veilig bent.

India geeft me het gevoel dat ik me vrij en in anonimiteit kan bewegen, iets wat ik in Pakistan nooit heb gekend. Het gevaar en de mogelijkheden houden me scherp. Als ik mijn koffers in het busje van de FTII zet, zie ik een vrouw van mijn leeftijd behendig op een motorfiets stappen en met volle vaart van het parkeerterrein af rijden. De twee landen lijken heel veel op elkaar: de Pepsi-reclame, de drommen mensen, het stof. Maar ik heb nadrukkelijk het gevoel dat het hier anders is, dat ik hier anders ben.

De chauffeur rijdt me door de stad en door de lage ramen kijk ik naar Poona. Nana heeft een deel van haar jeugd hier doorgebracht en ze hield reusachtig veel van deze plaats. Ze gebruikte de Britse spelling, Poona, en sprak het uit als 'poe-nah', en niet de moderne Marathi-spelling, Pune, dat sommige mensen uitspreken als 'poenie'. Ik weet hoe ze het spelde omdat ik zag hoe ze aan het eind van haar leven de adressen op haar brieven schreef, toen haar ogen slechter werden en haar handschrift minder netjes. Tot een paar jaar geleden woonde hier een nicht van haar, Lily. In gedachten maak ik een aantekening dat ik Lily's echtgenoot, die nog steeds leeft, moet opzoeken. Ik steek mijn hand uit het raam en voel de lucht, die hier op de een of andere manier zwaarder is dan in New York. Er zijn meer bomen dan ik had verwacht. Het is een stad van laagbouw, flats zijn nergens te bespeuren.

Als we bij de poort van het instituut aankomen, geeft de bewaker me een envelop met mijn naam erop en een sleutel erin. Met zijn zaklantaarn gebaart hij naar een licht aflopende heuvel en volgt ons te voet als de chauffeur langzaam een lange oprit van rode aarde afrijdt. Ik zie een groep betonnen flatgebouwen die in een soort holte staan rondom één enkele ondervoede boom met een touwschommel. Hij rijdt rechtstreeks naar een van de vele deuren. Op het stoepje zie ik een flits van witte katoen, een vorm die verandert in drie groezelige maar prachtige kleine meisjes. Twee van hen vluchten weg als ze de auto aan zien komen, maar de derde blijft zitten, gefixeerd door het licht van de koplampen. Ze heeft een ondeugende grijns en onmogelijk lange wimpers. Ze kijkt omhoog in het licht met haar hoofd iets scheef, alsof ze de bewaker uitdaagt om haar weg te jagen. De bewaker schijnt met zijn zaklantaarn en moppert wat, en het meisje verdwijnt net zo snel als ze is verschenen, als een elfje.

De deur gaat open met een lange grendel. Fluorescerend tl-licht en de geur van kamfer. Ik maak het zware hangslot naar mijn kamer van betonblokken open en ga geheel gekleed op het veldbed liggen dat daar speciaal voor mij staat. Die nacht droom ik over Nana.

In de droom ben ik in het huis in Chestnut Hill waar ik ben opgegroeid. Er is een feestje en het huis is vol mensen in mooie kostuums en prachtig gekleurde salwar kameezes. Iemand, een boodschapper, komt me vertellen dat ik met Nana kan praten, maar ik schud mijn hoofd. Het is me niet gelukt om op tijd bij haar in het ziekenhuis te zijn. Maar de boodschapper blijft beweren dat ze hier is, dat ze boven in haar kamer is. Ik kan naar haar toe gaan en met haar praten, maar ik moet wel opschieten. Ik loop de wenteltrap op naar de eerste verdieping. Ik duw de deur open en zie Nana rechtop in bed zitten met een bijna koninklijk air, gekleed in een blauwe zijden sari. Haar lange zilverkleurige haar is bijeengebonden in een knot – de manier waarop ze het droeg toen ik een kind was – en er speelt een raadselachtige glimlach om haar lippen. Ze gebaart naar me dat ik moet gaan zitten.

'Luister goed. Je moet iets voor me doen.'

Ik ga zitten en ze begint heel langzaam te praten.

We praten over wat er de laatste keer dat ik haar zag is gebeurd, drie maanden voordat ze stierf. Nana zag er toen uit als een verschrompeld vrouwtje, verzwakt door leeftijd en ziekte. We zaten naast elkaar op de bank en praatten over onze toekomstplannen, toen ze plotseling haar hand op mijn arm legde.

'Beloof me één ding,' zei ze, met een stem die ineens ernstig klonk. 'Ga naar India. Probeer meer te weten te komen over je voorouders.'

Ik keek haar aan, knipperde even, probeerde niet te huilen. Ik wist wat ze bedoelde: ze wilde dat ik dat zou gaan doen als ze er niet meer was. Nana had nooit eerder iets van me gevraagd.

'Natuurlijk, Nana. Dat beloof ik u.'

'Dan is het allemaal de moeite waard geweest,' zei ze, en legde haar hoofd achterover. 'Als jij mijn verhaal vertelt.'

Ik word gedesoriënteerd wakker, de hitte ligt als een dun laagje over me heen. Het is heel donker in de kamer want de zware, bruine gordijnen blokkeren alle licht. Als ik ze opendoe om te kijken hoe het er buiten uitziet, valt er een laag stof over me heen en begin ik onmiddellijk te niezen. Ik zie de kamer nu pas echt voor het eerst. Er staat een lang, smal veldbed, een houten bureau, een stoel en een haveloze mosgroene bank. Naast de deur bevindt zich de badkamer en ik gluur naar binnen, maar deins meteen terug door de stank. Ik verzet het bureau en zie de afdrukken op de vloer; deze kamer is een hele tijd niet bewoond geweest. Er wordt op de deur geklopt en ik doe open. Een kleine man in een smerige blauwe korte broek, met een emmer vuil water en een ruwe handstoffer in zijn hand, kijkt me verontschuldigend aan. Hij gebaart vragend of hij binnen mag komen. Ik aarzel maar laat hem toch binnen. Ik kijk toe terwijl hij het smerige water door de badkamer laat klotsen en ondertussen met de handstoffer wat heen en weer veegt. Als hij klaar is ziet de vloer er slechter uit dan toen hij begon, en dat probeer ik hem te vertellen, maar hij begrijpt me niet. Ik schud mijn hoofd als om te zeggen: 'Maakt niet uit.'

Hij gaat weg en ik kleed me zorgvuldig aan. Ik drapeer de *dupatta*, een lange sjaal, van mijn salwar kameez over mijn rechterschouder en voor de badkamerspiegel breng ik mijn weerbarstige haar in bedwang. Ik ben lang, minstens een kop groter dan de meeste Indiërs. Mijn haar krult en ik draag het los. Ik speel een spel dat ik al speelde toen ik kind was. Zou ik hier beter passen als mijn haar glad en stijl was? Als ik kleiner was? Als mijn huid donkerder was? Of gaat het om iets anders, iets minder tastbaars?

Ik loop de binnenplaats op en zie nu goed wat ik gisteravond maar ten dele kon ontwaren. Ik woon in een compound van misschien wel honderd vaalblauw gestuukte kamers en appartementen die uitkijken op een kleine oprit die naar de hoofdweg leidt. Ik loop de oprit op en kijk naar het ondoordringbare verkeer van de Law College Road en zie het imposante hek van het filminstituut recht voor me opdoemen. Motorfietsen, riksja's en auto's zoeven met duizelingwekkende snelheid langs me heen. Ik zie twee mannelijke studenten van mijn leeftijd onverstoord de weg op lopen en bij de gele streep stoppen, waardoor fietsen en auto's ze op een haar na raken. Ze wachten ongeveer een minuut en zigzaggen dan de straat over, botsen bijna tegen een man op een motor aan die vier kinderen achterop heeft zitten. De jongemannen bereiken mijn kant van de straat en een van hen bekijkt me met een mengeling van medelijden en minachting.

'Het is geen rivier. Je verdrinkt er heus niet in,' zegt hij, met zijn rechterhand een wegwerpgebaar makend. De jongemannen passeren me rakelings en lopen de compound op. Ik sta daar en voel me even ontzettend stom. Ik weet hoe vreemd ik eruit moet zien. Ik ben bleker dan wie dan ook hier op straat, en in mijn ouderwetse salwar kameez pikken ze me er zo als een buitenstaander uit. Ik heb daar een pesthekel aan. Thuis, in New York, ben ik onzichtbaar. Hier ben ik een vreemde, of zoals ik hier bekend word: 'het meisje van ver'. Ik zet me schrap en ren de straat over, hijgend van inspanning als ik eenmaal aan de andere kant ben.

Ik probeer via de grote poort naar het filminstituut te gaan, maar word tegengehouden door een overijverige bewaker in een kaki uniform die wil weten wie ik ben. Ik laat de papieren zien die met mijn beurs te maken hebben en waarop vermeld staat dat ik de ontvanger ben van een onderzoeksbeurs en de universiteit een jaar lang als student zal bezoeken.

'Mevrouw, u staat niet in het register.'

'Kunt u nog een keer kijken, meneer? Ik ben hier voor een gesprek met de directeur van het instituut. Ik ben uitgenodigd.'

Ik laat hem mijn stapel papieren zien, die hij wegwuift.

'Kom morgen maar terug. U staat nergens vermeld.'

'Maar ze hebben me op het vliegveld afgehaald. Ik ben hier met een beurs. Om hier te studeren. Ik ben student.'

'Komt u van ver?'

Ik knik. Hij verdwijnt naar binnen en gaat een kantoor in.

Ik ga op de bank naast de poort zitten en kijk hoe de studenten zich op straat verspreiden. Ze komen met z'n tweeën, drieën en vieren tegelijk, sommigen lachen, sommigen lopen hand in hand. Iedereen doet me wel aan iemand denken en ik krijg een gevoel van heimwee.

Poona is de westelijke staat van Maharashtra en wordt nog steeds gedomineerd door invloeden van de Britse overheersing. De staat kwam in 1817 onder Brits gezag en Poona was tevens de plaats waar officieren een groot militair kampement oprichtten en 's zomers gingen wonen om aan de hitte en de drukte van Bombay te ontsnappen. Overal worden de straten omgeven door brede veranda's met romantisch slingerende klimplanten. Hoewel de grote boulevards eruitzien als alle andere in de meeste Indiase steden – geschilderde billboards en nieuwe fastfoodrestaurants – ademen de zijstraatjes een sfeer uit van hoe de wegen in Poona er waarschijnlijk hebben uitgezien toen het een toevluchtsoord was, omzoomd met groene bomen en bloeiende heesters. Ik vraag me af hoe het eruitzag toen mijn grootmoeder hier als kind kwam om familieleden te bezoeken. Ik kies een stenen huis uit met boven de deur '1917', het jaar waarin Nana werd geboren.

De bewaker komt terug en zegt tegen me dat de directeur vertrokken is naar een vergadering in Delhi en over vijf dagen pas terugkomt.

'Kan ik blijven waar ik nu ben totdat de directeur terugkomt?'

'Dat is een kwestie waar ik niet over mag beslissen.'

'Betekent dat ja?'

De bewaker schudt zijn hoofd van voor naar achter, ja en nee tegelijk, en verdwijnt weer in het kantoortje.

Ik wandel onzeker terug naar de straat en loop tegen het verkeer in, zoals mijn ouders mij dat hebben geleerd toen ik klein was. De riksja's braken een dikke mist aan koolmonoxide uit, ik heb kriebel in mijn keel en proef de uitlaatgassen. Er stommelen twee voddenrapers langs de straat met grote bundels op hun rug, en ze pakken gekleurde stukjes van de straat op. Moeders doen de boodschappen met in hun kielzog hun kinderen, die aan de plooien van hun sari's hangen en om snoep vragen. Ik weet nog niet waar ik naartoe ga, maar ik ben op zoek naar een krant en iets te eten.

Langs de weg heeft een groenteverkoopster haar weinige koopwaar voor zich op een bont beddenlaken uitgestald. Vier komkommers, een handjevol kleine rode uien, bosjes koriander, een paar stapeltjes limoenen en een handvol mandarijnen. Ik wijs op de mandarijnen en vraag hoeveel ze kosten.

Ze kijkt naar me op. Ze is waarschijnlijk niet veel ouder dan ik, maar haar geschiedenis staat op haar voorhoofd geschreven en omringt haar ogen met rode randen. Ze kijkt me nieuwsgierig aan, haar hoofd iets opzij om mijn gezicht en mijn onmodieuze salwar kameez goed in zich op te nemen. En dan strekt ze haar armen aan beide zijden van haar lichaam uit alsof ze een vliegtuig is en maakt een vreemd, mechanisch geluid, beweegt haar lichaam van de ene naar de andere kant, kantelt van rechts naar links, maakt steeds hardere geluiden en dan komt er een soort gegrom uit haar keel. Dan beeldt ze uit dat ze een grote toren raakt – ze vormt de toren met haar handen en maakt duidelijk hoe groot en hoog die was. Met een mengeling van afkeer en verbazing besef ik dat ze een imitatie geeft van de aanvallen op het World Trade Center. Boem! Ze wacht even en wordt dan het tweede vliegtuig dat de tweede toren raakt. Boem! Tot twee keer toe wordt ze in duizenden stukken verpletterd. Ze lacht als ze mijn geschokte reactie ziet. Ze gooit haar hoofd naar achteren, lacht onbedaarlijk en wijst naar mij.

'Amreeka! Amreeka!' Ze lacht en begint weer hetzelfde vliegtuiggeluid te maken, waarmee ze een link probeert te leggen.

Ik knik en probeer haar te zeggen dat ik begrijp wat ze me wil vertellen, en vraag haar te stoppen. Ik begin te huilen.

'Amreeka,' herhaal ik, knikkend. 'Amreekan,' zeg ik, naar mezelf wijzend. Dan kijkt ze me opnieuw aan met een vragend gezicht. Ze legt één hand op haar hart en houdt de ander voor zich, alsof ze wil zeggen: stop, zo is het genoeg. Ze schudt haar hoofd van achter naar voren, die niet te bevatten beweging, alles tegelijk. Ze probeert een gesprek met me te voeren. Ze probeert me te vertellen dat ze er spijt van heeft.

Ik knik, bedank haar en loop verder langs de straat in de richting van een telefooncel, een gammel hokje aan de kant van de weg.

Het gaat er niet alleen om dat mijn moeder mij haar taal niet heeft geleerd. Ze had me ook de handgebaren kunnen leren, de hoofdbeweging, de manier waarop je op leren sandalen moet lopen, waarbij je de zool van de sandaal elke keer een klein beetje met een kneepje van je grote en tweede teen optilt. Altijd als ik haar vraag waarom ze me die dingen niet heeft geleerd, zegt ze hetzelfde: 'Ik wilde niet dat je anders was dan andere kinderen op school.' Maar natuurlijk ben ik anders. In Amerika ben ik anders en hier ben ik anders. In Amerika val ik op en is het interessant om anders te zijn, een culturele bezienswaardigheid. Hier is het alleen maar ongemakkelijk.

Ik ga zitten in de telefooncel en zoek in mijn adresboekje het nummer op van een van de twee synagoges in Poona en draai het nummer van het hoofd van de synagoge. Ik leg uit wie ik ben en waarom ik in India ben en vraag of ik voor de volgende dag een afspraak kan maken om de synagoge te bekijken. Ik hoor dat hij de hoorn opzij houdt en tegen iemand zegt: 'Dat is een islamitische naam. Sadia is een islamitische naam.'

Op de achtergrond hoor ik iemand anders gedempt iets zeggen wat ik niet kan verstaan. Hij komt weer aan de lijn, beleefd maar beslist: 'Ik ben bang dat dat niet gaat. Kunt u alstublieft over een week terugbellen?'

En dan is de lijn plotseling dood. Ik blijf zitten en weet niet wat ik nu moet doen.

In een reflex denk ik erover om mijn ex-vriendje Tony te bellen, zoek de bekende cijfers op het paneeltje en bereken hoe laat het nu moet zijn in San Francisco. Ik denk eraan hoe hij wakker wordt in zijn zolderappartement, het bureau in de hoek bezaaid met papieren voor zijn dissertatie, vellen vol wiskundige vergelijkingen. Het is zondagmorgen en nog vroeg, zo rond de tijd dat we plannen gingen maken voor de middag. Ik denk aan de dag die voor ons ligt en die we samen zouden hebben doorgebracht, met eindeloze mogelijkheden van zon en heuvels. Maar we zijn gescheiden door meer dan alleen het leven aan een andere kust. Ik heb hem en alles wat daarbij hoorde achtergelaten toen ik eenmaal had besloten om naar India te gaan; ik voelde dat ik dat alleen moest doen.

Er wordt aanhoudend en steeds harder op het raam geklopt. Eerst heb ik het niet in de gaten en staar door het glas naar het verkeer. De deur gaat open en een jongeman steekt zijn hoofd om de hoek.

'Ben je klaar?'

Ik pak mijn wisselgeld en handtas.

'Sorry, sorry,' zeg ik en kom uit het hokje. 'Wat ben ik je schuldig?'

'Misschien kun je dat beter aan de eigenaar van de telefoon vragen.'

Ik besef dat hij een van de studenten is die ik eerder vandaag de straat zag oversteken, degene die tegen me zei dat ik heus niet zou verdrinken. Ik zie nu dat hij een dikke bos zwart haar heeft dat in zijn ogen hangt. Hij draagt een blauwe wollen spencer over een blauwwit geblokt overhemd en heeft een kleine canvas legerpukkel bij zich. Aan een van de vingers van zijn linkerhand prijkt een opvallende ring: een robijn en smaragd naast elkaar, als een tweeling die niet bij elkaar past, gezet in 22-karaats goud. Hij wekt de indruk van een studiehoofd en lijkt zich op zijn gemak te voelen. Er hangt iets stoffigs om hem heen, alsof hij zojuist uit de bibliotheek is gestapt. Dat is het, ja: hij ruikt naar boeken.

Hij wijst in de richting van het bureau naast de telefooncel, waar een jong meisje zit met een aantekenlijst voor zich waarop ze de gesprekken van die dag en de gekozen nummers noteert.

'O, het spijt me,' mompel ik, en tel mijn wisselgeld. 'Ik ben Sadia,' zeg ik, mijn hand uitstekend en zo proberend mijn blunder goed te maken. 'Ik ben hier met een beurs, maar niemand weet wie ik ben en de directeur is er niet, en nu weet ik niet meer wat ik moet doen.'

'Ik weet wel wie je bent,' zegt hij op een zakelijke toon en schudt snel mijn hand. 'Jij bent de Amerikaanse filmmaakster. Uit New York.'

Hij duikt het hokje in en telefoneert met iemand, en ik blijf perplex achter. Ik kijk toe hoe het meisje van de telefoon het nummer opschrijft dat ik heb gebeld.

Hij tettert iets in de hoorn in snel Hindi wat ik niet begrijp. Als hij uit de telefooncel komt, kijkt hij me snel aan en lijkt verbaasd dat ik er nog steeds ben.

'Hoe weet je dat ik uit New York kom?'

'Geruchten,' zegt hij, en loopt langs me heen.

Het feit dat ik me zo alleen voel lijkt me moed te geven. 'Weet jij misschien waar ik iets te eten kan vinden?' vraag ik hem.

Hij kijkt me aan over zijn schouder en knikt. 'Ik zal je meenemen naar mijn speciale plek.'

Hij loopt voor me uit over de hoofdweg en slaat dan een kleine laan in. Het is moeilijk om hem bij te houden en ik ben bang dat ik hem uit het oog verlies. Nadat we zo'n twintig minuten hebben gelopen realiseer ik me plotseling dat ik zijn naam niet weet en hem dus niet kan roepen.

Hij bukt zich en schiet onder een laag viaduct, een donkere, bedompte ruimte waar aan beide kanten vrouwen in kleermakerszit bij elkaar zijn gekropen, waar ze kleine, geurige witte bloemen van de jasmijnstruik aan elkaar naaien die hun vrouwelijke klanten in hun haarwrong zullen dragen. Aan de andere kant van het viaduct komen we bij een smalle steeg met aan beide kanten piepkleine winkeltjes waar duizenden en duizenden felgekleurde glazen armbanden en plastic sieraden worden verkocht. Links en rechts van mij huppelen kinderen met me mee, zich een weg zoekend door de stroom mensen die over prijzen marchanderen.

Ik hoor hoe een geprikkelde winkelier tegen een klant schreeuwt: 'Dit is een winkel met váste prijzen!' De jongeman waar ik achteraan loop draait zich halverwege de steeg om en kijkt me doordringend en nogal geprikkeld aan.

'Ik wou dat je Hindi kon.'

En ik antwoord: 'Anders ik wel.'

Na nog een paar minuten komen we bij een plek die Lucky heet, een klein eethuisje in een souterrain met fluorescerend tl-licht.

'In dit café komen alle grote Indiase filmmakers,' zegt de jongeman, en toont me met een kort handgebaar de groezelige ruimte.

In deze ruimte vindt hij een bepaalde magie, en ik probeer uit te vinden wat die is.

'Studeer je dat? Film maken?'

Hij knikt nogal vaag. 'Regie. Onder andere. Wat voor soort films maak jij?'

'Documentaires.'

Ik ben vergeten dat de mensen hier veel meer op hun gemak zijn met stilte dan ik. Ik luid de tafelbel voor een ober, die voor de bestelling uit de keuken komt en eruitziet alsof ik hem tijdens een dutje gestoord heb, met een grauwe theedoek vol vlekken doelloos over zijn arm.

'Een gekoeld drankje?' vraagt hij.

Ik vraag om een paar koekjes en een Coca Cola. De student bestelt er een voor zichzelf, maar houdt de ober plotseling tegen als die van onze tafel weg wil lopen.

'Nee, je moet een Thums Up nemen. Indische cola. Twee.'

De ober knikt, schuifelt naar achteren in de kantine en komt terug met een plastic dienblad met een pak koekjes en twee flesjes koude Thums Up met lange rietjes en gewikkeld in natte servetten.

'Hoe heet je?' vraag ik als we onze drankjes hebben.

'Rekhev. Wat doe je eigenlijk precies in India?'

'Ik bestudeer een gemeenschap die de Bene Israël heet, de Kinderen van Israël, waar mijn grootmoeder van moederskant van afstamt.'

Rekhev knikt en neemt een klein slokje van zijn Thums Up.

'Ben je van plan een film over hen te maken?'

'Ik wil een serie foto's van ze maken, daarna misschien een film, maar pas als ik ze heb leren kennen en hun verhaal begrijp.'

'Vind je het lekker?' vraagt hij, wijzend op de cola.

'Het heeft meer te vertellen dan Coca Cola,' zeg ik. 'Veel van deze islamitische café-eigenaren doen Amerikaanse producten in de ban, en ze verkopen liever geen Coca Cola. Maar de grap is dat Coca Cola de eigenaar is van Thums Up, maar niemand weet dat. In dat opzicht is India heel bijzonder. Wat vind jij van de aanval op je land?'

'Ik heb het gevoel dat de wereld veranderd is. Ik vraag me af of ik hier moet blijven of naar huis moet gaan.'

'Wil je liever naar huis?'

'Nee.'

'Blijf dan hier.' Rekhev kijkt me voor het eerst recht aan. Hij steekt een sigaret op. 'Je moet zorgen dat je een mening hebt over de Amerikaanse reactie op de aanvallen. De mensen zullen dat aan je vragen.'

'Ik heb nooit gezegd dat ik geen mening heb,' zeg ik, in de verdediging gedrukt.

We zitten even in stilte bij elkaar. 'Mag ik er ook een?' vraag ik, wijzend op zijn sigaret. Ik rook eigenlijk niet. Ik moet hoesten van de Indiase sigaret en Rekhev glimlacht.

'Waar gaan jouw films over?' vraag ik.

'Eigenlijk ben ik momenteel een roman aan het schrijven die zich afspeelt langs de grens met Pakistan, de streek waar ik ben opgegroeid. Wat weet je van de Indiase mythologie?'

'Niet veel.'

'Dat is jammer. Dan zul je mijn boek ook niet begrijpen. Er zijn een paar belangrijke teksten die je zou moeten lezen nu je hier bent, gewoon om de dingen die je ziet in de juiste context te kunnen plaatsen. Maak je niet druk om hedendaagse boeken; zorg voor een goede vertaling van *De Ramayana*.'

'Wat bedoel je?'

'Westerlingen begaan die fout vaak – ze denken dat India "begrepen" kan worden, dat het allemaal logisch wordt wat er in het land gebeurt, als ze maar hard genoeg studeren. Maar ze gaan nooit terug naar die vroege teksten om de basis op te zoeken van hetgeen waarnaar ze kijken. Ik heb in Jammu een verhaal gehoord over twee geleerden – een uit Oostenrijk en een uit Japan – die vuilmonsters nemen langs de weg, als er twee dorpelingen passeren. Zegt de ene dorpeling tegen de andere: "Het is me toch wat. Zijn er in hun eigen land zo weinig banen dat ze hiernaartoe moeten komen om ons vuil op te halen?"'

Ik moet glimlachen om die gedachte. Ik ben een vuilophaler.

'Ik ben er niet aan gewend zo veel Engels te praten,' zegt hij, en pakt nog een sigaret.

'Je spreekt prima Engels.'

'Alleen omdat ik het de hele dag lees. Maar meestal hoef ik niet zoveel achter elkaar te zeggen. Misschien ben jij in dat opzicht wel goed voor mij.'

Hij steekt zijn sigaret aan en er valt een stilte. Ik heb het nog niet helemaal door, maar op zijn eigen zakelijke manier heeft Rekhev net aangeboden een oogje in het zeil te houden. De volgende dag loop ik langs een stalletje met tweedehands boeken en koop een uitgave van *De Ramayana*.

4

Gelukskind

Castle Rock, 1917

Rachel Jacobs. Toen ik die naam eenmaal had ontdekt opende die nieuwe deuren voor me, nieuwe nieuwsgierigheid in mijn hoofd. Ik bleef Nana maar aan haar hoofd zeuren om details. Wat hield het in om joods te zijn en in India op te groeien? Hoe beleden haar voorouders hun geloof zonder een Thora? Als Nana in de stemming was om me over haar jeugd te vertellen, begon ze altijd met hetzelfde verhaal: het relaas van haar eerste profetische droom. Ze vertelde het rustig maar dwingend, om voor zichzelf te bevestigen dat het echt was gebeurd en om me te waarschuwen dat ik voorzichtig moest zijn. De eerste keer dat ik het hoorde lag ik er de hele nacht wakker van. Nana's verhalen waren meestal een aaneenrijging van eenvoudige feiten en ze vertelde ze spaarzaam, alsof woorden geld kostten. Maar de verhalen over haar dromen waren spookachtig

– vol van suggestieve, overdrachtelijke beeltenissen, waarvan de betekenis niet altijd duidelijk was.

'Maak je geen zorgen,' zei ze dan. 'Ik zal je altijd boodschappen blijven sturen, zelfs nadat ik ben weggegaan. We komen je bezoeken als je slaapt.'

Rachel bracht haar vroege jeugd door in Castle Rock, een landelijk gelegen mijnstadje op twee dagen reizen van Bombay. Haar vader, Ralph, was de baas van een mangaanmijn. Voordat zij werd geboren waren Ralph en Segulla-bai, Rachels moeder, jarenlang overal tijdelijk gehuisvest, verhuizend van Bombay naar de voorsteden en verschillende mijnstadjes in de streek. Op een gegeven moment vonden ze een stenen bungalow met een bovenverdieping op vier kilometer lopen van het treinstation in Castle Rock. Het huis stond een eindje terug van de weg, met een kleine eendenvijver ervoor en een rivier links van het huis die werd overspannen door een loopbrug. Ralph informeerde ernaar en hij kreeg te horen dat het leeg stond, in feite stond het al een aantal maanden leeg. In het dorp werd gezegd dat het er spookte en niemand wilde het huis dan ook huren. Ralph en Segulla-bai besloten dat ze er wilden blijven en verhuisden hun bezittingen ernaartoe – een hele trits koffers, twee tafels en een tweepersoonsbed.

In zes jaar tijd schonk Segulla-bai het leven aan zes kinderen. Toen twee van haar kinderen al op heel jonge leeftijd stierven, fluisterden een aantal vrouwen van de Bene Israël dat Segulla-bai geen geluk had, dat ze niet zo vroom moest zijn en dat ze, net als zij deden, voor de zekerheid tot de plaatselijke hindoestaanse goden moest bidden om de dreiging van pokken af te wenden.

'Onze God is immers zó ver weg, *na*? We moeten hier ook beschermd zijn,' fluisterden de vrouwen achter hun waaiers.

Maar Ralph wilde er niets van weten en hij nam Segulla-bai en zijn drie kinderen mee voor een driedaagse reis naar de synagoge van zijn familie om daar de joodse hoge feestdagen te vieren. Er waren vier kinderen: een sterk, donkerharig meisje dat Lizzie heette en drie jongens: Eliezer, George en Benjamin, die de lichte huidskleur en elegante bouw van hun vader Ralph hadden.

's Zaterdags hield de familie Jacobs zich in huiselijke kring aan de sabbat. Ze rustten uit en aten het eten op dat Segulla-bai de dag ervoor had klaargemaakt. Hun hindoestaanse buurman vroeg waarom de familie Jacobs elke zaterdag rust hield en ze vertelden hem dat ze dat deden om hun God te eren en dat het een traditie was die al van generatie op generatie was overgegaan. De buren knikten en stemden toe om op zaterdag voor het vee te zorgen. Uit respect voor hun vrienden at de familie Jacobs geen rundvlees. Een keer per week kwam er een Hebreeuwse leraar naar hun huis om de jongens te leren de Thora te lezen, en toen ze de basis onder de knie hadden bracht hij een kleine ramshoorn mee om het spelen op deze *shofar* te oefenen. De kinderen waren onafscheidelijk. Terwijl ze van het ene stadje naar het andere verhuisden, vormden ze een onzichtbare cirkel, een piepklein legertje. Ze waren zelfvoorzienend en sterk, en zorgden voor hun moeder die door de voortdurende zwangerschappen verzwakt was.

Toen Segulla-bai zwanger was van Rachel bracht ze een bezoek aan de familiesynagoge om het traditionele *malida*-offer te brengen, waarbij ze de profeet Elia vroeg om haar ongeboren kind te beschermen. Ze bereidde een diepe *thali*-schotel met gestampte rijst en kokos. De vrouwen van hun gemeenschap kwamen vanaf de bazaar aanlopen met tassen vol fruit van de markt. Ze gingen op de binnenplaats van de synagoge in de schaduw van een groepje bomen zitten, spreidden een laken uit en begonnen al pratend, als aan een lopende band, met het dompelen van de dadels, bananen, vijgen, sinaasappels en *chiku*-fruit in kommen met water, schilden vruchten en raspten kokos. Er werd beweerd dat een wens die in de synagoge werd gedaan zou uitkomen, en dat iemand die een wens deed een offer moest brengen aan de profeet Elia, de geliefde Eliyahu HaNavi.

De man van Segulla-bai, Ralph, sprak gebeden uit over de gaven en vroeg om voorspoed voor zijn bedrijf zodat hij zijn steeds groter wordende gezin kon onderhouden. Die nacht rustten ze meer ontspannen omdat ze alle voorzorgsmaatregelen hadden genomen en zegeningen hadden uitgevoerd als voorbereiding op de komst van hun kind.

Rachels geboorte verliep gemakkelijk. De weeën begonnen 's morgens en tegen de tijd dat de vroedvrouw bij hen thuis arriveerde was Segulla-bai klaar om te beginnen. Ralph kreeg op dezelfde dag dat Segulla-bai Rachel de wereld in perste bericht dat zijn bedrijf een groot overheidscontract had gekregen en dat zijn onderneming in het komende jaar drie keer zo groot zou worden. Dat betekende vrijwel zeker rijkdom.

Toen Ralph die avond van de mijn thuiskwam, trof hij zijn vrouw, schoonmoeder en kinderen bij elkaar in de slaapkamer rondom de pasgeboren baby, een prachtig klein meisje.

'Dit kind heeft geluk,' verkondigde hij. Hij glimlachte en keek Segulla-bai aan, die uitgeput maar gelukkig op het harde bed lag. Ze keek zwakjes naar hem op terwijl hij haar over het contract vertelde.

'*Haan*, ik wíst wel dat vandaag anders was dan anders.'

Vanaf dat moment werd Rachel beschouwd als een gelukskind, en haar vader deelde speciale instructies uit: ze moest met de grootste zorg behandeld worden. Ze noemden haar hun Lakshmi, naar de hindoestaanse godin van de rijkdom. Hij bracht kleine armbandjes voor haar mee uit Bombay en minuscule gouden oorringetjes voor in haar oren. Haar grootmoeder Sara baadde haar in rozenwater en masseerde haar kleine ledematen met amandelolie. 's Nachts sliep ze bij haar grootmoeder in het tweepersoonsbed, en die wreef haar ruggetje langdurig met haar rechterhand, terwijl ze het kleine, geurige lichaampje met haar linkerhand koelte toewuifde. Dit alles tot grote frustratie van Rachels oudere zus, Lizzie, die als plaatsvervanger van haar moeder het huishouden bestierde en nooit zo overdreven veel aandacht had gekregen. Rachel had kleren van zijde en mocht niet vies worden. Toen ze groter werd keek ze naar haar broers en zus die op de binnenplaats onder haar balkon in het schemerdonker samen speelden en zij wilde dat zij ook mocht meedoen, maar helaas. Haar grootmoeder legde haar uit dat ze later, als ze groot was, met een rijke man zou trouwen, in een mooi huis zou gaan wonen en voor haar broers en zus zou zorgen. Met haar schoonheid en geluk kon ze het zich niet permitteren om haar huid in de zon donker te laten worden.

'Nanijan, wilt u me een verhaaltje vertellen?' vroeg Rachel. En dan begon haar grootmoeder aan het verhaal over haar voorouders, hoe zeven stellen de grote reis vanuit Israël hadden overleefd en met hun blote handen huizen hadden gebouwd en geleerd hadden om de plaatselijke zaden te vermalen om er lampolie van te maken.

Zo brachten Rachel en haar grootmoeder hun middagen door, negen jaar lang.

Op een nacht was haar grootmoeder weg. Rachel maakte Lizzie wakker, die zich om Benjamin had gekruld, die heerlijk in de holte van haar arm lag te slapen.

'Waar is Nanijan?' riep ze.

'Ze is weg,' antwoordde Lizzie slaperig.

'Weg? Waarnaartoe?' riep Rachel in paniek.

'Ze is dood. Ga alsjeblieft slapen, we praten er morgen wel verder over.'

Rachel kon niet slapen. Ze miste haar grootmoeders hand op haar rug en de koelte van haar waaier. Het verlies was te plotseling, was niet te bevatten. Rachel lag die nacht in bed te luisteren naar de geluiden van de krekels en het geluid van haar ademhaling. Haar complete, negen jaar oude wereld zat in dit twee verdiepingen tellende huis verpakt, en nu was het middelpunt van haar wereld, haar grootmoeder, er plotseling niet meer.

En in een van die nachten zonder haar grootmoeder begon Rachel te dromen. De eerste droom die ze had was angstaanjagend: ze zag drie hoofden naast elkaar in het zand. Het waren de hoofden van haar broers, van wie er twee voor haar geboorte waren gestorven – David en Menahim – en het derde hoofd was van haar broer Eliezer. Zijn hoofd was het middelste van de drie en helderoranje vlammen likten van alle kanten aan zijn gezicht. Die ochtend werd Rachel vroeg wakker door een schreeuw van haar moeder, die klonk als een wild dier dat werd geschoten. Ze rende haar broers slaapkamer in en zag haar moeder met Eliezers lichaam in haar armen, heen en weer wiegend. Hij was in zijn slaap overleden. De dokter werd erbij gehaald, maar hij kon ook niet verklaren waarom God Eliezer bij zich had geroepen. Hij was veertien jaar geworden.

Segulla-bai kroop in bed en het duurde weken voordat ze er weer uitkwam. Haar eten werd haar boven op haar slaapkamer geserveerd en ze bracht uren door met kijken naar de vijver beneden, waar de lange snavels van de eenden in een ritmisch patroon in en uit het water gleden, op zoek naar voedsel. Rachel probeerde haar gezelschap te houden, zittend aan het voeteneind van het eenvoudige bed, haar voeten masserend. Soms lukte het haar haar moeder een glimlach te ontlokken. Meestal lag haar moeder echter gewoon naar haar te kijken en te rouwen om haar kinderen. Haar lege armen deden er pijn van, zó erg miste ze hen.

Segulla-bai begon zich in zichzelf terug te trekken en leunde steeds meer op Lizzie. Toen haar zoon Nissim werd geboren, legde de vroedvrouw hem in haar armen en ze bekeek hem één keer heel nauwkeurig. Ze telde zijn vingertjes en teentjes, vijf, vijf, vijf, vijf. Daarna wendde ze haar hoofd naar het kussen en zei: 'Geef hem aan zijn zus.'

Het verdriet van het verlies van haar kinderen hing over Segulla-bai als een zware mantel. Lizzie, die nu vijftien was, verzorgde Nissim als haar eigen kind. Rachel volgde nieuwsgierig de bezigheden in haar ouders' slaapkamer. Ze was blij met Nissim; ze hoopte dat ze nu iemand had om mee te spelen.

Rachel heeft haar moeder nooit over haar droom verteld. Ze hield het geheim en dacht erover na in de veilige bescherming van Lizzies bed. Op een nacht, vijf maanden later, had ze weer een droom. Deze keer zag ze vier hoofden naast elkaar in het zand. Net als de eerste keer zag ze de hoofden van David, Menahim en Eliezer, maar deze keer bevond het hoofd van kleine Benjamin zich ertussen, omgeven door helderoranje vlammen. Die ochtend werd Rachel vroeg wakker met haar nachtpon doorweekt van angstzweet. Ze rende de slaapkamer van haar broertje in en zag dat alles normaal was, alles was er net als anders. Haar vader maakte zich klaar om naar zijn werk in de mijn te gaan en kuste al zijn kinderen boven op hun hoofd. Rachel ging spelen in de kinderkamer en zag haar broers beneden in de tuin. Benjamin riep naar boven, naar zijn moeder en Rachel die vanaf het balkon naar hem keken.

'Mumma, Mumma! Kijk eens naar de eenden!' riep hij, en wees naar de eenden die telkens heel snel hun snavel onder water staken om zijn stukjes brood op te vissen.

'Ik zie ze, ik zie ze!' riep ze zachtjes terug.

Twee uur later liep Benjamin de slaapkamer van zijn moeder in, zijn ogen waren rood en hij zweette.

'Mumma, de eenden staan in brand. De eenden branden!' huilde hij.

Rachel en haar moeder renden naar het raam, maar de eenden zwommen gewoon rond, net zo vredig als eerst. Benjamin hallucineerde en probeerde uit het raam te springen.

'Ik kan vliegen! Ik kan vliegen! Mumma, laat me los!' riep hij, en worstelde zich los uit haar greep.

Segulla-bai riep naar George en Lizzie dat ze snel moesten komen.

'Wat heb je gedaan? Wat is er met hem gebeurd bij de vijver?' vroeg ze.

Maar George had samen met zijn vrienden cricket gespeeld achter het huis en had niet gemerkt dat Benjamin iets was overkomen. Lizzie was in de keuken geweest. Segulla-bai stuurde George weg om de dokter te gaan halen, en hij begon aan de vier kilometer lange wandeling naar het centrum van het stadje. Segulla-bai en Lizzie legden om beurten koude doeken op Benjamins voorhoofd en namen zijn temperatuur op met een thermometer. Zijn temperatuur was 40 graden en ging gestaag verder omhoog – 40, 41, 41,5. Segulla-bai raakte in paniek. Rachel hing rond bij het bed en zag haar broer kronkelen in de greep van zijn moeder en zus.

Benjamin schreeuwde: 'Mumma! Eliezer staat in de tuin. Overal om hem heen staan rozen. Hij roept me en vraagt of ik met hem kom spelen – laat me los!' Segulla-bai en Lizzie zaten aan weerszijden op het bed. Ze hadden hun handen boven Benjamins lichaam verstrengeld, hadden elkaar vastgegrepen, en probeerden te voorkomen dat hij uit bed zou springen en naar de tuin zou gaan die hij alleen kon zien.

En toen was het voorbij, net zo plotseling als het was begonnen. Toen de dokter kwam zaten Segulla-bai en Lizzie nog steeds met de handen ineen boven Benjamins roerloze lichaam, en Rachel stond er met grote ogen van afschuw bij, haar hand op de bedstijl.

Toen Ralph aan het eind van de dag van zijn werk thuiskwam, was dat in een heel ander huishouden. Benjamin was 's avonds om kwart over zeven gestorven, de wrede strijd had nog geen zes uur geduurd. Ralph was acht uur weggeweest. Er was geen verklaring voor de ziekte van Benjamin en in hun verdriet zochten zijn broers overal in en om de vijver en renden heen en weer over het bruggetje. Er was geen oorzaak aan te wijzen – geen flesje vergif, geen geheimzinnige bezoeker.

In het stadje ging het gerucht opnieuw rond dat het huis behekst was, en er werd een plaatselijke wijze man bijgehaald om een reinigingsritueel uit te voeren. Hij zong zijn mantra's en zwaaide met een wierookvat terwijl hij van kamer naar kamer liep en zeven keer rondom de vijver.

Op een ochtend werd Ralph wakker en vuurde zeventien schoten af in de eendenvijver. Bij elk schot verscheen een witte vonk en daarna een explosie in rood – een schril gejammer van angst, een ineenstorting.

In de jaren na de dood van Benjamin, voordat ze het ouderlijk huis verliet, had Rachel nog twee profetische dromen. Er stierven nog twee kinderen, een dochter en een zoon. Beide keren waarschuwde ze haar moeder. Als gevolg van haar gave kende Rachel net onder de oppervlakte een verdriet dat moeilijk te plaatsen was, maar dat ze haar hele leven met zich mee zou dragen.

Als volwassene bleek Nana de dood te kunnen voorspellen van haar vader, haar moeder, haar zus, haar man en zijn twee andere vrouwen.

Toen ik veertien was kregen we op een ochtend om zes uur een telefoontje uit Pakistan. Ik hoorde mijn moeder schreeuwen in het Urdu en vervolgens was het stil. Een vogel buiten. Een van de luiken die in de wind dicht sloeg. Bari Amma, de oudste vrouw van mijn grootvader, was dood. Mama en ik wilden Nana samen wakker maken, maar ze was al aangekleed, ze wist het al. Ze had een droom gehad.

Mama en ik kropen bij Nana in bed. Ze nam mijn moeders hoofd in de kromming van haar arm en met de andere hand aaide ze over mijn haar.

De duisternis van de nacht maakte langzaam plaats voor de nieuwe dag. Ik wilde dat het zou ophouden, dat het nacht zou blijven en ik dit moment kon vasthouden. Ik wilde wel door het huis rennen en alle luiken sluiten en hier in de stilte van Nana's kamer blijven liggen.

'Amma, als uw tijd is gekomen moet u me beloven dat u me zult waarschuwen,' zei mijn moeder. 'Beloof me dat.'

'Dat beloof ik je, *beti*. Sst. stil nu. Ga nu slapen.'

5

M. Ibrahim, beroepsfotograaf

Poona, oktober 2001

Op een avond, als ik ongeveer een maand in Poona ben, kost het me moeite de straat over te steken vanaf de bibliotheek naar mijn kamer in het studentenpension. Een jongeman helpt me de straat over door een voortrazende riksja bij me vandaan te houden, waarna ik kan oversteken. Als we aan de overkant zijn bedank ik hem en hij antwoordt enthousiast: '*No problemo!*' De jongeman is nogal bijzonder gekleed in een spijkerbroek die met een zwarte lakleren riem boven zijn navel is vastgesnoerd en bijpassende zwarte lakleren schoenen. Hij doet me denken aan een volwassen geworden Mouseketeer van de Mickey Mouse Club. Hij loopt met me mee tot de deur en zegt bij het weggaan vrolijk: 'Eigenlijk heb ik je al een tijdje willen ontmoeten. Weet je, ik ben geen student. Mijn vader werkt op de universiteit. Ik ben be*roeps*fotograaf. Ik zou graag een keer met je over fotografische zaken willen praten.'

Hij trekt zijn wenkbrauwen op als om zijn woorden kracht bij te zetten, alsof hij verrast is. Ik zeg langs mijn neus weg dat we elkaar eens een keer moeten ontmoeten en schud ten afscheid zijn hand. Ik ontgrendel de deur en loop mijn kamer binnen, zuchtend van opluchting dat ik op een rustige plek ben, en ga op mijn veldbed liggen. Als ik een uur later opsta om 's avonds in het damespension te gaan eten, vind ik een briefje dat onder mijn deur door is geschoven.

Miss Sadia,
Gerespecteerde mevrouw, hallo!

Weet je nog wie ik ben? We hebben elkaar vanmiddag ontmoet.
Ik zou je graag willen uitnodigen om morgenochtend om 9 uur, 10 uur, 11 uur of 12 uur met mijn familie thee te komen drinken. Jij mag beslissen wanneer en je kunt gewoon komen. Ik hoop dat je de uitnodiging aanneemt. Stel ons niet teleur.

M. Ibrahim, beroepsfotograaf
Flat nummer 2218

De volgende morgen neem ik met enige schroom de trap naar boven, het briefje in de hand. Mijn moeder heeft me gewaarschuwd dat ik in India niet al te vriendelijk moet zijn voor jongemannen. Maar een kopje thee met de hele buurfamilie lijkt me onschuldig genoeg. *Stel ons niet teleur.* Het zou onbeleefd zijn om niet te gaan.

Als ik op de deur klop van nummer 2218 vliegen alle gezinsleden als vogels weg, op Ibrahim na. Ik kom te weten dat M. Ibrahim samen met zijn ouders, die werkzaam zijn op de universiteit, en zijn broertje van zes in dit tweekamerappartement wonen. Als ik binnenkom knikt de oudere meneer Ibrahim me stijfjes toe en verlaat het appartement. Mevrouw Ibrahim gluurt vanachter haar dupatta vanuit de keuken naar me.

Ibrahim en ik praten over fotografie. Hij laat me zijn kleurenvergrotingen van bloemen zien die hij genomen heeft in de Botanische Tuin, en we bekijken een niet ironisch bedoelde serie zelfportretten, van Ibrahim in een gescheurde spijkerbroek leunend op een motorfiets. Mevrouw Ibrahim brengt vanuit de keuken stilletjes thee en toast en ik sta op en bedank haar snel en uitbundig voordat ze weer in de keuken verdwijnt. Hoewel mijn bezoek overduidelijk buiten de normale gang van zaken valt, doet Ibrahim net alsof hij regelmatig Amerikaanse vrouwen op de thee uitnodigt, dus probeer ik maar mee te spelen. Ibrahims broer wijst naar mij en doet een uil na: 'Ochoc, oehoe!'

Ibrahim is verbijsterd dat ik geen lensborsteltje heb en staat erop dat ik de zijne leen, een gewone grijze blower met aan het uiteinde een klein borsteltje, waarmee je stof weg kunt blazen. Ik vraag hem waar ik cameraspullen kan kopen en hij antwoordt enthousiast dat hij me de dag erna mee zal nemen naar zijn 'Sir', de man die hem alles over fotograferen heeft geleerd. Ik wil beleefd blijven maar aarzel hulp aan te nemen van Ibrahim, want ik weet niet hoe mijn buren in de compound erover denken als ik op Ibrahims motor aankom en vertrek.

Na de thee bedank ik Ibrahim en zijn moeder en vertrek naar de bibliotheek, waar ik tegenover Rekhev in de leeszaal ga zitten. Ik wil hem over mijn ochtend vertellen, maar wil hem niet storen. Ik besluit hem een briefje te schrijven, dat ik over tafel naar hem toe schuif en voel me weer net als op de basisschool. Hij vouwt het briefje open in zijn boek en draait het om zonder op te kijken. Ik zie hem fronsen. Als hij klaar is met lezen, schrijft hij iets op het papiertje en schuift het weer naar mij. Onder aan het blaadje heeft hij geschreven: 'Dat is een vreemd verhaal.'

Vier dagen later word ik door een klop op de deur gewekt. Het is Ibrahim die de blits maakt met een nieuw gekweekte krulsnor. Hij heeft een bord bij zich van zijn moeder en daarop ligt een *dosa*, een soort pannenkoek. Een warm ontbijt kan ik toch niet weigeren? Ik bedank hem voor zijn moeders vriendelijkheid.

Als ik naar boven ga om het bord terug te brengen, bega ik een fout: ik vertel dat mijn camera niet goed werkt. Ibrahim springt op, op zijn eigen onrustige, nerveuze manier.

'Waarom heb je me dat niet eerder verteld? Kom op, man. Ik ben toch beroepsfotograaf! Dit is mijn werkterrein. Mijn stád.'

Ibrahim springt op en neer en schreeuwt tegen me. Hij heeft de gewoonte op en neer te springen alsof hij met zijn vingers in een stopcontact heeft gezeten, en hij doet het vaak als ik iets heb gezegd. Het is een komische reflex – hij springt op en neer en kijkt me dan verwachtingsvol aan – maar het is tegelijk een angstige reactie, alsof ik hem op de een of andere manier ergens bang voor heb gemaakt.

'Ibrahim, waarom spring je in hemelsnaam op en neer als ik tegen je praat?' vraag ik hem. Het is een gewoonte die vreselijk op de zenuwen gaat werken.

'Weet je, ik hoor beter met mijn ene oor dan met mijn andere.' Hij wijst op zijn oren en wiebelt ermee om mijn medeleven te wekken en trekt tegelijkertijd zijn wenkbrauwen op. Ik ben bang dat ik moet lachen. 'Het geluid gaat maar heel langzaam van mijn goede naar mijn slechte oor, en ook nog met een *boem*.'

'Boem!' doet zijn broertje hem na en klapt in zijn handen.

'Ibrahim, als je wilt dat wij vrienden worden, moet je proberen op te houden zo te springen. Ik word daar heel zenuwachtig van.'

'Oké, chef,' antwoordt hij vrolijk.

'Weet jij waar ik een 6 volt batterij voor mijn camera kan kopen?' vraag ik hem.

'Kom mee! Ik werk toch in de fotografie, of niet? Waarom heb je me dat niet eerder verteld? Waarom niet?'

Ibrahim en ik gaan op weg voor een bezoek aan zijn 'Sir', die een fotozaak heeft aan de andere kant van Poona. Helaas is een nieuwe batterij niet genoeg om het probleem met mijn camera op te lossen. Sir zit achter zijn bureau en zet mijn toestel op een soort draaiplateautje. Hij laat het geheel aan één stuk door ronddraaien en kijkt geconcentreerd naar de camera. Nadat ik minutenlang toekijk hoe de camera doelloos rondjes draait, begin ik geprikkeld uit te leggen wat er volgens mijn aan mankeert.

'Sir, ik denk dat het probleem is dat de interne spiegel geblokkeerd is...' zeg ik.

Sir doet net alsof ik er niet ben. Na een paar minuten haalt hij de zoeker eraf en zet hem er weer op, en dat herhaalt hij een paar keer zonder aanwijsbare reden.

Ibrahim begint op joviale toon tegen me te ratelen: 'Kijk niet zo treurig! Je hebt veel te veel spanning in je! Het is niet belangrijk!'

Een paar minuten lang zeggen we niets. Het is stil in de winkel, op een kloppend geluid na dat Sir maakt door met een klein stokje op mijn camera te tikken. Ik vraag waar ik in India misschien een nieuwe camera kan kopen. Nee, nee, zegt Ibrahim, dat is echt niet nodig. En dan hoor ik wonderbaarlijk genoeg het klikken en zoemen van de sluiter. Sir kijkt me voor het eerst aan en glimlacht. De camera is gerepareerd. Ik voel me plotseling opgelucht en loop over van dankbaarheid. Ik vind het vreselijk dat ik de genialiteit van Sir zo verkeerd heb beoordeeld. 'Zie je wel! Ik heb je toch gezegd dat Sir het wel zou maken! Ik zei het toch! Nu is al je spanning verdwenen! Sir heeft je van je spanning bevrijd!' Ibrahim begint op en neer te springen.

Ik sta bij Ibrahim in het krijt en neem me voor vanaf nu alleen nog maar geduldig en aardig te zijn. Ik heb het gevoel dat ik hem iets verplicht ben. Hij staat erop voor mij de film af te geven. Als ik een andere batterij nodig heb, tovert hij die ter plekke tevoorschijn. Ik ben hem dankbaar, Ibrahim kan de spullen veel goedkoper krijgen dan ik, maar ik wil die dingen zelf doen.

Ibrahim staat 's ochtends vaak met zijn motorfiets, die hij dan op toeren laat draaien, voor mijn deur. Ik vraag hem naar zijn nieuwste fotografieproject voordat ik naar de bibliotheek ga. Hij begint me te volgen als ik 's avonds rond etenstijd naar de cafetaria ga en ik probeer de juiste mix van beleefdheid en afstand te vinden. Op een ochtend zeg ik tegen hem dat ik hem heel dankbaar ben voor zijn hulp, maar dat ik in de toekomst graag zelf mijn zaakjes wil regelen wat fotografie betreft. Kan hij me vertellen waar ik het beste naartoe kan gaan om een film te laten ontwikkelen?

'Waarom zou je dat zelf willen doen? Ibrahim is er toch?'

'Dank je, Ibrahim. Maar ik ben hier gekomen om te leren. Ik moet erachter zien te komen hoe ik die dingen zelf kan doen. Probeer dat alsjeblieft te begrijpen.'

De volgende avond vind ik een briefje onder de deur.

Beste Miss Sadia,

Je zegt dat je de zaken die met fotografie te maken hebben zelf wilt regelen. Hier in mijn geboortestad Poona zal ik altijd tot je beschikking staan. Ik krijg speciale tarieven. Ik heb dan ook jarenlang aan de totstandkoming van deze speciale tarieven gewerkt. Maar als ik je help,

mag je me nooit, maar dan ook echt NOOIT *vragen waar ik de spullen*
vandaan haal of wat het kost. Dat is GEHEIM.

Met eerbiedige hoogachting,

je vriend,
M. Ibrahim, beroepsfotograaf
Flat nummer 2218

De dag erna zie ik Rekhev op een muurtje zitten, hij rookt een sigaret. Er zijn nog een paar studenten en een van hen vertelt een lang
verhaal in het Hindi en de rest lacht om een of andere grap alleen
voor ingewijden. Ik weet niet of ik hem lastig moet vallen. Ik blijf
een paar minuten rondhangen totdat ik zijn aandacht heb, en dan
laat ik hem het briefje zien.
'Hij is een beetje getikt, of niet?' zegt hij en schudt zijn hoofd. 'Je
kunt beter een beetje uit zijn buurt blijven, lijkt me.'

De volgende nacht kan ik niet slapen. Wat wilde Nana dat ik hier
ging doen? Ik vraag het me af en zoek het antwoord in de boeken
die ik heb meegebracht, herlees passages over geschiedenis en maak
aantekeningen. Ik bekijk mijn vellen met contactafdrukken. Ik ben
twee keer naar Succath Shelomo geweest, de synagoge van de Bene
Israël in Poona, maar geen van de foto's lijkt interessant genoeg om
te vergroten. Als ik de slaap eindelijk voel komen, rond twee uur
's nachts, herinner ik me met een schok dat ik mijn was die op de
veranda achter het huis hangt nog moet binnenhalen, want ik weet
dat die doorweekt zal zijn van de dauw als ik die tot morgenochtend
laat hangen. De veranda is een klein platje bij het raam aan de achterkant, omheind met een reling. Daar hang ik mijn natte kleren op
nadat ik ze in een emmer heb gewassen, en ik voel me een beetje
gegeneerd dat mijn bh's en ondergoed voor iedereen zichtbaar op de
veranda hangen. Een tijdje geleden heb ik geprobeerd ze onder mijn
andere kleren te laten drogen, maar dat werkte niet zo goed.
   Doodmoe grijp ik de losse stukken kleding en prop ze onder
mijn arm, maar dan zie ik plotseling een donkere schaduw aan de
andere kant van de reling bewegen. Het is Ibrahim, volledig in het
zwart gekleed.

'Ibrahim! Wat doe jíj hier?'

Hij springt geschrokken op.

'Ik wilde je verrassen!'

Ik bedenk dat hij daar misschien al veel vaker is geweest en door het achterraam naar me heeft staan gluren. De gedachte doet me rillen. Maar dan word ik boos. 'Ibrahim. Ga naar huis. Laat me alsjeblieft alleen. Je hebt me de stuipen op het lijf gejaagd. Ga alsjeblieft weg.'

'Miss Sadia...'

'Nee, ik meen het, het is al laat. Welterusten, Ibrahim.'

Ik ga naar binnen en doe de deur dicht.

De volgende morgen vind ik een briefje dat onder de deur door is geschoven.

Beste Miss Sadia,

Gisteravond heb ik een leuke grap met je uitgehaald, tenminste ik dacht dat die leuk was, maar nu weet ik dat het FOUT was. Ik heb het tegen mijn vriendin verteld (ik heb een vriendin) en zij zei dat ik dat niet had moeten doen. Ik hoop dat je mijn excuses wilt aanvaarden. Je zag er heel bang uit. Ha-ha. Ha.

Je vriend,
M. Ibrahim, beroepsfotograaf
Flat nummer 2218

Op de campus tref ik Rekhev, zittend onder de grote, knoestige boom bij het auditorium, een ontmoetingsplaats die bekendstaat als de Boom der Wijsheid. Ik ga zitten en vertel hem wat er gebeurd is. Hij luistert aandachtig en staart naar een punt ver weg. Als ik mijn verhaal heb verteld vraag ik hem wat hij vindt dat ik moet doen. Na een minuut of zo steekt hij een sigaret aan.

'Soms is het beter als je de mensen een beetje op afstand houdt. Dat geeft minder complicaties.'

Mijn enige overgebleven familielid in India is de broer van groot-moeder, Nissim, die in Hyderabad woont, en een aangetrouwde neef, oom Moses, die in Poona woont. Ik hoop dat oom Moses me bij andere leden van de joodse gemeenschap van Poona en Bombay kan introduceren.

Ik bel hem op en vertel de vrouw die de telefoon aanneemt wie ik ben. Mag ik op bezoek komen? Ze geeft me een heel stel ingewikkelde aanwijzingen, en de volgende dag prop ik mezelf met mijn camera-uitrusting in een auto-riksja, met mijn dupatta over mijn hoofd en voor mijn mond geslagen, zoals ik andere vrouwen in Poona heb zien doen, om de dikke, met roet vervuilde uitlaatgassen die als een mist boven de weg hangen te filteren.

Bij de deur van een groot appartementencomplex word ik door een vrouw begroet. Ze is rond de vijftig en aantrekkelijk, haar haren zijn kortgeknipt in een moderne coupe en ze heeft een open, vriendelijk gezicht. Ze vertelt dat ze Moses' dochter Nina is en waarschuwt me dat haar vader geen erg goede gezondheid heeft en dat zijn humeur nogal wisselend is. Ze gaat me voor naar de woonkamer, waar twee banken staan met een plastic beschermhoes eromheen, en biedt me thee aan, die ik dankbaar accepteer. Vervolgens verdwijnt ze naar een andere kamer om water te koken en ik blijf alleen achter in de woonkamer, een ruime kamer waarvan één muur bedekt is met planten en de andere versierd worden door een schilderij en een stel wandborden.

Een paar minuten later wandelt oom Moses met behulp van een stok de kamer in. Ik sta op om hem te begroeten en hij zegt: 'Jij bent de kleindochter van Rachel. Uit Amerika.'

Ik knik en zeg ja.

'Dus jij wilt meer weten over joden!' buldert hij tegen mij, gaat zitten en werpt me een priemende blik toe.

'Dat klopt.'

'Ik wil niet hebben dat je die dingen op mij richt, laat me je dat dan vast zeggen!' schreeuwt hij, en wijst naar mijn cameratassen.

Nina zegt met een waarschuwende stem vanuit de andere kamer: 'Pappa...'

'Het is een vreselijk onderwerp, joden. Vreselijk onderwerp,' mompelt hij, en schudt zijn hoofd.

Nina komt de woonkamer in met thee en een schaal vol plakjes roze cake. 'Pappa, wees nou aardig.'

'Je zou een ander onderwerp moeten kiezen!' zegt hij, en bonkt met zijn stok op de vloer.

'Waarom zegt u dat?' vraag ik.

'Het is een kleine gemeenschap. De meesten zijn naar Israël vertrokken; degenen die zijn gebleven hebben onderling ruzie. "Van wie is dit?" "Ik wil dat" – allemaal van dat soort dingen. Ze zitten allemaal in elkaars vaarwater. Eerder sprak ik deze mensen regelmatig, maar nu ben ik er te oud voor. Mijn geloof zit hier,' hij wijst op zijn hart, 'en hier!' Hij wijst op zijn hoofd. 'Ik heb genoeg van al die onzin. Iedereen is inmiddels oud. Alle joden zijn oud.'

'Daarom heb ik ook voor dit project gekozen, oom Moses,' begin ik. 'Over twintig of vijftig jaar bestaan deze gemeenschappen niet meer in de huidige vorm. Weet u of er joodse mensen in Poona wonen die ik zou moeten ontmoeten? Die ik voor mijn project kan interviewen?' vraag ik, hoopvol.

'Heb je papier? Schrijf dit dan op!'

Ik pak mijn zwarte schrift en een pen.

'Ik heb met de synagoge gebeld en ze over jou verteld.' Hij schudt zijn hoofd. 'Ze zeiden: "Sadia is een islamitische naam! Waarom wil ze hier komen en foto's van onze synagoge maken?" Ze zijn nogal gevoelig na de aanslagen in New York. Ik heb ze over je grootmoeder verteld. Ik heb gezegd dat zij de nicht van mijn vrouw was – wat mankeert je? Je kunt beter naar Bombay gaan. Daar zijn heel veel synagoges. En ik heb nog iets voor jou. Hier staat alles in wat je moet weten. Een neef van je grootmoeder heeft het geschreven. Lees dit.'

Hij pakt een klein boekje van een bijzettafeltje en geeft het aan mij. De titel is *The History of the Bene-Israel of India*, en het is in 1897 geschreven door H.S. Kehimkar en gepubliceerd in 1937.

'Kehimkar heeft er niets van verzonnen. Hij heeft onze geschiedenis opgeschreven. Het staat er allemaal in.'

'Dank u wel, oom Moses. Ik ben u heel dankbaar voor uw hulp.'

Oom Moses gromt wat en knikt. 'Ja, ja.'

'Weet u of er iemand in Bombay is die mij wel wil ontmoeten? Ik heb gelezen dat er een joodse vakschool is, een plek waar jonge mensen naartoe gaan om Hebreeuws te leren. Kent u iemand die daar werkt?'

'Mijn zoon is hoofd van die school! Hij heet Benny Isaacs. Zeg hem maar dat je de kleindochter bent van zijn moeders nicht. De kleindochter van zijn moeders nicht, snap je wel? In Bombay vertrekt iedereen zo langzamerhand naar Israël. Wie blijft er over? Ik snap niet waar je al die moeite voor doet.'

Hij staat op en gaat naar zijn kamer om te rusten. Nina glimlacht verontschuldigend.

'Pappa heeft een sterke eigen wil,' zegt ze tegen me.

6

Drie ouders

Chestnut Hill, 1991

Nana was de baas in ons huishouden. De bewegingen en cycli veranderden in overeenstemming met haar schema, met de maaltijden die ze bereidde en met het onveranderlijke gezoem en gedreun van haar wasmachine en droger. Haar keuken, iets hoger gelegen en met veel ramen, keek uit over de L-vormige oprit in onze achtertuin en wees in de richting van het koetshuis, waar mijn ouders hun kantoor hadden. Daar hielden mijn vader en moeder zich bezig met een jonge staf van architecten en ontwerpers die over bouwplannen en jaarverslagen gebogen zaten. Ze ontvingen er klanten en plakten afbeeldingen op witte schoolborden voor eindeloze reeksen presentaties. Als alle volwassenen 's avonds naar huis waren vonden Cassim en ik het heerlijk om er rond te hangen, om huizen te tekenen op grote rollen krantenpapier en collages te maken van oude

tijdschriften. Maar het echte hart van ons huis was Nana's keuken, waar ze het komen en gaan van onze gezinsleden coördineerde, ons te eten gaf en gezond hield. Het was haar levenswerk.

Drie ouders. Drie geloven. Ik vind het nu fantastisch en ongewoon klinken. Toen ik kind was, was het nauwelijks onderwerp van gesprek. We wisten dat andere kinderen twee ouders hadden, misschien soms twee paar ouders, en Cassim en ik hadden er drie: een grootmoeder, een moeder en een vader. Twee bloedverwanten: mijn grootmoeder en moeder, twee geestverwanten: mijn grootmoeder en vader, en twee zielsverwanten: mijn vader en moeder. Het idee om onze eigen wereld uit te leggen groeide als een onverzadigbare, onzichtbare klimplant langs de wenteltrap in ons huis. Dat idee kwam zo centraal te staan dat ik tot mijn verwondering niet eens meer weet wanneer het is begonnen. In onze kindertijd herhaalden mijn broer en ik het telkens voor elkaar.

'Judaïsme is de wet, het christendom is barmhartigheid, de islam is de wet én barmhartigheid.'

Na verloop van tijd werd Nana in mijn ogen synoniem met de wet; Abba met barmhartigheid en Mama met een combinatie van de wet en barmhartigheid.

Nana heerste over de ochtend, bewaakte de keuken en hield de huisregels in ere. Onder haar toezicht werden mijn broer en ik om halfzeven wakker, gingen douchen en kleedden ons aan voor school, werkten vervolgens in vliegende vaart een paar hapjes naar binnen van een maaltijd die ze met zorg had samengesteld om ons te helpen bij het vervullen van onze belangrijkste missie: goed leren. 'De bus is er!' klonk mijn vaders dreunende stem dan, wat betekende dat ik zoals altijd te lang boven was blijven treuzelen omdat ik niet kon beslissen wat ik aan zou trekken. Als we door de voordeur naar buiten tuimelden, naar het carpoolbusje, dan stond Nana bij de voordeur met de twee borden met ons half opgegeten ontbijt in haar handen – tarwepap, gebakken bananen met bruine suiker, gebakken eieren met room – en smeekte ons toch nog één hapje te nemen. '*Have-have, take-take,*' zei ze dan, als ze ons over de lange oprit zag lopen. Als ik haar silhouet door de achterruit van het busje steeds kleiner zag worden, met in haar handen nog steeds de twee witte borden, die halvemanen van spijt, dan besefte ik dat ik mijn aandeel in de overeenkomst wéér niet was nagekomen.

Op die ochtenden beloofde ik God dat ik Nana niet nog eens zou teleurstellen. Ze wist nauwelijks wat er gebeurde als we eenmaal buiten haar blikveld waren, maar ze wist wel dat mijn vader en moeder heel hard werkten om Cassim en mij op 'de beste school' te krijgen, en dat er op 'de beste school' reusachtig veel werd geleerd, en dat leren voor grote kansen zorgde. Op een van de planken in haar slaapkamer stonden al onze trofeeën die we ooit hadden gewonnen afgestoft en opgepoetst trots naast elkaar uitgestald. Ze had er geen idee van wat het precies waren, maar wat voor haar belangrijk was, waren de grootte en de glans en het feit dat haar kleinkinderen geëerd waren. Het spectrum aan mogelijkheden dat voor ons lag kon ze niet bevatten of begrijpen, en het toezicht daarop liet ze dan ook aan mijn vader en moeder over.

Mijn vaders domein was de namiddag. Als we van school terugkwamen met stapels werkboeken en in de war gebracht door probleemstellingen en scripties. Abba had een buitengewoon talent om alle verwarring glad te strijken, een plan op te stellen om de taken aan te pakken waardoor wij overdonderd waren, samenvattingen te maken en zich opnieuw te bekwamen in de onderwerpen van de middelbare school, opdat hij ons kon helpen. Ik was een snelle leerling in Engels en geschiedenis, en een vreselijk trage in wis- en natuurkunde. Ik had er een afkeer van om dingen te doen waar ik zo overduidelijk slecht in was, en ik bleef erop hameren dat ik die vaardigheden als volwassene niet nodig zou hebben. Mijn vader, de architect, liet me geduldig zien op welke manier hij wiskunde gebruikte voor zijn ambachtelijke kunst.

Later zou ik datzelfde gevoel van afkeer ervaren in situaties van machteloosheid en misnoegen die gepaard gaan met het verlies van een baan of een minnaar. Op de vakopleiding zou ik de afkeer uit mijn jeugd vervloeken om deze kleine duiveltjes te bestrijden, toen ik worstelde met getallen en natuurkunde, die zo'n wezenlijk deel uitmaken voor het begrijpen van camera's. Ik accepteerde met te grote graagte het licht dat van spiegels wordt teruggekaatst om een beeld te maken als een mysterie, hoewel ik wist dat het een uit- vlucht was. 'Het wérkt gewoon,' zei ik hardop in de lege klaslokalen, en probeerde het verder niet te begrijpen.

Mijn broer, die jonger en sneller was dan ik, rende altijd de trap op als we thuiskwamen om zich op zijn slaapkamer op de tweede verdieping op te sluiten, en beweerde bij hoog en bij laag dat hij geen hulp nodig had. Enkele uren later kwam hij dan weer boven water. Op sommige dagen kwam hij enthousiast de eetkamer binnenlopen, ging op zijn stoel zitten en tastte zijn bord hoog op met eten. 'Klaar!' zei hij dan grinnikend. Andere keren bekende hij schaapachtig dat hij uitgebreide veldslagen met zijn actiehelden had nagespeeld en verder helemaal niets had uitgevoerd.

Op dat soort avonden keek Abba hem aan en zei vriendelijk: 'Maar, Casu, je maakt het leven voor jezelf wel erg moeilijk.' Ik keek dan weg, in de hoop dat Abba mij niet zou vragen hoe ik mijn mid- dag had doorgebracht. Ik ben drieënhalf jaar ouder dan Cassim en mijn vader vond het verschil groot genoeg om mij mijn eigen tijd in te laten delen. Als gebaar van vertrouwen kwam hij niet langer 's avonds voor het eten kijken of ik niet domweg uit het raam van slaapkamer op de eerste verdieping zat te staren. Als hij doorhad dat ik aan een vreselijk vervelende taak probeerde te ontkomen, kwam hij na het eten op z'n gemak even mijn kamer in lopen.

'Hoe gaat het met wiskunde, Sadu?' vroeg hij dan.

'Goed,' zei ik dan, en probeerde kalm te klinken.

Hij keek dan terloops over mijn schouder naar de blanco pagina die ik voor me had liggen en knikte, mijn leugen stoïcijns accepterend.

Op een avond zei hij: 'Je lijkt niet erg veel op mij, weet je dat, Sadu?'

'Hoe bedoelt u, Abba?'

'Ik merk dat je een heleboel tijd verkwist aan het ontlopen van wat je niet wilt doen. Maar op den duur zul je er denk ik achter komen dat je, als je eerst begint aan hetgeen je het minst graag wilt doen, je dat maximale energie kunt geven. De dingen die je goed kunt gaan je heel natuurlijk af.'

Het was een van de grootste waarheden die mijn vader me ooit heeft verteld, en natuurlijk was ik er nog niet klaar voor om dat te horen, nog niet. Ik wist niet hoe ik het moest toegeven, maar juist door te proberen om dergelijke problemen zelf op te lossen werd ik overvallen door een gevoel van onmiskenbare en redeloze paniek.

'Zullen we proberen dit samen op te lossen?' vroeg hij, en ging zitten. 'Ik zal je op weg helpen.'

Ik wist dat mijn vader, nadat hij mijn kamer had verlaten, naar zijn kantoor zou terugkeren en tot middernacht aan plannen zou tekenen en aan de boekhouding zou werken. Daarna zou hij vier uur slapen om vervolgens weer twee uur op kantoor te werken, waarna hij om zes uur Nana ging helpen met de voorbereidingen voor het ontbijt. Ik voelde me schuldig dat ik hem ophield en, tegelijkertijd, duizelig van opluchting.

Mijn moeder was de koningin van ons huis – de meesteres van dag en nacht. Zij had het talent om alles speciaal te doen lijken, alsof we naar een toverachtig banket gingen dat speciaal voor briljante kinderen was georganiseerd, in plaats van een doorsneemaaltijd met het hele gezin. Het was mijn taak om de tafel te dekken en ik telde het bestek nauwkeurig uit – een, twee, drie, vier, vijf – en pakte vijf placemats, de ene dag met Engelse rozen en de andere dag met Pakistaanse vierkanten bedrukte stof. 'Fantastisch!' riep ze dan uit, als ze trots de gedekte tafel bekeek.

Als we allemaal zaten, ging mijn moeder voor in gebed.

'Goede God,' begon ze, 'van álle landen en álle mensen...'

Mijn moeders zegen was een verwijzing naar mijn vaders grootmoeder, die Pie heette. Ze was een toegewijde anglicaanse en begon elke maaltijd met een gebed, en toen mijn moeder in de familie kwam, paste Pie haar gebed aan in de hoop dat mijn moeder het gevoel kreeg dat ze er echt bij hoorde. Mama vond het heerlijk om ons over Pie te vertellen en over hoe Pie en Nana, nadat zij en mijn vader waren getrouwd, al snel vrienden werden, handlangers zelfs. In een van mijn moeders lievelingsverhalen krijgt mijn vader op een dag een telefoontje van de Denver Botanic Gardens. Pie en Nana waren betrapt terwijl ze bladeren van bomen hadden geslagen met Pie's stok, met de bedoeling dat Nana voor de zondagse lunch gebakken vis in bananenbladeren kon maken. Toen mijn vader de twee dames kwam ophalen, was Pie juist bezig de beveiligingsbeambte te zeggen waar het op stond. 'Ik zit in het bestuur van de botanische tuin, jongeman!' zei ze. 'En mijn vriendin heeft bananenbladeren nodig voor haar recept!'

Aan de eettafel hielden we een soort familiebijeenkomst. Mijn moeder vroeg ieder van ons naar onze dag, en wij vermaakten haar met verhalen over onze vrienden, leraren en audities voor het toneelstuk van school. Er was niets dat haar van het idee kon afbrengen dat wij de meest fantastische, welgemanierde, intelligente kinderen waren die daar ooit op school hadden gezeten. Als iemand – een rivaal, een gelijke, een onaardige leraar – ons van streek had gemaakt, wist ze altijd een aanvalsplan te beramen. Dan brachten we de tijd aan tafel door met het bedenken van strategieën. Mama wist bijna altijd een oplossing. En als ze geen oplossing wist, had ze altijd nog haar bezweringsformules.

'Ik zal die persoon betoveren,' zei ze, als antwoord op een vervelend meningsverschil dat ik met mijn dramadocent had. 'We moeten aardig voor haar zijn, het arme mens.' Op die momenten leerde ik de grote kracht van edelmoedigheid kennen.

Cassim en ik waren inmiddels te oud om nog in de bezweringsformules van mijn moeder te geloven, maar we hebben altijd het idee gehad dat zij over de onvoorstelbare kracht van een perfect werkend instinct beschikte. Als ze ergens opgetogen over was, verlichtte ze de kamer. Ze vertelde ons verhalen over haar werk op kantoor – dagen die vol zaten met conflicten met wrevelige medewerkers en lastige klanten – waar we altijd om moesten lachen. Tot onze grote vreugde zegevierde zij altijd. Als ze pas terug was van een reis naar New York, Karachi of Londen, zat ze vol verhalen over haar avonturen, van op het nippertje gehaalde vliegtuigen, lunches met politici of bezoekjes aan het dorpsatelier waar de volkskunstenaars hun verhalen met haar deelden. Mama werkte aan een serie boeken over Pakistan – grote, prachtig geïllustreerde boeken. Daarin kon ze háár kant van Pakistan laten zien, een kant waarvan niemand in Amerika, tot haar frustratie, het bestaan kende. Het was de kant van majestueuze moskeeën en paleizen, uitgestrekte en verbluffend mooie landschappen en slingerende lanen die vol stonden met raadselachtige koopwaar. Eén keer per jaar gingen we samen met onze ouders naar Pakistan, waar ze fotorolletje na fotorolletje vol schoten voor de boeken.

'Mijn boeken zijn mijn echte werk,' zei ze op een avond heel serieus, om een van haar verhalen kracht bij te zetten. Ik wist dat ze er graag de hele tijd aan had willen werken. 'In Pakistan zou ik nooit hebben gewerkt, daar zou ik alleen maar kunst hebben gemaakt.' Als ze dat zei, wist ik dat ze het idee alleen maar hardop testte en zich het leven probeerde voor te stellen dat ze zou hebben gehad als ze in Karachi was gebleven, als ze niet met mijn vader zou zijn getrouwd.

'Bij Star Market zijn de sperziebonen in de aanbieding,' zei Nana, naar aanleiding van niets in het bijzonder. 'Ik heb een bon uit de krant.'

Mijn moeder, broer en ik lachten samen om de ongerijmdheid van haar commentaar. Nana's gehoor was in de loop der jaren flink achteruitgegaan, en we leken steeds vaker langs elkaar heen te praten. Mijn vader keek haar doordringend, vriendelijk aan, alsof ze samen een geheim deelden.

'Ik zal je er morgen mee naartoe nemen, Nana. We zullen morgenochtend meteen gaan,' zei hij.

'Dank je, lieverd,' antwoordde ze, gerustgesteld. 'Ik zou het niet willen missen.'

Om Nana te begrijpen hoefde ik alleen maar naast haar te gaan staan als ze aan het koken was. Ze stond er niet op dat ik haar zou helpen, ze wilde liever dat ik voor school werkte. 'Ga studeren, maak je hier nou niet druk om,' zei ze, als ik na school een lepel pakte en in een van haar pannen probeerde te roeren. Soms keek ik toe als ze in sneltempo tien uien achter elkaar fijn sneed, een kip ontbeende, witte bloemkool geel maakte, rijst nauwkeurig nakeek en er kleine steentjes en onvolkomenheden uithaalde. Ze bewaarde haar kruiden in een rond metalen blik met allemaal kleine vakjes, en elk ervan was een geurend pakketje zaden. Ze maalde die zaden met de stamper en vijzel van haar moeder; een marmeren vijzel, wit en afgesleten door het jarenlange gebruik. Als ze klaar was pakte ik de vijzel en verwonderde me erover. De buitenkant was hard en glad, als een onbreekbaar ei. Naast alle dingen die ze in India had achtergelaten, had ze uitgerekend dit uitgekozen om mee te nemen. Ik probeerde me de andere huizen waar het was geweest voor te stellen. 'Het was van Mumma,' zei ze, bij wijze van verklaring, Segulla-bai bij de naam noemend die zij voor haar gebruikte. Terwijl zij de uien bruin liet worden stond ik in de schuin omhoog gaande stoom, en ademde de geur in van de uien die zich met de kruiden mengden. 'Daar moet je niet gaan staan, *beti*! Pa op met je haar!' Het was het soort geur dat nog lang aan je kleefde, lang nadat je was weggegaan, en je herinnerde aan waar je was geweest.

Ze maakte *puran, poli, sandans*, curry van schapenvlees met tamarinde en een viscurry met kokosmelk. Dit soort gerechten was in mijn gedachten eten uit Pakistan. Jaren later besefte ik dat mijn grootmoeder de traditionele Bene Israël-gerechten van de Kust van Konkan had bereid. Zij had ze van haar moeder en haar moeder daarvoor weer van haar moeder. In die recepten zat iets zoets: de geraspte kokos om de chilipepers te temperen, en voor de balans ook iets scherps: de verse tamarinde die ze weekte en fijn wreef. In Nana's curry's werd koeienmelk vervangen door kokosmelk, een erfenis van koosjer eten. Tijdens haar huwelijksjaren had ze geleerd om populaire moslimgerechten te maken als *biryani*, maar de gerechten die ik vooral met mijn grootmoeder in verband bracht waren de visschotels – gebakken in kikkererwtenmeel met rode pepers, geserveerd in een lichtgroene bouillon over de rijst, dikke moten pomfret gestoofd met tomaten. Nana was een transplantaat van een reeks zeekusten – van Bombay tot Karachi tot Boston. Ze was een wezen van de kust.

Om te koken moest ze uren achtereen staan, en aan het eind van de dag had Nana meestal last van rugpijn, maar ze probeerde daar niets van te laten merken. Ze wist uit ervaring dat we haar dan de volgende dag niet zouden laten koken. Na het avondeten ging ik soms naar haar kamer om haar rug te wrijven. Ze vond het niet prettig om mijn hulp te accepteren. Ze maakte zich zorgen omdat ik de tijd die ik bij haar was niet aan mijn huiswerk kon besteden. Meestal trof ik haar lezend in de *Family Circle* of *Reader's Digest*, waarin ze naar recepten voor koekjes speurde en ideeën opdeed. Onlangs had ze echter zitten lezen over het judaïsme. Ze was pas lid geworden van Hadassah, een joodse vrouwenorganisatie, en ik had gezien hoe ze het maandelijkse tijdschrift binnen een uur na bezorging enthousiast had verslonden.

'Wat bent u aan het doen, Nana?' vroeg ik, zittend op de rand van haar bed.

'Ik leer over de joden,' antwoordde ze eenvoudig, en keek me aan.

Ik bekeek het boekomslag en vroeg me af wat erin stond. 'Hoe is uw volk naar India gekomen, Nana?'

'Dat heb ik je al eerder verteld, beti.'

'Vertel het me dan nog een keer.'

Haar voorouders waren voor haar een raadsel dat ze probeerde op te lossen. Tijdens haar zoektocht ging ze van links naar rechts, met stukjes en beetjes, en elk jaar vond ze weer een stukje van haar leven, centimeter na centimeter op weg naar het einde. Haar zonen begrepen niet waarom ze van alles wilde weten over haar joodse afstamming en zeiden dat ze dat onderwerp moest laten rusten.' Wat is gebeurd is gebeurd,' zeiden ze. Ik denk dat het hun een ongemakkelijk gevoel gaf om zich in de vs als islamitische Pakistanen voor te stellen en dan het mysterie uit te moeten leggen dat hun moeder joodse was. Mijn moeder stond er welwillender tegenover. We woonden in Chestnut Hill, een buurt van Newton, die net als de andere westelijke voorsteden van Boston een grote joodse bevolking kende. Onze huisarts was joods en we hadden een paar vrienden die nieuwsgierig waren naar en geïnteresseerd waren in Nana's achtergrond. 'Wonen er maar weinig joden in India?' vroegen ze met grote ogen. 'Echt?'

Ik had Nana gevraagd op haar buik te gaan liggen terwijl ik mijn handen ondertussen met homeopathische olie insmeerde. Ze trok haar handgemaakte nachtpon op tot boven haar schouders en legde haar dunne armen naast zich neer. Toen ik Nana's huid aanraakte had ik het onmiskenbare gevoel dat ik me niet meer in het heden bevond, dat ik herinneringen aan het verzamelen was voor de lange winter van mijn volwassenheid, waar zij misschien niet meer bij zou zijn. Ik wist dat ik deze herinnering later voor mezelf zou afspelen, als een versleten band.

Na afloop waste ik mijn handen, droogde ze af met de droogdoek die bij de boekenplanken hing en ik bekeek de boektitels. Langs een van de kamermuren, die eerder aan het oog onttrokken was geweest, had ze een soort persoonlijke naslagbibliotheek aangelegd, vier rijen met boeken over onderwerpen waarin ze geïnteresseerd was. Ze bewaarde er ook een collectie tijdschriften over koken – netjes op datum en volgorde – een hele plank vol boeken over breien, een plank met handboeken van haar verpleegstersopleiding uit de jaren dertig, een woordenboek Harathi-Engels en, op de hoogste plank, een Koran, een Thora, delen uit de Talmoed, *101 koekrecepten voor Kerstmis*, een fotoboek over Israël en drie boeken over de Bene Israël-gemeenschap. 'Maak je daar maar geen zorgen om, ga je huiswerk maken,' zei ze altijd, als ik een van de boeken over de Bene Israël pakte. Nana deed me denken aan een verhaal dat ik als kind eens over een venusvliegenvanger had gelezen: als je de verkeerde vraag stelde, klapte hij dicht en weigerde om weer open te gaan, wat je ook deed om hem over te halen.

Als ze me maar even de kans gaf probeerde ik één geheel te maken van de verschillende hoofdstukken van haar volwassen leven: van haar huwelijk met mijn grootvader, de verpleegstersopleiding, haar leven in Bombay, tot aan haar migratie naar Pakistan na de scheiding met India. Ik kende haar leven in grote lijnen, maar wist geen details. Ze hield die verhalen buiten het zicht, net als haar boeken, om ze te beschermen.

'Hield u van mijn grootvader, Nana?' vroeg ik op een avond.

Dat soort vragen bracht haar in verlegenheid, en ze wuifde ze weg met een kort handgebaar.

'Maak je niet druk om mij, beti,' zei ze dan, en pakte haar breiwerk op. 'Als jij op een dag iemand treft, moet je er zeker van zijn dat hij meer van jou houdt dan van wat dan ook. Zelfs meer dan jij van hem houdt. Hij moet iemand zijn die voor je zorgt, die je troost als je verdrietig bent. Je kunt die beslissing pas nemen als je verschillende mensen hebt gekend, dan weet je dat pas.'

Ik ging ervan uit dat ze op haar eigen huwelijk doelde. Mijn moeder had me verteld dat Nana al heel jong met mijn grootvader was getrouwd, een feit dat haar nu in verlegenheid bracht.

'Hoe oud was u toen u trouwde, Nana?'

'Te jong,' zei ze. Ze wilde me nooit een precieze leeftijd of datum geven. 'Ik wist niet beter.'

'Wat had u aan?' vroeg ik, en probeerde me haar als bruid voor te stellen.

'Wat ik aan had?' zei ze, met haar ogen iets toegeknepen. 'Dat weet ik niet meer.'

Ik vond het een vreemd antwoord. Welke vrouw herinnert zich nu niet wat ze op haar trouwdag aan had?

'Was het een groot bruiloftsfeest?'

'Nee, nee,' zei ze snel. 'Helemaal niet. Alleen mijn echtgenoot en ik en twee getuigen. We zetten onze handtekening. Het ging heel snel.'

'Hoe oud was u toen u mama kreeg?'

'O, dat was veel later. Toen was ik zesentwintig.'

'Zesentwintig...' zei ik. 'Dus was u al heel wat jaren getrouwd voordat u een kind kreeg...'

Ze knikte en rolde een bol wol af.

'Waarom hebt u zo lang gewacht?' vroeg ik.

'Het was een geheim,' zei ze zachtjes. 'Ik heb mijn huwelijk tien jaar geheim gehouden.'

Als mijn grootmoeder over haar huwelijk praatte, het geheim dat ze bewaarde, werd duidelijk hoe groot haar schuldgevoel was. Haar vader was gestorven zonder dat hij ooit de waarheid over haar relatie met mijn grootvader had geweten. Haar moeder kwam er pas achter toen Nana zwanger werd van mijn moeder. Hoewel het voor een joodse of christelijke vrouw die met een islamiet trouwt niet verplicht is dat ze zich bekeert, leefde Nana het grootste deel van haar volwassen leven als een praktiserend moslima. Als ze bad deed ze dat in het Arabisch, zoals ze dat tijdens haar huwelijksjaren had geleerd, Maar nu, tegen het eind van haar leven, had ze andere, tegenstrijdige gevoelens. Nu maakte ze zich voortdurend zorgen over de beslissing die ze had genomen om buiten haar geloof om te trouwen en of het feit dat ze islamitische was betekende dat ze niet als joodse kon sterven. Haar man had haar altijd een joodse begrafenis beloofd.

'Hoe ziet u zichzelf, Nana, als joodse of als islamitische?' vroeg ik haar, en ze wachtte even voordat ze antwoord gaf.

'Ik weet het niet,' zei ze uiteindelijk. 'Het ene is het geloof van mijn voorvaderen, het andere het geloof van mijn kinderen.'

'Alle wegen leiden naar God, Nana,' zei ik tegen haar om haar eraan te helpen herinneren, want ik wilde dat ze zich gesteund voelde, en ik kuste haar welterusten.

'Alle wegen leiden naar God,' herhaalde ze.

Het verhaal van mijn grootmoeders huwelijk begint in 1934, zoals ik uiteindelijk heb begrepen. Nana is dan een meisje van zeventien. Ze wordt verliefd op mijn grootvader, Ali, en trouwt in het geheim met hem. Hij is tien jaar ouder dan zij en een vriend en zakenpartner van haar vader. Ze weet dat er een schandaal zal ontstaan in de Bene Israël-gemeenschap als haar moeder en broers erachter komen, en dat vindt ze een vreselijke gedachte.

Ze haalt haar man over om haar te laten studeren in het Cama Hospital in Bombay. Ze verhuist van haar moeders huis naar het studentenhuis voor vrouwen van de verpleegstersopleiding en werkt bij in het ziekenhuis om wat extra geld te verdienen. Elke twee weken stuurt ze geld naar haar moeder en broers en bezoekt hen op de zondagen – vrolijke, chaotische dagen waarop ze weer vervalt in haar oude rol van Lakshmi, de gelukkige. Ze ziet haar echtgenoot twee keer per jaar, als hij vanuit Gujarat naar Bombay komt voor zaken. De bedienden van haar man brengen haar elke dag maaltijden in een metalen lunchdoos. Buiten deze dagelijkse geheugensteuntjes om kan ze zich anders voordoen, kan ze zelfs vergeten dat ze getrouwd is.

In het Cama Hospital werkt dokter Singh, een sikh, bij haar op de afdeling. Het is een rustige man die erg op zichzelf is, maar hij let altijd goed op Rachel. Hij zorgt ervoor dat ze voldoende hulpmiddelen heeft, vraagt of ze water wil en of ze even wil gaan zitten als ze iets onaangenaams heeft gezien. Hij is een goede dokter die zeer door zijn patiënten wordt bewonderd. Rachel kijkt ernaar uit om hem op zijn rondes te vergezellen.

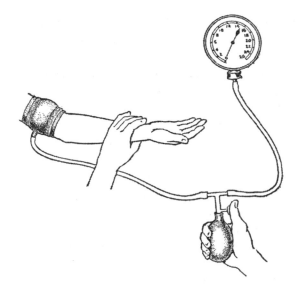

Hoe de bloeddruk wordt gemeten. In een rubber manchet die rondom de bovenarm is geplaatst wordt lucht gepompt, zodanig dat de druk voldoende is om de slagader in de arm te blokkeren. De meter registreert deze druk nauwkeurig.

Op een dag komt er een Engelse dokter naar het Cama Hospital om een lezing over zeldzame tropische ziekten te geven. Dr. Singh vraagt Nana of ze de lezing ook wil bijwonen, en zij zegt ja. De Engelse dokter laat dia's zien en Nana is erdoor gefascineerd. Naderhand gaan dokter Singh en Nana naar de cafetaria in het ziekenhuis en drinken thee. Ze praten na over de lezing en Rachel stelt de dokter vragen over de dingen die ze niet begrijpt.

'Je stelt heel goede vragen, Rachel!' zegt hij glimlachend. 'Je had zelf dokter moeten worden!'

Zijn opmerking streelt Rachel en maakt haar verlegen. Ze zegt zachtjes dat ze als meisje had gehoopt dat ze dokter had kunnen worden.

'En waarom is dat niet doorgegaan?' vraagt hij.

Ze kan hem niet de waarheid vertellen – dat ze getrouwd is en dat haar man die beslissing voor haar heeft genomen.

Ze houdt haar ogen neergeslagen op haar schoot en laat de stilte antwoorden.

Als er weer een lezing is, nodigt dokter Singh haar uit, en ze gaat ernaartoe. Na de lezing blijven ze nog wat rondhangen op de binnenplaats tussen het ziekenhuis en het pension.

'Zullen we samen iets gaan eten?' stelt hij terloops voor.

Ze denkt er even over na. In het restaurant zouden heel veel mensen vast en zeker denken dat zij de echtgenote van de sikhdokter was. Ze is eenzaam in het pension, ze mist haar broers en zus. Het zou fijn zijn om met iemand te praten. Maar de bediende van haar man zal verslag uitbrengen aan zijn meester als zij haar avondeten niet opeet. Misschien is het niet goed om het te doen.

'Ik kan niet,' stamelt Nana. 'U moet weten dat mijn eten gebrácht wordt.'

Dokter Singh ziet er teleurgesteld uit.

'Ik begrijp het,' zegt hij, en knikt. 'Goedeavond dan maar.'

Hij vertrekt en wuift voorzichtig.

Nana is te verlegen om daarna zonder aanleiding iets tegen hem te zeggen. Ze blijft hem assisteren op zijn rondes, maar ze spreken nooit meer over persoonlijke zaken. Ze werken nog een halfjaar in stilte samen, daarna wordt ze overgeplaatst naar een andere afdeling en promoveert ze tot hoofd van de verpleging. Een jaar later hoort ze dat hij met een sikhmeisje is getrouwd.

Op een avond komt Nana de hoek om en ziet ze zijn vrouw, uit de auto leunend op de rotonde bij het ziekenhuis. De jonge vrouw is gekleed als een pasgetrouwde bruid, ze draagt een rode sari en rode *sindoor* op de scheiding van haar haar. Ze roept dokter Singhs naam als hij het ziekenhuis uit komt. 'Gurudev!' roept ze opgewekt. Nana ziet dat hij glimlacht als antwoord, dezelfde glimlach die ze ooit in de cafetaria zag. Ze weet zijn voornaam niet totdat ze zijn vrouw die heeft horen uitspreken. 'Gurudev,' herhaalt ze, en proeft de lettergrepen op haar tong.

Nana blijft daar een ogenblik staan en denkt aan de vrouw van de sikhdokter.

Mevrouw Singh. Een meisje dat netjes getrouwd is. En de hele wereld mag het zien.

'Was u verliefd op de sikhdokter?' vraag ik in een dappere bui.

'Nee, natuurlijk niet. Ik was verliefd op mijn man.'

Ik pak een geborduurd kussen van haar bed en ga met mijn vingers over de kruissteekjes die ze zo precies heeft gemaakt. Een paar jaar eerder had Nana me de kruissteek geleerd. Het was de enige steek die ik kende. 'Het kwam alleen doordat ik zo jong was getrouwd,' zei ze. 'Zo'n soort liefde veroorzaakt een *tamasha*. Te veel gedoe.' Ik knik en doe net alsof ik begrijp wat ze bedoelt.

De Bene Israël Boys, de vrienden van haar broer, vragen soms naar Rachel. Ze wil nooit over trouwen praten. Ze zegt tegen iedereen dat ze eerst haar studie wil afmaken. Zij is de enige die de waarheid weet en ze heeft het gevoel dat die een gat in haar maag brandt. Op een morgen realiseert ze zich dat er een uitweg is, een oplossing: ze kan verdwijnen.

Voor het Cama Hospital zetten twee Engelse verpleegsters van de Women's Army Auxiliary Corps een tafel neer met daarop een grote stapel papieren. Aanmeldingsformulieren. Nana kijkt vanuit haar ooghoek naar de kleurrijke banieren: 'Help mee in de oorlog' en 'Word een held!'. Nana heeft via de radio al wekenlang gehoord dat er in het buitenland behoefte is aan afgestudeerde verpleegsters, en over de vele gewonde soldaten en het voortdurende gebrek aan goede verzorging. Haar ene broer, Jacques zit in het leger en is gestationeerd in Birma. Haar broer George is gelegerd in Bombay. De gedachte komt bij haar op dat een van beiden elk moment naar het front gestuurd kan worden.

Op de vierde morgen loopt ze langs de tafel, blijft er treuzelen en luistert naar een van de verpleegsters die een potentiële rekruut uitleg geeft over de aanmeldingsprocedure. 'Er zijn twee soorten dienst: actieve dienst en niet-actieve dienst. Bij niet-actieve dienst wordt u gestationeerd in een ziekenhuis, bij actieve dienst werkt u in een van de kampen aan het front.'

Hoe zou het zijn als ik me zou aanmelden, vraagt Rachel zich af. Ze stelt zich voor hoe kwaad Ali, haar echtgenoot, wel niet zou zijn als hij zou weten dat ze hierover nadacht, en de gedachte alleen al doet haar rillen. Ze vraagt om een aanmeldingsformulier en stopt dat snel in haar handtas. Ze gaat naar haar afdeling en is vastbesloten er later over na te denken.

's Avonds haalt ze het formulier uit haar tas en bekijkt het nauwkeurig.

Ik zou kunnen vergeten dat ik ooit getrouwd was, denkt ze. Ik zou dan nooit meer iemand tot last zijn.

Ze wacht even en vraagt zich af of ze zich voor actieve of niet-actieve dienst moet aanmelden en kiest voor actieve dienst. Als ik doodga, denkt ze bij zichzelf, ben ik in elk geval voor de goede zaak gestorven.

Ze pakt een pen en vult haar naam en adres in. Ze schrijft de informatie snel op, in blokletters met zwarte inkt. Ze besluit dat ze de aanmelding die avond zal afmaken en tevens twee brieven zal schrijven, een aan haar echtgenoot en een aan haar familie. Daarin zal ze uitleggen dat ze zich bij het leger heeft aangemeld. Haar familie zal trots op haar zijn. En haar man? Ze gaat tegen de bediende van haar man zeggen dat ze niet op haar plaats zal zijn in verband met een huwelijk, en dat ze over twee weken terugkomt. Haar man komt er pas achter als ze al lang en breed weg is. Dan is het voor hem te laat om nog iets te ondernemen.

'Mijn beste Ali Sahib,' begint ze. Hoe moet ze het vertellen? Ze kijkt uit het raam van haar kamer op de eerste verdieping naar de binnenplaats beneden en ziet de straatveger die gehurkt zit en ritmische bewegingen maakt met zijn lange bezem – van links naar rechts, van rechts naar links en weer terug – en centimeter voor centimeter achteruitgaat, zijn voetafdrukken uitwissend.

Ze hoort niet dat de deur van haar kamer opengaat. Ali kan zich bewegen als een kat. In drie snelle passen staat haar man stil achter haar stoel en kijkt toe hoe haar pen aarzelend over het papier beweegt.

Hij grist de brief en het aanmeldingsformulier met één hand weg. 'Wat is dit?' vraagt hij dwingend, en zwaait met de papieren buiten haar bereik.

Nana kijkt naar hem op, bang, en probeert de papieren terug te pakken. Ze weet niet wat ze moet zeggen.

'Denk je zo over mij?' vraagt hij. 'Me verlaten zonder het me te zeggen?' Hij verfrommelt het aanmeldingsformulier en de brief en gaat op haar bed zitten, neemt haar in zijn armen en huilt. Hij houdt haar gezicht in beide handen, bedekt haar mond met de zijne. '*Meri jaan*, stel je voor dat je zou sterven! Dan zou ik ook sterven.'

Nana kijkt naar hem op, haar ogen vullen zich met tranen. Ze houdt meer van hem dan goed voor haar is, denkt ze. Het is een val.

'Vergeet dit alles,' zegt hij. 'Ik neem je mee en dan kun je dicht bij me zijn in Jamnagar. Daar kan ik je zien.'

In die tijd is haar man de douaneontvanger van Jamnagar, in het vorstenland Nawanagar in Gujarat. De Jam Sahib (hoogste heer) van Nawanagar is een goede vriend van hem, en ze hebben er een heel goed ziekenhuis. Vrijwel meteen worden plannen in werking gesteld om Rachel naar Jamnagar te halen en haar daar verpleegkunde te laten studeren. Ali zegt tegen Rachels moeder dat hij heeft besloten haar opleiding te betalen ter ere van haar overleden vader, zijn vriend. Rachels moeder is hem dankbaar.

Ali houdt haar nu scherp in de gaten en is beducht op tekenen dat ze wil vluchten. Ze zuigt zijn aandacht op zoals een spons water opzuigt.

In Jamnagar is Rachel ongelukkig. Op de verpleegstersopleiding spreken ze Gujarati; zij kan alleen Engels en haar moedertaal Marathi. Ze mist het Cama Hospital en Bombay. Ze mist haar familie. Ze studeert hard maar kan het niet bijbenen. Dat jaar zakt ze voor haar examens. Ik probeer me mijn grootmoeder als meisje voor te stellen, de hele nacht studerend voor een examen. Ik kan me dat beeld niet voor de geest halen.

Op een middag komt de auto van de Jam Sahib bij haar voorrijden. 'Rachel Bibi, u moet naar het paleis komen,' zegt de chauffeur. Rachel doet wat haar wordt opgedragen. Ze buigt zich en glipt naar binnen. Het is een prachtige geïmporteerde auto met echt leren stoelen. De chauffeur vertelt haar dat de vrouw van Jam Sahib, de Maharani, om haar aanwezigheid heeft gevraagd. De Maharani moet bevallen en ze wil graag een vrouwelijke verpleegkundige om haar bij te staan. Tot op dat moment verkeert Rachel in de veronderstelling dat haar man de auto naar de verpleegstersopleiding heeft gestuurd. Nu vraagt ze zich af wat haar man ervan vindt dat zij alleen naar het paleis gaat. Er zijn maar heel weinig auto's in Jamnagar. Terwijl ze naar het paleis rijden herkent ze de auto van haar man die haar op de andere weghelft tegemoet komt rijden. Als de twee auto's elkaar passeren ziet hij Rachel en kijkt haar recht aan. Ze is bang. Hij vraagt zijn chauffeur om te stoppen. Hij stapt uit en tikt met zijn knokkels op het glas en vraagt Rachel het raampje naar beneden te draaien. Hij wil onmiddellijk weten wat zij in de auto van de Jam Sahib doet, en zij vertelt hem dat de Maharani haar wil zien en dat ze op weg is naar het paleis. Hij verbiedt haar te gaan. Haar echtgenoot stuurt haar in zijn auto terug naar de school om daar een andere verpleegster te zoeken, en hij gaat zelf naar het paleis om het uit te leggen.

Nana vertelde deze verhalen zo vaak dat er zich in mijn geest alternatieve scenario's begonnen te ontwikkelen, en dan vooral op de momenten dat haar lot zo absoluut veranderde, zich honderdtachtig graden omdraaide. Wat zou er zijn gebeurd als mijn grootvader niet haar kamer was binnengekomen toen zij die brief aan hem zat te schrijven? Een paar minuten later had ze die kunnen verbergen en had ze de aanmelding de volgende ochtend kunnen indienen, zoals ze dat had gepland. Dan had ze tijdens de Tweede Wereldoorlog misschien in het leger gediend, had ze kunnen doen alsof ze nooit getrouwd was, kunnen terugkeren en met iemand uit haar eigen gemeenschap kunnen trouwen. Wat zou er zijn gebeurd als haar man op dat moment niet toevallig de auto van de Jam Sahib was tegengekomen? Ik stel me voor dat ze de baby van de Maharani ter wereld zou hebben gebracht en vervolgens de privéverpleegster van de familie zou zijn geworden. Zou ze dan een jongeman aan het hof hebben ontmoet en een heel ander leven tegemoet zijn gegaan?

'In die tijd vonden de Jam Sahibs het heerlijk om gunsten te verlenen,' legde Nana uit. 'Ik denk dat hij bang was dat de Maharani me aardig zou vinden en dan telkens de auto zou sturen, en dan zou ik de hele tijd in het paleis moeten zijn. Hij was heel erg jaloers, mijn echtgenoot. Hij vond het niet prettig dat andere mannen me zagen.'

Nana pakt een bol wol en twee breinaalden van haar nachtkastje.

'Als hij niet juist op dat moment voorbij was gekomen, was ik gegaan...'

Binnen een jaar is Rachel terug in Bombay, terug in het Cama Hospital, waar ze een aantal jaren zal blijven werken. Haar man bezoekt haar nu vaker. Wanneer hij komt is onvoorspelbaar en het is altijd een verrassing voor haar. Soms heeft hij in zijn jaszak een paar oorbellen voor haar bij zich. Na zijn bezoekjes voelt ze zich opgewonden en schuldig. De stenen in haar oren vangen het licht, breken het licht op het plafond als sterren. Ze draait met haar hoofd en ziet de lichtjes bewegen en naar haar knipogen.

In 1943, als mijn grootmoeder zesentwintig is, wordt ze hoofd verpleegkunde van het Cama Hospital, de hoogste stap in haar carrière. Op de kraamafdeling draait Rachel nachtdiensten in haar eentje, legt visites af bij de vrouwen, controleert hun statussen. Ze denkt eraan hoeveel kinderen haar moeder heeft verloren door gebrek aan doktoren en verpleegsters, en dat geeft haar een goed gevoel over haar werk. Op een ochtend, als ze haar ronde doet, wenkt een van de patiënten haar.

'U was vannacht zo aardig voor me. Nog bedankt dat u mijn rug hebt gemasseerd,' zegt ze.

Rachel knikt en loopt door. Wat vreemd, denkt ze, ik heb haar rug vannacht helemaal niet gemasseerd. Als ze bij een andere vrouw de hartslag opneemt, glimlacht de patiënt tegen haar en klopt haar op haar hand.

'Bedankt voor het water, schat.'

Langzaam dringt het tot Rachel door dat veel van haar patiënten op de kraamafdeling haar verwarren met een andere zuster. Verschillende mensen beschrijven een prachtige Anglo-Indiase jonge vrouw met golvend bruin haar, gekleed in een witte jurk en een bijpassende driehoekige verpleegsterskap. Ze heet Rose.

Rachel heeft er geen idee van wie die andere verpleegster is. Ze bekijkt het werkschema nogmaals. Er staat geen verpleegster op die Rose heet. Af en toe gebeurt dat, dan wordt ze 's ochtends door patiënten bedankt voor iets wat ze niet heeft gedaan, of ze vragen specifiek naar Rose. Rachel vraagt de oudere verpleegsters en komt erachter dat Rose in de jaren twintig als verpleegster in het Cama Hospital heeft gewerkt. Ze stierf een geheimzinnige dood waar de mensen over fluisterden. Na haar dood kwam een legerofficier haar bezittingen uit het pension ophalen. De mensen zeiden dat Rose zwanger was geweest van zijn kind, en dat ze tot een abortus had besloten toen hij had geweigerd met haar te trouwen. Ze had de operatie niet overleefd. De mensen zeiden dat haar geest rondwaarde op de kraamafdeling en voor de zwangere vrouwen zorgde. Alleen zwangere patiënten zagen haar.

Rose begint 's avonds laat aan Rachel te verschijnen. Rachel voelt dat er iemand is, kijkt op en ziet Rose druk aan het werk, altijd net buiten bereik. Als Rachel met Rose probeert te praten, gaat ze de hoek om en verdwijnt. Rachel begint te denken dat ze niet genoeg slaap heeft gehad, dat ze dingen ziet die er niet zijn. Ze begint zich zwak te voelen, vreemd, niet zichzelf. Ze heeft geen idee wat het is. Op een avond kijkt ze op en ziet ze dat Rose naar haar kijkt. Rose legt haar handen op haar onderbuik en glimlacht, een trage, vredige glimlach. Rachel wordt de volgende ochtend wakker en staart naar de balken aan het hoge plafond. Met alleen de muren die haar kunnen horen zegt ze hardop: 'Ik krijg een kind.'

Ze is zelf verrast dat ze in plaats van angst een gevoel van opluchting heeft. Het wachten is voorbij. Ze kan haar huwelijk niet langer verborgen houden. Ze krijgt een kind.

Ze schakelt haar zus Lizzie in om te helpen haar moeder het nieuws van haar huwelijk te vertellen. Als Mumma het nieuws hoort, begint ze te huilen. Hete tranen doorweken de schoot van haar sari.

Ze zegt: 'Het is goed dat je een kind krijgt.'

Mijn grootvader bouwt een huis aan zee voor Nana, op Worli Sea Face in Bombay. Hij noemt het Rahat Villa, ter ere van haar nieuwe naam.

Rachel wordt Rahat. Jood wordt moslim. Het nieuwe overschaduwt het oude. De dingen zullen veranderen.

'Ga slapen, beti, het is al laat.'

Nana en ik zitten in het donker. Er is geen ander geluid dan de sneeuwstorm die rond ons oude huis raast.

'Ik ga.'

'Slaap, slaap.'

Ik wacht totdat ik Nana's ademhaling hoor om er zeker van te zijn dat ze er nog is.

'U ook.'

7

Invloeden

Poona, november 2001

Ik kan me niet herinneren dat ik ooit zo eenzaam ben geweest.

's Avonds wordt de sleur van mijn kamer verstikkend en dan wandel ik naar het eind van Law College Road. In een klein, stoffig cybercafé met drie werkende computers lees ik het nieuws van thuis en verzeker mijn vrienden en familie dat het prima met me gaat. Ze mailen me om te vragen of de aanslagen op het World Trade Center in India veel teweeg heeft gebracht. Tony wil weten of dat dan betekent dat ik eerder naar huis kom. Ik weet niet goed wat ik moet antwoorden. Ik vertel hun dat het leven hier zijn gewone gangetje gaat. De mensen vertellen zonder verdere plichtplegingen eindeloos verhalen over overstromingen en epidemieën die complete bevolkingsgroepen hebben weggevaagd en over bommen die in treinen exploderen. De getallen zijn verbijsterend, en vervolgens gaat het leven gewoon weer verder. Mijn vrienden in Amerika vinden dat een vreemde gedachte. Ze vertellen dat in New York nu alles anders is en ik probeer me dat voor te stellen. Sinds ik mijn vertrouwde omgeving twee maanden geleden heb achtergelaten, is er zo veel in de wereld veranderd. Ik heb het ongerijmde gevoel dat ik via een valluik in een parallelle wereld van het universum ben terechtgekomen. Buiten bij het cybercafé zie ik een groep jongemannen over de Law College Road slenteren naar iets wat op een openluchtcafé lijkt: een kraam met drie houten zijkanten met een lage bank ervoor, waar je op kunt zitten. Het doet me denken aan de stellage van een poppenkast. Ze zitten op verschillende manieren rondom het stalletje, drinken uit kleine, geëmailleerde kommetjes, leunen achteloos op elkaar, en twee of drie van hen zitten op een motor. Ze zijn voortdurend in zware gesprekken verwikkeld en ik vraag me af waarover ze het hebben. Ik zou graag mee willen praten, maar dat lijkt me nogal vrijpostig, en ik voel me verlegen. Overdag ga ik naar het café toe en kijk naar binnen. Binnen in het stalletje, dat geconstrueerd is als een simpele houten krat, staan drie grote, lege zwarte ketels, die te zwaar zijn om te stelen. Vreemd genoeg is de eigenaar nergens te bekennen. Het lijkt erop dat de zaak pas na elf uur 's avonds open gaat.

Op een avond geef ik toe aan mijn nieuwsgierigheid en drentel langs de kraam. Ik stel me voor aan een groepje mannelijke studenten van de filmacademie, die weigeren mij de hand te schudden en alleen maar in mijn richting knikken. Ik ga naar twee meisjes die chagrijnig aan de zijkant staan en probeer een praatje met hen aan te knopen, maar dat lukt niet echt. Ik merk dat de studenten Hindi spreken als ze informeel met elkaar kletsen, elkaar plagen en op de rug slaan, maar dat ze overstappen op Engels als ze een echt gesprek willen voeren. Een van de jongens mompelt: 'Ja, de Amerikaanse,' en de andere lachen. Een ander komt met uitgestoken hand naar me toe. 'Ik moet me verontschuldigen voor mijn vrienden, ze zijn erg onbeleefd. Ik weet wel beter, ik heb een broer in Connecticut.'

De kraam die eruitziet als een theestalletje is eigenlijk een koffiestalletje waar melkachtige, zoete Nescafé wordt verkocht, waar de studenten uit kleine geëmailleerde kopjes waar stukjes af zijn van nippen, terwijl ze ondertussen klagen over de stapel boeken in hun kamer die ze zouden moeten lezen. Rond middernacht hoor je de vrouwelijke studenten mopperen over de avondklok, en ik realiseer me enigszins opgelucht dat mijn doen en laten niet wordt beperkt door dat soort regels. Ik zie Rekhev naast het koffiestalletje zitten. Hij vertelt drie mannelijke medestudenten over het concept van een korte film die hij gaat regisseren en ze zijn helemaal in de ban van zijn woorden.

'Je ziet een jongen – die ook een oude man is – die een verhaal probeert te vertellen. De film bestaat uit twee delen. Het eerste deel gaat over het vaste patroon van de jongen die naar school gaat, het tweede deel wordt een soort prentenboek. Er komen raadsels in voor met mythologische verwijzingen, sommige uit het boek *Kathasaritsagar* van Somdev en sommige uit de *Dictionary of the Khazars* van Milorad Pavić.'

'Jouw ideeën zij zo verdomde ingewikkeld,' hoor ik een van hen zeggen, en hij schudt zijn hoofd bewonderend. 'We zijn niet allemaal zulke genieën als jij, *yaar...*'

Ik ga zitten en de jongens pakken de draad weer op van een eerder gesprek dat in Hindi werd gevoerd en waar ik niets van begrijp. Rekhev slaat een groot groen notitieblok open en schrijft er iets in met een vulpen, terwijl ik kleine slokjes neem van mijn koffie. Hij slaat zijn notitieblok dicht en staart me aan.

'Ken jij het werk van Robert Bresson?'

Ik ben dankbaar dat iemand mij een vraag heeft gesteld, dankbaar omdat ik het vooruitzicht heb op een gesprek. Ik zeg dat ik me herinner dat ik zijn films op de middelbare school heb gezien, maar dat ik ze me nu niet voor de geest kan halen. Rekhev kijkt me fronsend aan.

'Heb je dit boek gelezen? *Notes on the Cinematographer?*'

Ik schud ontkennend mijn hoofd.

'We worden hier zwaar beïnvloed door zijn boek. Waardoor word jij beïnvloed?'

'Beïnvloed?' herhaal ik stompzinnig.

'Wie zijn de artiesten en schrijvers die je het meest bewondert?' vraagt hij me met een serieuze blik.

Ik voel me in verlegenheid gebracht omdat ik niet meteen een antwoord paraat heb.

'Zeg eens. Heb je wel eens gehoord van de muziek van John Cage?'

Dat heb ik. Dat vertel ik hem en ik zie een trilling over zijn gezicht trekken.

'Ik heb zijn boek *Silence* gelezen. Ik heb ook nog een ander boek van hem gelezen. Ik was erg gefascineerd door hem. Maar ik heb nooit de kans gehad om naar zijn muziek te luisteren. Vertel me eens hoe die klinkt.'

Rekhev kent Cages beroemde werk *4'33''* wel, waarbij Cage vierenhalve minuut in stilte achter de piano zit, maar hij is vooral gegrepen door Cages experimenten die gebaseerd zijn op toeval en hoe die toe te passen zijn bij het maken van een film. Ik weet niet goed hoe ik zijn muziek moet beschrijven. Ik doe een paar minuten lang een poging en herinner me dan een verhaal dat een van mijn docenten me ooit heeft verteld over een optreden dat Cage gaf op een klein college, midden in de bossen van New England. Ik beschrijf hoe de docent in het bos aan het wandelen was toen hij plotseling de artiest zag staan, heel stilletjes met vier of vijf mensen, en hij hem herkende. 'Cage! God nog an toe, dit is geweldig!' riep hij. 'Wat doe je hier?' John Cage draaide zich langzaam naar hem toe en zei: 'Ik ben aan het werk, Tim. Ik zit midden in een performance.' En de docent realiseerde zich dat hij midden in een van Cages stukken terecht was gekomen.

Rekhev moet glimlachen om het verhaal. Ik besef hoe erg ik New York mis.

Ik breng mijn dagen in de bibliotheek van het filminstituut door, aantekeningen makend bij een boek over de Bene Israël dat oom Moses me heeft gegeven. Voordat ik naar Bombay terugga en mezelf aan die gemeenschap ga proberen voor te stellen, wil ik goed op de hoogte zijn van hun geschiedenis. Er zijn maar weinig andere boeken over geschreven, en een paar ervan heb ik van Nana's boekenplank meegenomen. Elk boek begint met hetzelfde verhaal, het verhaal van een schipbreuk: de Bene Israël verlaten het oude land Israël in een boot die schipbreuk lijdt op de kust van Navgaon, een klein dorpje op 160 kilometer ten zuiden van Bombay. Er zijn maar heel weinig foto's en bijna geen foto's uit onze tijd.

'Wanneer is dat gebeurd, Nana?' kan ik mezelf horen vragen.

'Tweeduizend jaar geleden, beti,' zegt ze.

Tweeduizend jaar. Ik probeer het me voor te stellen, leg mijn beide handpalmen gespreid op mijn boeken, één vinger voor elke twee eeuwen. Ik kan het me nu net zomin voorstellen als toen ik een kind was.

De twaalf stammen van Israël, de oorspronkelijke joodse volkeren – waarvan er tien gezocht worden en verloren en bedacht zijn, zelfs nu nog. De Bene Israël denken dat ze een van die verloren stammen zijn, verstoten om op aarde rond te zwerven op zoek naar een nieuw thuis. Ik kan de verhalen die mijn grootmoeder mij heeft verteld en wat ik erover heb gelezen niet goed meer scheiden, en ik zie het verschil ook niet meer tussen de geschiedenis van de verloren stammen en de legende die erover is verspreid.

Volgens hun eigen mondelinge overlevering pasten de leden van de Bene Israël die de schipbreuk hadden overleefd, zich aan aan het leven langs de Kust van Konkan en kenden daar generaties lang een vreedzaam bestaan. Omdat ze niet meer konden beschikken over hun religieuze teksten, praktiseerden ze alleen nog wat ze zich van hun geloof konden herinneren: ze hielden zich aan de sabbat, aten geen vis zonder vinnen of schubben en besneden de mannelijke zuigelingen op de achtste dag na hun geboorte. Na verloop van tijd vergaten ze de Hebreeuwse taal en gingen ze de plaatselijke taal, het Marathi, spreken. Maar ze herinnerden zich wel de openingszin van het *Sjema*-gebed – het centrale beginsel van het joodse geloof – dat ze opzegden tijdens overgangsriten, in moeilijke tijden en bij vieringen: 'Hoor Israël, de Eeuwige is onze God, de Eeuwige is Eén.'

Aan het begin van de negentiende eeuw raakten christelijke missionarissen van de Kerk van Engeland, missies van de Schotse presbyterianen en van de Amerikaanse congregationalisten in Bombay en het Raigad District op de hoogte van het bestaan van de Bene Israël. Ze vonden het bijzonder dat de leden van die gemeenschap de sabbat vierden en een paar woorden Hebreeuws kenden. Toen de missionarissen met hen in contact kwamen, vertelden de leden hun dat hun voorvaderen afkomstig waren uit een land uit noordelijke richting. Ze beschreven de schipbreuk die hen naar India had gebracht op de manier zoals hun dat verteld was. Ze vertelden hoe de zeven stellen die de schipbreuk hadden overleefd, degenen die het niet hadden overleefd op twee grote stapels hadden verbrand. Hoe ze zich daarna in nabijgelegen dorpen hadden gevestigd en hoe ze eeuwenlang geïsoleerd van andere joden hadden geleefd.

De missionarissen richtten in Bombay en in de Konkan lagere scholen op, waar verscheidene mannen van de Bene Israël als leraar gingen werken en kinderen van de Bene Israël meestal les kregen. Op die scholen leerden leden van de Bene Israël Engels maar ook het Oude Testament, en in de Bijbelverhalen herkenden ze flarden van hun eigen mondelinge geschiedenis. Het contact met de missionarissen was niet de aanzet tot een grootschalige bekering tot het christendom, maar diende vooral als katalysator voor de toenemende communicatie van de Bene Israël met andere joodse gemeenschappen, in India en in andere delen van de wereld.

Aan het eind van de negentiende eeuw had het grootste deel van de gemeenschap zich in het stadscentrum van Bombay gevestigd. In minder dan honderd jaar had de Bene Israël zichzelf getransformeerd van een grotendeels op het platteland levende, Marathi sprekende, boerenbevolking in een Marathi en Engels sprekende stedelijke middenklasse. Nadat ik de verslagen van de volkstelling uit de jaren dertig aandachtig heb bekeken, besef ik dat Nana's familie typerend was voor die tijd. Haar ouders en grootouders waren dan misschien wel in dorpen grootgebracht, Nana en haar broertjes en zusjes groeiden op als stadskinderen, woonden in Poona en Bombay huwelijken en gemeenschapsfeesten bij in synagoges die vol zaten met leden van hun geloofsgemeenschap. Nana bereikte de volwassen leeftijd toen de Bene Israël op haar hoogtepunt was en meer dan dertigduizend leden telde, en van de kosmopolitische, seculiere aard genoot van het Bombay van voor de scheiding. Haar vader had vrienden onder hindoes, christenen, jaïn en sikhs. Een van zijn beste vrienden en zakenrelaties was een moslim, Ali Siddiqi. Die man zou Nana's echtgenoot worden, mijn grootvader.

In alles wat ik lees wordt de migratie van de Bene Israël van India naar Israël op dezelfde manier beschreven. Tussen 1940 en 1950 maakten leden van een zionistische federatie uit Israël voor het eerst de reis naar India om Indiase joden te rekruteren, rond de tijd dat zowel de Indiase onafhankelijkheid als de oprichting van de staat Israël een realiteit werd. De Bene Israël bekeken het aanbod en besloten vooralsnog te blijven waar ze waren.

In 1947 begon daar verandering in te komen. De Engelsen bereidden zich voor op het einde van 240 jaar koloniale overheersing van India; ze wilden de macht teruggeven aan de Indiërs en een nieuwe, onafhankelijke natie stichten. Te midden van de toenemende spanning en gevechten tussen hindoes en islamieten werd er steeds vaker over gesproken om het land in tweeën te splitsen en voor de Indiase moslims een nieuw land te stichten, te weten Pakistan. Terwijl de Engelsen het hadden over hun terugkeer naar Engeland, de moslims over hun vertrek naar Pakistan en de hindoemeerderheid een nieuwe regering ging vormen, keek de Bene Israël nog eens goed naar hun toekomst in Bombay. Ze begonnen er nu serieus over te denken om zich in Israël bij joden uit de hele wereld aan te sluiten.

Nana vertelde me dat haar oudere broer George een van de eersten van de Bene Israël was die uit India naar Israël vertrokken en zich op land vestigden dat gereserveerd was voor voorvechters van de zionistische zaak. De rest van zijn familie volgde twee decennia lang druppelsgewijs, langzaam maar gestaag – behalve Nana en haar jongere broertje Nissim, zij zijn nooit naar Israël geëmigreerd. En toen Nana naar Pakistan ging, bleef Nissim achter in India.

Ik schrijf in mijn notitieblok: 'Hoe zit het met de andere Bene Israël die hier bleven?' Er zijn maar weinig aanwijzingen van hun doen en laten, hun warrige komen en gaan, hun feestdagen, de bedehuizen, of de plaatsen en mensen die voor hen kenmerkend waren. Ik wil het graag vastleggen, om het te behouden. Ik ben geïnteresseerd in wat overblijft. Zou het mogelijk zijn, vraag ik me af, om achteruit te lopen en de wegen te bewandelen die mijn grootmoeder niet heeft gekozen?

In de bibliotheek zie ik Rekhev tegenover me zitten en ik zwaai even in zijn richting. Hij kijkt me aan en schuift over de tafel een boek naar me toe. Het boek gaat over Amrita Sher-Gil, een half-Hongaarse, half-Indiase vrouwelijke kunstschilder. Ik lees over haar vroege jaren als student schone kunsten in Italië en Frankrijk, in de jaren dertig. Ik bekijk haar schilderijen, die kopieën van andere schilders lijken. Dan volgt een verandering. Ze komt in 1934 naar India en gaat er de Indiase kunst bestuderen. Ze verwerkt elementen van mogol-miniaturen in haar Ajanta-schilderijen. Ze trouwt met een volle neef, een arts, en ze verhuizen naar het huis van de familie in Uttar Pradesh en later naar Lahore. Ze is beroemd om haar humor en haar affaires. Ze slaapt met zowel mannen als vrouwen. Op achtentwintigjarige leeftijd sterft ze onder mysterieuze omstandigheden. Sommigen beweren dat ze is gestorven aan complicaties na een abortus, anderen zeggen aan syfilis. Daar houdt de les op. Ik kijk naar haar foto, zoek de Hongaarse ouder in haar gezicht en dan de Indiase. Een half-half mens. Net als ik.

Rond een uur of vijf sta ik op en vraag me af of Rekhev misschien op dezelfde tijd vertrekt. Dat doet hij en we lopen in stilte de bibliotheek uit, als een tweepersoons processie.

Ik heb dat speciale-dag-gevoel, dat schoolreisjes-gevoel. Ik weet niet zeker waar we naartoe gaan. We lopen langs een klein sigarettenstalletje en Rekhev koopt een half pakje sigaretten en lucifers. Ik heb gehoord dat er verderop in de straat een tempel staat, iets verder dan het theestalletje, maar ik ben er nog niet geweest. Ik vraag hem of het ver is.

Rekhev schudt ernstig zijn hoofd, alsof hij wil zeggen: nee, het is niet ver.

'Heb je het druk?' vraag ik.

'Ik dacht dat ik je misschien mee kon nemen naar een man op Karve Road, waar ik mijn boeken koop.'

'O, ik begrijp het,' zeg ik, gevleid dat iemand me ergens mee naartoe wil nemen.

'Maar als je wilt, gaan we eerst naar de tempel,' voegt hij eraan toe.

'Dat doen we,' zeg ik.

Het wordt al snel duidelijk dat we niet de goede schoenen dragen – we hebben allebei sandalen aan. Het is een steile helling en de zon is nog niet onder, waardoor het een warm uitstapje wordt.

'We hadden nog even moeten wachten,' zegt Rekhev.

We beklimmen het pad tot aan een kleine open plek met een paar rotsen en bekijken het weidse panoramische uitzicht met groene en bruine heuvels dat ons omringt.

'Laten we gaan zitten,' zegt hij. Hij gaat zitten en pakt een sigaret. Ik moet lachen om het idee van tegelijkertijd sporten en roken, maar hij ziet er de humor niet van in.

'Wat bestudeer je over die joden?' vraagt hij me na enkele ogenblikken, kijkend naar de vallei onder ons.

'Ze geloven dat ze hier tweeduizend jaar geleden schipbreuk

hebben geleden,' antwoord ik. 'Zeven mannen en zeven vrouwen overleefden de schipbreuk en ze geloven dat de hele gemeenschap van die zeven paren afstamt.'

'Is dat waar?'

'Ik weet het niet. Maar zij geloven het.'

Rekhev kijkt op. 'Dat is een heel Indiaas idee, weet je, om te denken dat je ergens anders vandaan komt.'

'Hoe bedoel je?' vraag ik.

'We zijn een mengeling. Geen van ons komt echt van hier. Naipaul heeft daar ook over geschreven. Mensen houden zich vast aan het idee dat ze ergens anders vandaan komen, daar zijn allerlei volksverhalen over – dat ze hier over zee naartoe zijn gekomen en afstammen van de Grieken. Er is een gemeenschap hier in Maharashtra, de Chitpavan-brahmanen, die ook geloven dat ze hier na een schipbreuk aan land zijn gekomen. Wat vond je van Amrita Sher-Gil?'

'Het lijkt alsof ze vreselijk in de war was.'

De sigaret is door de wind uitgeblazen en Rekhev steekt hem opnieuw aan. 'Misschien vind jij de analogie te zeer voor de hand liggen, maar bij mij kwam de volgende gedachte op: half-Indiaas meisje komt hier om te ontdekken wie ze is. Toen ik in Delhi op school zat, ging ik op zondag altijd haar schilderijen bekijken. In het museum voor schone kunsten is één vertrek volledig aan haar gewijd. Daarvoor had ik de schilderijen alleen maar in boeken gezien. Ik was zo verbaasd toen ik ze van dichtbij zag. Als je wilt kun je Amrita als een soort gids beschouwen, denk ik.'

Rekhev rookt zijn sigaretten snel achter elkaar op, de een na de ander. Als hij aan zijn vijfde sigaret bezig is, besef ik dat hij niet echt rookt, maar ze gewoon weg paft zonder te inhaleren. Ik vraag Rekhev naar zijn familie. Zijn moeder is lerares, zijn vader werkt voor de overheid. Hij is al anderhalf jaar niet thuis geweest.

'Willen ze dan niet dat je hen opzoekt?' vraag ik.

'Ze weten wel dat ik niet vaak op reis ga,' zegt hij.

Rekhev is nieuwsgierig naar Pakistan. Ik vertel hem over Siddiqi House, het huis in Karachi waar mijn moeder is opgegroeid met haar moeder, haar vader, haar negen broertjes en zusjes en haar vaders andere twee vrouwen. Tien kinderen in totaal van wie er vijf van Nana waren.

'Woonden ze daar allemaal samen?' vraagt hij.

'Mijn grootvader Siddiqi was een excentrieke man,' antwoord ik. De familie van Rekhev kwam oorspronkelijk uit Rawalpindi, nu Pakistan, en vestigde zich na de scheiding in Jammu.

'Is het daar heel anders dan hier?' vraagt hij me. De grootste verschillen hoef ik niet eens te noemen, die zijn zonneklaar: de oproep tot gebed, de bewakers met automatische geweren bij de poorten van de huizen, tuinen met bloemenslingers voor uitgebreide huwelijksceremonies. Mijn sterkste herinneringen aan Pakistan spelen zich af in de drukke gangen van het huis van mijn moeders familie.

'In Karachi ga je nergens lopend naartoe,' zeg ik.

'Het is belangrijk voor jou om op jezelf te kunnen zijn, of niet?' merkt hij op.

'Ik geloof het wel.'

'Als een soort test.'

Ik knik en kijk naar de heuvels beneden, volg de route van een os en zijn eigenaar die ver weg een pad volgen.

'De moeder van mijn vader heeft me verteld dat onze familie een prachtige tuin had in wat nu Pakistan is. Ze zeggen dat er helemaal niets meer van over is,' zegt hij, en dooft zijn sigaret op een rots.

Ik vraag hem naar Jammu en Kasjmir. Hij vertelt me over het op en neer reizen naar de legerschool waar hij als kind op zat, de snelle bukreflex op zoek naar een bom voordat hij ging zitten. Het grootste deel van zijn kindertijd en puberteit was hij een meter twintig lang.

'Zo groot,' zegt hij, en houdt zijn hand net onder zijn schouders. Ik reageer met de mededeling dat ik als dertienjarige al een meter zesenzeventig was – net zo groot als ik nu ben.

'Ik hou van mensen met complexen,' zegt hij, en glimlacht.

8

Siddiqi House

Karachi, 1983

Het is moeilijk te bepalen wat de voorkant van Siddiqi House is. Aan beide kanten bevinden zich dezelfde opritten in tegenovergestelde richting en netjes gemaaide gazons. Dit bouwwerk, dat door mijn grootvader is ontworpen, wekt de indruk van twee mensen die met hun ruggen tegen elkaar aan staan met hun armen over elkaar, en die geen van beiden willen accepteren wat de ander ziet. De woorden 'Siddiqi House' staan aan beide kanten in witte, gepleisterde letters op een achtergrond van zachtgeel. Daarnaast bevindt zich bij beide poorten een inscriptie van de datum waarop het huis werd afgebouwd: 1948. Het is een groot, imposant gebouw met de ronde hoeken van de art-decostijl, en het lijkt meer op een appartementencomplex dan op een huis voor één enkel gezin.

Siddiqi House werd gebouwd op de fundamenten van een oude

bungalow van een voormalige Britse officier. Mijn grootvader kocht het huis na de opdeling van India en begon het onmiddellijk, stap voor stap uit te breiden, opdat zijn gezin erin kon wonen. Hij had het plan dat elke tak van zijn gezin – ieder van zijn drie vrouwen en hun kinderen – tegen de tijd dat het huis klaar was een eigen, afzonderlijk appartement zou hebben, een eigen ingang en een stuk grond op hun eigen naam. Maar toen mijn grootvader nog leefde, woonde de hele familie samen in één grote flat waar ze hutjemutje op elkaar leefden en hun best deden om elkaar niet voor de voeten te lopen. Het bouwwerk was flink de hoogte in gegaan, met verdieping op verdieping die samen een kring vormden om mijn grootvader, die gekleed in een wit pak van kunstzijde, een helderrode fez en zwartwitte slobkousen – zijn handelsmerk – orders uitdeelde. Mijn moeder vertelde me hoe de Siddiqi's in die tijd omringd waren door het lawaai en het komen en gaan van de arbeiders, door de uitroepen van de suikerrietsiroop-*wallah*, de fruitverkoper, en het geblaf van de honden in het schemerdonker, en hoe dat gevoel van chaos de familie nooit meer heeft verlaten.

Toen ik acht was en Cassim vijf verloofde Salman, de jongste broer van mijn moeder, zich. Nana's andere kinderen waren allemaal getrouwd met partners van hun eigen keuze, maar voor haar vijfde en jongste kind wilde ze alles doen zoals het hoorde. Ze arrangeerde een huwelijk voor hem met een Pakistaans meisje, Shehzadi, afkomstig van een familie *mohajirs* – moslims die oorspronkelijk uit India kwamen, net als wij. Hoewel oom Salman in Newton, niet ver bij ons vandaan, woonde en zijn verloofde uit Pakistan kwam, wilde Nana hun huwelijk in Siddiqi House vieren. Bij het laatste huwelijk van een van haar kinderen wilde ze de scepter zwaaien op een manier die haar echtgenoot met trots zou hebben vervuld, met ontvangsten in de huizen van zijn belangrijke Parsi-vrienden en feesten in de tuinen van vijfsterrenhotels.

Het zou het laatste huwelijk zijn in onze naaste familie dat we in Pakistan zouden vieren, maar destijds kon geen van ons dat weten. Na het huwelijk van oom Salman was de familie te zeer verspreid geraakt en waren de banden met Karachi te oppervlakkig geworden om nog zo ver te reizen.

Net als alles wat met de familie in Pakistan te maken had, zouden de voorbereidingen een geheel eigen leven leiden, met een geheel eigen ongeorganiseerde logica. De planning werd nog extra bemoeilijkt door het feit dat er drie groepen van de familie in Siddiqi House woonden waarvan er twee verwikkeld waren in een langdurige vete waar maar weinigen zich de aanleiding van konden herinneren. Naarmate de datum dichterbij kwam raakten Nana's Samsonite-koffers steeds voller met verzoeken uit Karachi: een Casio-synchronizer, cakemix van Betty Crocker, Chanel Nr. 5. De reis van Boston naar Karachi was een serie trips die samen één werden: van Boston naar New York, van New York naar Frankfurt, van Frankfurt naar Caïro en van Caïro naar Karachi. Mijn leraar had me opdracht gegeven om in een helderblauw spiraalschrift een reisverslag te schrijven. Ik hield het onder mijn arm geklemd toen Cassim en ik onze moeder volgden door de doolhof van veiligheidscontroles op Logan Airport bij Boston. Mama was doodsbang voor de beveiliging op vliegvelden – te veel vragen over hoe lang ze in de vs had gewoond, waarom ze terugging naar Pakistan, wie haar echtgenoot was. Ze rilde van afschuw als ze Indiase, Pakistaanse en Bengaalse families zag – met veel te strakke spencers over hun sari's – die uitpuilende, met touw dichtgebonden pakketten droegen, met het adres van hun bestemming met nauwgezet geschreven blokletters op de zijkant van hun koffer geplakt. Mama dacht dat we beter zouden worden behandeld als we netjes gekleed gingen. Ik had een overgooier aan met Schotse ruit, een maillot en platte schoenen met bandje over de wreef. Cassim was in een nieuwe blauwe trui en bijpassende broek gehesen. Mama droeg een donkergroene salwar kameez en had tien smalle gouden armbanden om haar linkerpols. Ze was te bijgelovig om ze af te doen, maar toen we ons over het vliegveld verplaatsten gingen er onderweg overal veiligheidssirenes af.

Toen we op de luchthaven van Frankfurt waren geland, gingen we snel op zoek naar de lange zwarte banken – het soort waarop we ons languit konden uitstrekken en we bijna helemaal plat konden liggen. Die banken zouden ons basiskamp zijn tijdens de acht uur durende tussenstop. Mama en Nana spreidden een deken voor ons uit waarop we konden gaan liggen. Ik vond dat ze hier de beste chocolade hadden van alle vliegvelden waar we ooit waren geweest.

Mama en Nana kochten altijd drie of vier zakken snoep om aan mijn ooms, tantes, neven en nichten te geven – paarse blikken Quality Street van Nestlé, Roundtree fruitgums, buisjes Smarties en Crunchie-repen verpakt in goudpapier. Cassim en ik kozen allebei een reep om in het vliegtuig op te eten. Ik deed dat na lang wikken en wegen, en besloot uiteindelijk te kiezen voor een lange rechthoek van melkchocolade in een prachtige lavendelkleurige wikkel. Cassim klemde glimlachend een Flake-reep tegen zijn borst. Het zou niet lang duren alvorens zijn nieuwe shirt vol slierten gesmolten chocolade zou zitten.

Ik had toestemming om in mijn eentje op de luchthaven rond te lopen, op voorwaarde dat ik mijn moeder en Nana precies vertelde waar ik naartoe ging en meteen weer terugkwam. Ik was gefascineerd door de klokkenwinkel, waar elk plekje bedekt was met koekoeksklokken. Ik probeerde er altijd voor te zorgen dat ik op het hele uur bij de winkel stond, zodat ik alle klokken tegelijk het hele uur zag slaan. Ik concentreerde me op de klok die ik graag mee zou willen nemen naar huis: klein met een groen puntdak en drie korte goudkleurige kettingen die naar beneden hingen vanaf iets wat op een balkonnetje leek. Precies op het hele uur kwam er een ballerina-achtig popje ter grootte van een duim in een rokje van stof tevoorschijn, met één plastic arm uitgestrekt in een wuivend gebaar, dat ronddraaide op een miezerig, blikkerig deuntje. Zo snel als ze tevoorschijn was gekomen, was ze ook weer in het binnenste van de klok verdwenen en klapte het deurtje dicht. Ik vroeg me af of ze soms misschien verdrietig was omdat ze nooit van de berg af kon. 'Dag,' fluisterde ik als ik haar dan voor de laatste keer zag weggaan. 'Ik ga naar Pakistan!' Ik ging op de elektrische loopband naar de banken terug, glijdend langs de mensen die links en rechts van me liepen, duizelig door de snelheid van voortbewegen.

Ik had de vriendinnen van mijn moeder in Karachi onder elkaar grapjes horen maken over de vele bijnamen van PIA. In plaats van 'Pakistan International Airlines' noemden ze die *Please Inform Allah* of *Perhaps I Arrive*. Alles wat met PIA te maken had leek altijd te laat te zijn. De ouder wordende vliegtuigen en alle mensen aan boord leken zich in een overgangsgebied tussen Oost en West te bevinden – niet helemaal hier, maar ook niet helemaal daar. Zakenmensen, van wie sommige naar New York of Londen waren geëmigreerd en andere terugkeerden van een zakenreis – leken niet erg op hun gemak als ze zich in hun donkere wollen pakken voor de reis installeerden die de hele nacht zou duren. Andere moeders en kinderen wierpen een zijdelingse blik op ons en vormden zich een mening over mijn moeder en ons, haar in Amerika geboren *firangi*-kinderen. De stewardessen droegen een uniform dat was gebaseerd op de traditionele salwar kameez, maar dan veranderd in een korte tuniek met broek, gecompleteerd met een voorgevouwen sjaal die erop zat vastgespeld. Nadat ze de veiligheidsprocedure met een pantomime hadden uitgelegd, schakelden ze de filmprojector in en toonden een opname van Mekka. Als het reizigersgebed door de luidspreker schalde, droeg mama ons op onze ogen dicht te doen.

Mama had ons de openingszinnen van de eerste soera uit de Koran geleerd, zodat we die in onszelf konden opzeggen als het vliegtuig opsteeg, en als voorbereiding op deze reis had ik die 's avonds geoefend. Toen ik de eerste grommende geluiden van de straalmotoren hoorde, pakte ik mijn moeders hand vast, deed mijn ogen dicht en zei:

In de naam van God, de erbarmer, de barmhartige
Lof zij God, de Heer der werelden
De erbarmer, de barmhartige
De heerser op de dag des oordeels
U dienen wij en U vragen wij om bijstand
Leid ons op de juiste weg
De weg van degenen aan wie Gij Uw genade geschonken hebt,
Niet die van degenen op wie toorn rust en niet die der dwalenden.

Zestien uur later kwamen we bij het eerste ochtendlicht in Pakistan aan. De crew gooide de deuren van onze Boeing 747 open om de koppige geuren die bij de aankomst hoorden binnen te laten: jasmijn, benzine, brandend vuilnis en koeienpoep. De hitte sijpelde zelfs op dit vroege uur al meteen naar binnen. Op latere reizen ging ik de eerste ervaringen na het landen in Pakistan als één groot gevoel ervaren – de doordringende geur van verschil, het bewustzijn dat ik een nieuwe wereld had betreden, eentje met heel andere regels. Nana gaf ons *kurta's* om aan te doen en stopte onze westerse kleren in haar handbagage, waarmee onze transformatie van half-Pakistaanse Amerikaanse kinderen tot half-Amerikaanse Pakistaanse kinderen een feit was.

Buiten het vliegveld hield ik Cassims hand vast en leidde hem door de haag van bedelende kinderen, van wie er vele van onze leeftijd waren of jonger. Terwijl onze ooms toezicht hielden bij het inladen van de bagage in een busje, keek een klein meisje, dat ongeveer net zo groot was als ik, naar me door het raam dat ons scheidde en klopte met haar hand op het glas. Ik had geleerd dat we kinderen geen geld mochten geven, omdat dat regelrecht in de zakken van de tussenpersonen zou verdwijnen die dergelijke operaties leidden. We hadden instructies gekregen dat we in plaats daarvan geld moesten geven aan mensen die we kenden, of voor vertrek uit het land geld aan een plaatselijk goed doel moesten schenken. Maar in mijn miniportemonneetje zaten de Pakistaanse roepies die ik op mijn ouders' kaptafel had gevonden, en mijn handen jeukten om ze aan het meisje te geven. Heimelijk liet ik het raam een stukje zakken en gaf haar een paar munten, wat ik probeerde te doen zonder dat mijn moeder en Nana, die voorin zaten, daar iets van merkten. Toen het meisje wegrende en zich achter een auto verstopte om haar geld te tellen, dacht ik plotseling aan mijn klaslokaal in Amerika, aan de duidelijke regels en de orde in de gangen op school. Ik dacht na over het feit dat ik tijdens mijn reizen naar Pakistan dingen had gezien en meegemaakt die mijn klasgenoten nooit hadden gezien of meegemaakt. Dat besef gaf me een gevoel van afzondering. Ik dacht bij mezelf: als de helft van mij hier vandaan komt, van Karachi, betekent dat dan dat de andere helft van mij niet daar vandaan komt, van Chestnut Hill? Toen we van het vliegveld wegreden zag ik de stad langs het raampje glijden en ik werd duizelig van al die snelle beelden van krotten, scooters en billboards. Vrachtwagens in felle kleuren. Dat moment – de flits van witte katoen als het meisje verdwijnt, botsend met het beeld van het lokaal van de derde klas – blijft me altijd bij, zelfs nu, als een scherf spiegelglas onder mijn voeten dat het licht breekt van de jaren die mij en die dag scheiden.

Toen we in Siddiqi House aankwamen, kwam dezelfde gedachte in me op als altijd als we de oprit opreden: dit is mijn moeders huis, uit de tijd dat ze een meisje was zoals ik nu ben. Het huis was onmogelijk groot, met 'Siddiqi House' boven op de gevel geschilderd, en '1948', het jaar dat mijn grootvader het had gebouwd, stond op de poort vermeld. Als we door de voordeur naar binnen gingen, was mama niet alleen maar onze moeder, maar dan nam ze tegelijkertijd heel veel andere gedaanten aan: oudere zus, jongere zus, superstar, van verre teruggekeerde, rebel en entertainer. Dan leek het alsof we haar in Amerika alleen maar te leen hadden, alsof ze op een soort speciale vakantie was, weg van haar echte huis hier in Pakistan. Als we eenmaal binnen in Siddiqi House waren, leek Nana op te gaan in de constructie, er binnenin te verdwijnen. Daar waar ze in ons huis in Chestnut Hill overwicht had, was ze hier een stil onderdeel van een grote, slecht functionerende eenheid.

Ik probeerde wanhopig om wakker te blijven. Ik wilde mijn neven en nichten zien die ik twee jaar niet had gezien, niet meer sinds ik voor het laatst hier was. Ze moeten inmiddels al groot zijn, dacht ik. Maar ik kon blijkbaar niet wakker blijven. Voordat ik kon protesteren hadden mijn moeder en Nana Cassim en mij al op lage veldbedjes gelegd en de ramen behangen met donkere stof – de jetlag leek op ons te drukken als een zwaar gewicht dat we niet konden optillen.

Ik word de volgende ochtend om vijf uur gedesoriënteerd wakker, opgeschrikt door de oproep tot gebed. Ik ren naar het raam, en in de tuin zie ik twee grote lichtbruine honden met elkaar stoeien. Ik ben in Siddiqi House, breng ik mezelf in herinnering. We lopen 10½ uur voor op thuis en zijn op een plaats met heel andere regels. De honden zijn van Farida Khala, de halfzus van mijn moeder. Ze noemt ze haar baby's, want ze heeft zelf geen kinderen. '*Bechari*,' fluisteren de mensen als ze het over Farida Khala hebben, 'stakker'. Ik herinner me een groot verdriet dat zwaar om haar heen hing maar dat ik niet begreep; ik weet nog dat de vetrollen op haar buik naar talkpoeder en zure melk roken. Haar oudere echtgenoot, oom Hameed, spendeerde zijn middagen ijsberend over een versleten paadje tussen de televisie en zijn gebedskleedje op de veranda. De laatste keer dat we hier waren, toen Cassim drie was en ik zes, zorgde Farida Khala de hele tijd voor mijn broertje en droeg hem overal op haar heup met haar mee. Mama en Nana waren daar verrukt over, want nu hadden ze hun handen vrij. Twee dagen voordat we weer terug zouden gaan, vroeg Farida Khala aan mijn moeder of ze Cassim achter wilde laten. 'Jij bent nog jong,' hoorde ik haar in de zitkamer zeggen terwijl oom Hameed dichtbij een dutje deed. 'Jij kunt wel weer een kind krijgen, ik niet.'

Door het gordijn dat onze bedden van elkaar scheidde hoorde ik mijn vader en moeder die hele nacht met elkaar praten. 'Dat is de gewoonte als een zus geen kind kan krijgen,' legde ze uit, 'maar ik kan het niet.' Ik hoorde mijn moeder huilen en keer op keer tegen mijn vader zeggen: 'Ik kan hem hier echt niet achterlaten.' Ik weet niet meer met welke woorden mijn vader haar troostte. Ik stel me voor dat hij misschien tegen haar heeft gezegd dat ze de dag erna naar huis zouden gaan, naar Boston. Misschien troostte mijn moeder zich met het idee dat ze het ene huis ging verlaten, waarvan de gebruiken haar plotseling zo onbarmhartig vreemd voorkwamen, en zou verruilen voor een ander, waar haar kinderen, haar moeder en haar man alleen van haar zouden zijn. Maar dat is bedacht vanuit volwassenheid.

De dagen erna waren een aaneenschakeling van onbekende tantes en ooms, kussen op vreemde wangen, proberen eraan te denken om *'Asalaam alaikum'* (God zij met u) te zeggen als we voor het eerst iemand ontmoetten, en *'Walaikum asalaam'* (en ook met u) nadat diegene ons had begroet.

We gingen op bezoek bij de kleermaker van mijn moeder uit de tijd dat zij een kind was, Master Sahib. Zijn atelier was aan de andere kant van de stad, een kamer zo groot als een bezemkast achter in een kronkelend steegje dat behangen was met felgekleurde plastic emmers. Mijn moeder stelde me aan hem voor – een iele man met wit haar, gekleed in witte katoen met een meetlint losjes om zijn nek – en duwde me voor zich uit om met mij te pronken.

'Asalaam alaikum', Master Sahib,' zei ik.

Hij gooide zijn armen in de lucht en riep: *'Mashallah!'* en ik zag dat zijn ogen zich met tranen vulden.

'Waarom huilt hij, mama?' vroeg ik.

'Mijn hele leven lang heeft Master Sahib al mijn kleren voor me gemaakt, al vanaf de tijd dat ik net zo groot was als jij nu. En nu gaat hij jouw kleren ook maken.'

Ze vertelde me dat Master Sahib een van de mensen was die door mijn grootvader waren geholpen om na de scheiding van India naar Pakistan te kunnen gaan. De kleermaker, de koks, de chauffeurs, de huwelijksfotograaf, de juwelier – in de loop van de week leek het wel alsof iedereen op de een of andere manier een connectie met mijn grootvader had. 'Had uw vader veel vrienden?' vroeg ik aan mijn moeder. 'Mijn vader,' zei ze plechtig, 'was met iedereen in Karachi bevriend.'

Bari Amma en Choti Amma waren mijn andere twee grootmoeders, de oudere vrouwen van mijn grootvader. Bari Amma, mijn grootvaders eerste echtgenote, bracht de hele dag biddend in een piepklein verduisterd kamertje door met een dupatta op haar hoofd. Ze was een klein, gebogen wezentje, met witte haarlokken die in een strakke knot waren getrokken, en op haar puntige haakneus stond een bril met een metalen montuur. Ze leek onophoudelijk vervuld van walging over de commotie in Siddiqi House en bracht de dagen die haar nog restten het liefst door in de eerbiedwaardige koelte van haar privévertrek. 'Onzin,' hoorde ik haar zachtjes mompelen toen we televisie zaten te kijken. 'Allemaal onzin.'

Toen ik jaren later een foto zag van Gandhi, dacht ik bij mezelf: hij lijkt op Bari Amma. Mama vertelde me dat Bari Amma de eerste vrouwelijke arts was in heel Gujarat, en dat de prins van Jamnagar haar huwelijk met mijn grootvader had gearrangeerd, want de prins was van mening geweest dat mijn grootvader een ontwikkelde vrouw nodig had. Bari Amma had twee zonen: Waris en Salik. Haar oudste zoon bestierde de Engelse boekwinkel van mijn grootvader, Campbell and Company, en haar tweede zoon had zich in Engeland gevestigd. Bari Amma kende de hele Koran uit haar hoofd en kon hem van begin tot eind opzeggen. Het enige wat ik haar behalve bidden ooit zag doen, was het maken van kleine stoffen zakjes van zijden lapjes, waarin ze sieraden en anijszaad bewaarde. Ik was geïntrigeerd door de zakjes en wilde er dolgraag een heleboel mee terug nemen om in mijn klas uit te delen. Soms liep ik 's middags heel Siddiqi House door om bij haar kamer te komen, waar ik dan naar binnen gluurde en haar op haar knieën zag zitten, haar ogen gesloten, een kleine streng gebedskralen tussen haar vingers bewegend. Toen ik op een middag weer een keer naar haar stond te kijken, gleed ik uit en viel, waarbij ik mijn pyjamabroek aan een spijker kapot scheurde.

'Wie is daar?' riep ze.

'Ik ben het maar, Bari Amma,' antwoordde ik, schuldbewust.

'Ben jij dat, Sadia?'

'Ja.'

'Kom hier, kind,' zei ze, en ik liep op mijn tenen de donkere ruimte in.

'Ben je ergens naar op zoek?' vroeg ze.

Ik zei tegen haar dat ik hoopte dat ze nog wat zijden zakjes voor me had om mee te nemen naar Amerika. Ze dacht er even over na.

'Hoeveel?' vroeg ze.

Ik aarzelde. 'Ik dacht eigenlijk aan... tien?'

'Ik geef je er twee,' zei ze wijselijk, en opende een kast met een lange sleutel die ze aan een ketting om haar nek droeg. Ik keek omhoog naar de boekenplanken en zag rijen en rijen boeken, veelal Engelse. Ze rommelde wat in de kast en viste er twee helder gekleurde zakjes uit, de een felpaars, de ander zachtroze.

'Je bent net je moeder,' zei ze. Ze schudde haar hoofd en overhandigde mij de zakjes.

'Dank u wel, Bari Amma,' stamelde ik en rende weg.

Choti Amma, mijn grootvaders tweede vrouw, had drie kinderen die in Pakistan woonden: Irfan, Farida en Sadik. Ze bracht de hele dag in het appartement van haar zoon door, roddelend met haar schoondochter, Zaitoon, en hield toezicht op de koks. Choti Amma was zo spraakzaam als Bari Amma stil was, en zo dik als Bari Amma mager was. Choti Amma rook altijd naar de keuken: een mengeling van komijn en bakvet. Ze sprak op schrille toon, die steeds hoger werd als ze ergens door van slag was. Ze deed vreselijk haar best om elke morgen Engelse pap voor mij te maken, want ze dacht dat westerse kinderen dat lekker vonden. Het was heerlijk, maar anders dan elk ontbijt dat ik ooit thuis had gehad. De pap was bedekt met een dikke laag donkere stroop. Als ik de keuken binnenkwam zette ze de kom in stilte voor me neer, en als ik de hele kom op had en die weer aan haar had teruggegeven, legde ze een hand op mijn hoofd en zei: *Acchi beti* – 'grote meid'. Ik heb haar nooit een boek zien lezen of het huis uit zien gaan. Ik zag Bari Amma en Choti Amma als tegengestelde personen, en ik vroeg me af waar mijn grootmoeder in dat geheel paste. Het verhaal ging dat de moeder van mijn grootvader woest werd toen ze had gehoord dat haar zoon op aanraden van de prins met een vrouwelijke Gujarati-dokter was getrouwd, en ze had hem aan het feit herinnerd dat hij al sinds zijn kindertijd verloofd was met Choti Amma. Ze eiste van hem dat hij terug zou gaan naar huis, naar Ajmer, en arrangeerde een huwelijk tussen Choti Amma en Ali. Daarom had mijn grootvader twee vrouwen. De eerste was een zakelijke aangelegenheid, de tweede een familieverplichting. Er was mij altijd verteld dat hij uit liefde met Nana was getrouwd.

Op de vloer van Siddiqi House werden witte lakens uitgespreid. De vrouwen van onze familie gingen erop zitten en versierden eenentwintig dienbladen met rood cellofaan en linten om de eenentwintig helderrode zijden salwar-sets van de bruidsschat op te presenteren. Twee van mijn oudere nichten, Saima en Farah, waren al aan het werk, en ze maakten ruimte zodat ik naast hen kon gaan zitten. Ze verschilden maar een jaar in leeftijd en in mijn ogen leken ze bijna een tweeling. Ze hadden zachte, zangerige stemmen en hun huid rook naar sandelhoutzeep, en ik was graag bij hen in de buurt. Ik kon nooit beslissen wie mijn favoriet was. Ze plaagden me met een van mijn eerste reizen naar Pakistan, vanwege het huwelijk van Saima, toen ik drie was geweest en gehoorzaam aan haar voeten had gezeten tijdens de *mehndi*-ceremonie, en had toegekeken hoe mijn tantes drie keer glinsterende zilveren roepies om haar hoofd lieten cirkelen voordat ze die in haar schoot lieten vallen; roepies die bedoeld waren om aan het eind van de avond aan de armen uit te delen. Ik keek toe hoe er steeds meer munten bij kwamen en bedacht dat ze heel goed van pas zouden komen voor cadeautjes voor de tien andere kinderen bij mij in de peuterklas. Ik kon de verleiding niet weerstaan en liet ze zachtjes een voor een in mijn *pajama* glijden. Aan het eind van de avond kon niemand zeggen waar het geld was gebleven. Ik deed plichtsgetrouw mee en zocht de roepies in alle hoeken en gaten, wurmde me onder stoelen en rokken, en wekte geen moment de indruk dat ik het geld had gepikt. Toen Farah zich aan het eind van de ceremonie bukte en mij optilde, merkte ze dat ik ongewoon zwaar was en ze gniffelde toen ze de munten in mijn broek zag zitten.

'Jij had ze de hele tijd!' herinnerden ze zich, plagend. 'Op een dag, Sadu, zul je je eigen mehndi hebben en je eigen *nikaah*. Je zult een prachtige bruid zijn.'

Ik probeerde me voor te stellen hoe het zou zijn om in Pakistan te trouwen, wat ik aan zou hebben, hoe mijn bruidegom eruit zou zien. Het beeld van mijzelf in een witte jurk, trouwend in Amerika, was net zo sterk. In mijn geestesoog streden die twee beelden om voorrang. Er kwam een dame naar ons huis om hennapasta als versiering op onze handen en voeten aan te brengen. De tijd die nodig was om één hand te versieren zat ik uit zonder me in allerlei bochten te wringen, maar toen was mijn geduld op, wat Saima Apa en Farah Apa aan het lachen maakte.

'Laat tante Shehzadi ook hennapasta op haar handen aanbrengen?' vroeg ik Farah. Ik was ontzettend nieuwsgierig naar de bruid van mijn oom. Omdat ze nog geen lid was van onze familie, trof ze haar voorbereidingen bij haar thuis en niet bij ons. Zij en oom Salman mochten elkaar niet zien tot de avond van hun huwelijk. Mama vertelde me dat Shehzadi nu in de *Manjah*-periode zat, waarin ze alleen maar gele kleding mocht dragen en alleen tijd mocht doorbrengen met haar zussen, nichten en vriendinnen, en kon genieten van de laatste dagen in haar ouderlijk huis. Om haar huid te laten glanzen werd die elke dag ingesmeerd met een mengsel van kikkererwtenmeel en sandelhoutpasta, en 's avonds werd er gezongen. Mama zei dat Shehzadi door geel te dragen het boze oog kon afwenden, dat haar anders misschien zou treffen. Als ze op de avond van haar huwelijk in felle kleuren zou verschijnen, zou dat een verrukkelijk contrast zijn.

'Jazeker, ze krijgt een heel uitgebreide versiering op haar handen en voeten,' zei Farah tegen me. 'Dat zul je wel zien als we naar haar toe gaan voor de mehndi-ceremonie.'

Ik bleef mijn moeder maar lastigvallen met vragen over Shehzadi totdat ze erin toestemde om me mee te nemen naar haar huis om haar te ontmoeten. Terwijl mijn moeder bij de familie Nawab zat en thee dronk, wachtte ik vol ongeduld in de hal tot Shehzadi van de trap zou komen. Ik hoorde haar ouders tegen mijn moeder zeggen dat ze voor haar eindexamen aan het studeren was. Ze wilde haar studie afronden voordat ze naar Amerika zou vertrekken.

Shehzadi was kleiner dan ik had verwacht. In haar gele katoenen salwar kameez leek ze meer op een meisje dan op een tante, maar ze had wel het zelfvertrouwen van een tante. Ze nam me mee naar de achtertuin en daar stonden we elkaar aan te kijken.

'Je wilde me ontmoeten?' vroeg ze vriendelijk, en ik voelde me onmiddellijk in verlegenheid gebracht.

'Je komt bij ons wonen, in Amerika,' zei ik, waarmee ik haar natuurlijk niets nieuws vertelde.

'Ja,' zei ze, knikkend.

'Ik kan je dingen laten zien, je laten zien hoe het eraan toegaat. We kunnen gaan winkelen en ik kan je laten zien wat we eten.'

'Dank je,' zei ze glimlachend. 'Dat zou fijn zijn.'

'Hou je van paarden?' vroeg ik.

'Daar weet ik niet veel van, maar ja, ik houd wel van paarden.'

'Oom Salman is dol op paarden.'

'Ja.'

Op de avond van de nikaah-ceremonie mocht ik mijn moeders sieraden dragen uit de tijd dat zij net zo oud was als ik – een halsketting van amethist met kleine diamanten die haar vader voor haar had laten maken toen ze de beste van de klas was geworden. Nana bewaarde die voor de veiligheid in een bankkluis, net als haar andere juwelen. Master Sahib had voor mij een zachtroze outfit gemaakt, versierd met kleine paarse reliëfpatroontjes, bestaand uit een zachtroze *churidar*-broek met smalle pijpen en een bijpassende dupatta-sjaal. Cassim was gekleed in een officiële miniatuur *shervani*-jas en een witte zijden tulband die paste bij de tulband op oom Salmans hoofd. Het huwelijk werd gevierd in een grote, veelkleurige tent in de achtertuin van Siddiqi House, en er hadden zich honderden mensen verzameld om de ceremonie bij te wonen. De gasten kwamen aan via de oprit aan de voorkant, via een tunnel gevormd door *well-wishers* die rozenblaadjes rondstrooiden. Een drom kinderen en families uit de nabijgelegen krottenwijk stonden in een cirkel om de menigte heen en verdrongen elkaar om de beste plaats te bemachtigen. De *hijras* waren er ook, eunuchen die zich zorgvuldig als vrouwen hadden aangekleed. Om de zoveel tijd gingen ze dansen en zingen, als voorproefje van de complete voorstelling die ze zo graag wilden geven. De hijras staarden me aan en ik probeerde tevergeefs niet terug te staren. Mijn oom Waris deelde geld uit en bedankte hen voor hun zegen en vroeg of ze zich wilden verspreiden. Achter Siddiqi House werden de voorbereidingen voor het feest getroffen en werd eten bereid voor de menigte die zich achter het hek had verzameld om de festiviteiten vanaf daar te volgen. Samen met mijn neef Sartaj en zijn jonge bruid Fatima wachtte ik op de aankomst van de bruid en bruidegom. Sartaj was lang en had een keurig verzorgd sikje en kortgeknipt haar. Hij was maar een paar jaar jonger dan oom Salman en was nog maar net als bankier in Karachi begonnen. Fatima hield haar dupatta halverwege voor haar gezicht en ze glimlachte achter de stof, te verlegen om te praten. Ik had mijn moeder horen zeggen dat ze nog maar negentien was en niet goed Engels kon. Ik kon een gedeelte van haar gezicht door de stof heen zien: haar grote ogen, zwart omrand met kohl, en haar glanzende zwarte haar dat in een paardenstaart was vastgemaakt. Haar gezicht was zo bleek dat ze er in mijn ogen niet erg Pakistaans uitzag – haar huid was lang niet zo bruin als die van mijn andere familieleden. Ik glimlachte tegen haar en ze glimlachte aarzelend terug.

'En, Sadia,' zei hij, 'word jij een vriendin van mijn vrouw?'

Het was vast en zeker bedoeld als een nietszeggend praatje, maar ik nam de vraag heel serieus.

'Ja,' zei ik langzaam. 'Dat is goed.'

'Mooi zo,' zei Sartaj vriendelijk. 'Dat is dan geregeld.'

Ik keek naar Fatima, die haar blik bescheiden neergeslagen hield, en ik kreeg de indruk dat zij minder temperamentvol was dan Shehzadi.

De avond was een explosie van kleuren: lichtschichten van flitsers, rode zijde en vuurwerk. Mijn ogen registreerden alles en verzamelden gedetailleerde gegevens die ik nog steeds heb bewaard. Oom Salman naderde het huis op een witte polopony, van zijn tulband gleden rozen en in zijn ogen zag ik plezier en waardering voor de gebeurtenis. Voor hem zat Cassim schrijlings op het paardje als een soort minibliksemafleider om het boze oog van oom Salman af te wenden, en hij bekeek de menigte oplettend. Cassim nam zijn rol heel serieus en zat stijf rechtop in het zadel, tikte tegen zijn kleine hoofdje en zwaaide naar de menigte onder hem. Het paard werd geflankeerd door oom Salmans *baraat*, een groep mannelijke familieleden die klapten en zongen toen hij afsteeg en door Siddiqi House naar de achtertuin liep, waar hij op een verhoging ging zitten en op de komst van Shehzadi wachtte. De wanden, de verhoging en het tentdak waren versierd met slingers van pas geplukte rozen. We werden omringd door hun geur. Toen Shehzadi de tent binnenkwam onder de beschermende omarming van haar vrouwelijke familieleden die een mooi afgewerkte doek boven haar hoofd hielden, echode het geluid van trommels door de ruimte. Ze was gekleed in een prachtig bruidskleed dat met de hand in blokdruk versierd was. In plaats van het traditionele rood en goud had ze gekozen voor kleding die mijn moeder had uitgekozen, in tinten donkerroze en dieppaars. De grote gouden ring in haar neusvleugel was via een lange gouden ketting verbonden met kleine diamantjes die in haar haar boven haar oor hingen, en haar oogleden waren opgemaakt met verschillende soorten glanzende metallic oogschaduw. Ik had nog nooit iemand gezien die zo mooi was.

De huwelijksplechtigheid zelf was korter dan ik had verwacht. Er werd een kleine spiegel onder de sluier van Shehzadi geplaatst. Ze keek in de spiegel en zag Salman na een paar weken voor het eerst weer. Cassim, als altijd heel voorzichtig, gluurde na Salman in de spiegel. Daar, in dat ene moment van intimiteit dat voor iedereen zichtbaar was, lagen de mogelijkheden van het leven dat zich aan haar voeten ontvouwde. Er werd haar gevraagd of ze dit huwelijk accepteerde, en ze knikte. De twee mannelijke getuigen van Shehzadi's familie en de twee van onze familie ondertekenden de huwelijksakte. De *maulvi* reciteerde zijn gebeden in het Arabisch in een microfoon. Man en vrouw. Ze kusten elkaar niet, raakten elkaar zelfs niet aan. Toen de ceremonie voorbij was, bleven ze op de verhoging zitten en maakten de mensen foto's van hen. Nana vroeg Cassim en mij om aan de voeten van oom Salman en tante Shehzadi te gaan zitten, terwijl vrienden en bekenden naderbij kwamen om het bruidspaar te feliciteren.

'Wat een fan-tas-tisch mooie bruid, ze is echt heel knap. *Mubarak, mubarak*,' zeiden de tantes terwijl ze langsliepen.

Ook al zou Shehzadi blij zijn geweest, vertelde mijn moeder me, ze moest toch doen alsof ze verdrietig was omdat ze haar ouderlijk huis zou verlaten, en ze moest haar blik naar beneden gericht houden als teken van bescheidenheid. Ik stelde me voor hoe frustrerend het zou zijn als je je blik naar beneden gericht moest houden terwijl de mensen over je praatten. Ik duimde voor haar dat ze blij was, ook al kon ze dat niet laten zien.

III

Nana had ervoor gezorgd dat letterlijk iedereen van de omvangrijke familie Siddiqi was uitgenodigd, tot en met het jongste neefje en ieder aangetrouwd, ver familielid. Ze had alle bedienden die ooit voor de familie hadden gewerkt en hun gezinnen opgespoord en de mensen die mijn grootvader had geholpen bij de migratie van India naar Pakistan. Oom Salman was de jongste zoon van Ali Siddiqi, en op dit moment kreeg het huis de kans zich van zijn beste kant te laten zien: het was tjokvol met al zijn tien kinderen, alle drie zijn geliefden, gebeden, gezang, grote dienbladen met eten en flitslampen die nog tot laat in de avond oplichtten. Mijn moeder zei dat mijn grootvader trots zou zijn geweest op deze gebeurtenis. Ik kreeg de stellige indruk dat dit een voorbode was van wat er nog zou komen, dat de enorme overvloed van deze avond slechts een voorteken was van het aantrekkelijke leven waar oom Salman en tante Shehzadi in Amerika deel van uit zouden gaan maken. Het kwam geen moment bij me op dat deze avond ook iets anders zou kunnen betekenen, een grootse finale van Siddiqi House en mijn grootvaders nalatenschap, en de avond waarop mijn grootmoeder de belofte om de kinderen van haar echtgenoot als moslims op te voeden maximaal had ingelost.

Cassim en ik probeerden de hele avond netjes schoon te blijven, maar dat was onmogelijk. Tegen het eind van de avond zaten we onder de rode vlekken van de rozen, onze vingers beurs van de doornen, onze nek zwaar van de guirlandes, onze mooie kleren gekreukt en op ontelbare plaatsen vuil geworden. Als ik erop terugkijk, zie ik een avond met slingers van bloemen, gekneusd en zoet. Sinds die avond bestaat er in mijn hoofd voor altijd een link tussen het begrip Pakistan, de islam en de geparfumeerde overvloed aan rozen en hun zoete kleverigheid. Daar werd ik weer aan herinnerd toen ik als volwassene de schrijnen van soefi's bezocht, met op mijn hoofd een grote, platte schaal vol rode rozenblaadjes, en ik me over de graven van de heiligen boog en mijn offergave daar neer liet komen.

In het vliegtuig terug naar Boston probeerde ik mijn verslag voor school in het blauwe schrift te schrijven, waarbij ik telkens in slaap viel. Half-Pakistaans, half-Amerikaans, half-moslim, half-christen. Half-half.

'Have-have, lieverd,' zei Nana, ze porde me wakker met haar elleboog en bood me een plakje cake van het vliegtuigeten aan.

'Dank u, Nana,' zei ik glimlachend, half wakker.

Ik legde mijn hoofd op haar schouder en ademde haar troostgevende geur in: naar rozen ruikende talkpoeder, rozenzeep en rozenwater.

Omgekeerde volgorde: Karachi, Caïro, Frankfurt, New York, Boston. Weer thuis.

9

Shantarams vijver

Poona, december 2001

'Shantaram.'

Ik word opgeschrikt door een stem en Rekhev gaat naast me zitten. Zijn manier om blijkbaar zomaar uit het niets te verschijnen als ik hem absoluut niet verwacht, brengt me van mijn stuk. Soms heb ik de neiging er wat van te zeggen, maar iets houdt me tegen, omdat ik dan misschien de betovering verbreek en hij dan niet meer komt.

Ik zit op een half vergaan stenen trapje naast de lege kuil van een door de mens gemaakte vijver, een gat in de grond vol kruipplanten en onkruid. Dit is mijn lievelingsplekje op het Filminstituut. Als je goed kijkt kun je nog de contouren van de oorspronkelijke vorm zien en een in verval geraakt beeld van een olifant – een betonnen relikwie uit de tijd dat het instituut een filmstudio was –, op verschillende plaatsen gebarsten en overdekt met groen. In mijn gedachten kan ik me de plaats heel goed in oude luister hersteld voorstellen, als de achtergrond voor een film van Cecil B. DeMille, met schoonheden in badpak en op hoge hakken, die langs de rand van het zwembad zitten. Ik vraag me af wat de Indiase tegenhanger geweest kan zijn. Ik ga er 's middags graag naartoe om te lezen en te schrijven, totdat de muggen te lastig worden.

'De vijver is naar hem genoemd,' zegt hij, en kijkt recht vooruit, alsof ik hem een vraag heb gesteld. 'Shantaram was een filmregisseur die hier werkte in de tijd dat het Filminstituut nog een filmstudio was.'

'Heeft hij deze vijver ook in zijn films gebruikt?'

'Zie je dat talud daar? Dat moet de plek zijn waar ze de camera's in en uit hebben gereden. Daar zie je ook een prieeltje. Dat is vast en zeker gebruikt als een kleine schrijn, een soort tempel...'

We zitten een tijdje in stilte naar de vijver te kijken.

'Gerelateerde herinneringen,' zegt hij. 'De stempel die een voorbije actie op de omgeving heeft gedrukt. We zijn hier omringd door geesten.'

'Zo voelt het wel,' zeg ik, knikkend.

'Zie je die bomen daar?' vraagt hij, en gebaart naar de andere kant van de vijver in de richting van een groepje grote, hoge loofbomen. Ze lijken op ficussen, met grote groene bladeren en knobbelige, wijs uitziende stammen. 'Dat zijn heilige Indische vijgenbomen,' zegt hij. 'Men denkt dat de god Brahma in de wortels huist, de god Vishnu in de stam en de god Shiva in de kroon. De mensen geloven dat de god Krishna onder zo'n boom zijn laatste adem uitblies, en dat de boom omgeven wordt door een heilige draad. In de Konkan, waar de joden oorspronkelijk woonden, heb ik gezien dat de mensen die een specifieke wens hadden de boom meestal aanbaden en er verschillende keren per dag omheen liepen. Men gelooft ook dat de geesten van de doden in hun afstammelingen worden wedergeboren, vooral als er wensen zijn die onvervuld zijn gebleven. Als een kind erg veel lijkt op een overleden familielid, geloven ze soms dat de voorvader in de hoedanigheid van een kind in de familie is teruggekeerd. Je bent op zoek naar een geest, nietwaar? Misschien vind je het daarom wel fijn om hier te komen.'

Ik vraag me heel even af of Rekhev op dezelfde manier tegen

de andere studenten praat, of die zijn langdradige theorieën net zo gemakkelijk accepteren als ik.

De volgende keer dat ik Rekhev zie, een week later, zit hij op een bank op de campus en leest een boek. Hij knikt naar me en leest weer verder. Ik ga zitten en rommel wat in mijn handtas, kijk wat erin zit, maar weet niet goed waarnaar ik op zoek ben.

'Je zit altijd in die rode tas te zoeken alsof daar antwoorden te vinden zijn,' zegt hij, zonder op te kijken. 'Je ziet er gespannen uit.'

'Het zijn de foto's,' zeg ik. Ze zijn vlak, nietszeggend. 'Ze zijn niet goed.'

'Je zou eerst een jaar in India moeten studeren voordat je je camera tevoorschijn haalt,' zegt hij. We zwijgen een paar minuten. Dan staat hij op en beschermt met één hand zijn ogen tegen de zon en kijkt niet naar mij.

'Kom,' zegt hij, en dan loop ik naast Rekhev over het lange pad op de campus en over de Law College Road. Ik weet niet waar we naartoe gaan, maar in zijn uitnodiging klonk iets dwingends, zelfs urgents door. We komen aan bij een oude stenen bungalow die een eindje van de weg af staat. Het gebouw wordt omgeven door lommerrijke bomen en bloeiende struiken. Op een bord dat op een boog boven de ingang hangt, staat: BHANDARKAR ORIENTAL RESEARCH INSTITUTE. FOUNDED 1917.

We gaan een grote donkere kamer binnen waarvan de wanden voorzien zijn van boekenkasten met glazen deuren. Aan de rechterkant staat een lange, lage tafel met wetenschappelijke boeken en kranten die door de Bhandarkar Institute Press zijn uitgegeven. Ik bekijk de titels vluchtig: *Recent Trends in Indology*, *The Bhagavadgita as a Synthesis*, *The Vedic Sacrifice in Transition* en *Ancient Indian Insights and Modern Science*.

'Er is een *Mahabharata*-afdeling waar de wetenschappers al sinds 1919 aan een definitieve versie van de *Mahabharata* werken. De eigenlijke tekst was aan het eind van de jaren zestig gereed, en nu zijn ze nog bezig met de epiloog. Alles wat je over India wilt weten om het te "begrijpen" is hier te vinden.'

Rekhev beweegt zich langzaam door de ruimte en stapelt boeken over volkskunde op. Ik ga aan een van de lange schrijftafels zitten en neem de omgeving in me op. Ik heb het gevoel dat ik ingewijd ben in een geheim. Rekhev pakt een groot, groen boek en geeft het aan mij. Op de rug staat *Natya-Manjari Saurabha: Sanskrit Dramatic Theory.* 'Het is nogal kwetsbaar,' zegt hij. 'Wees voorzichtig.' Als Rekhev eenmaal een grote stapel boeken voor zich heeft staan begint hij die systematisch door te werken, waarbij hij met een ouderwetse vulpen aantekeningen maakt in een groot schrift met een hard kaft. Ik onderdruk de neiging om de aantekeningen over zijn schouder mee te lezen en probeer me te concentreren op het boek dat voor me ligt.

Ik sla het boek open, nieuwsgierig waarom hij het aan mij heeft gegeven, en lees over de vijf stadia van spectaculaire plotopbouw in Sanskritische toneelstukken en probeer iets zinnigs te maken van de onbekende woorden. De eerste fase, de *prarambha*, vormt het begin van de gebeurtenis, waarin de zoektocht van de toneelheld naar een bijzondere vrucht, ofwel het doel, wordt bepaald. In de tweede fase, de *prayatna*, ofwel de inspanning, erkent de held dat wat hij nastreeft onmogelijk verwezenlijkt kan worden zonder gebruik te maken van de juiste *upaya*, ofwel middelen. De held onderzoekt welke middelen er voor hem beschikbaar zijn en beslist welke actie hij gaat ondernemen. De derde fase, de *praptisambhava*, ofwel de mogelijkheid of de verworvenheid, treedt op als er een specifiek middel beschikbaar komt. Dit is een fase van hoop, verwachting en onrust. De vierde fase, de *niyata phalaprapti*, ofwel het voorbestemde verkrijgen van de vrucht, treedt op als datgene waar de held zo naar verlangde binnen handbereik is. Hij kan zijn verrichtingen voor zijn geestesoog oproepen, of een visioen krijgen over het bereiken van zijn doel. Het doel van de held wordt werkelijkheid in de laatste fase, de *phalayoga*, ofwel het bereiken of verkrijgen van de vrucht.

Onder het lezen stuit ik op een illustratie die midden tussen de bladzijden gevouwen zit. Het bijschrift luidt: 'Spectaculaire plotopbouw: verhoudingen en bereik van Arthaprakrtis, Avasthās, Sandhis-Sandhyaṅgas,' en er staat een soort door de mens gemaakt bouwwerk op dat een waterplas overspant. De constructie heeft vijf bogen die door zes pilaren in de lucht worden gehouden, en elke boog is versierd met een serie letters in het Devanagari-schrift. De blokken waarmee elke boog gebouwd is zijn ook voorzien van letters, net als de stenen boven de bogen, die de bovenste helft van de brug vormen. Het lijkt een soort schema.

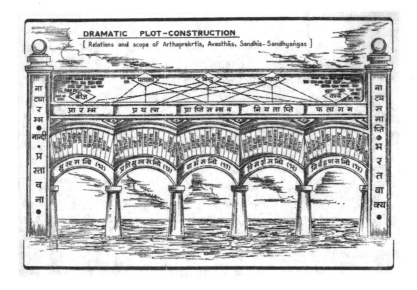

Rekhev buigt zich over mijn aantekeningen. 'Je hebt de tekening dus gevonden.'

Ik knik.

'En, heb je je doel al bepaald?' vraagt hij me.

'Wat?'

'Laten we een kop thee drinken,' zegt hij. 'Ik heb een paar ideeën die ik met je wil delen.'

Onderweg naar Lucky vraagt Rekhev me of ik *De held met de duizend gezichten* van Joseph Campbell heb gelezen. Ik zeg tegen hem dat ik me vaag herinner wat ik over Campbells theorie op school heb geleerd over het universele aspect van mythen.

'Dat idee vind ik heel opwindend – het idee van een volkssaga als structuur. De gewone wereld staat vast, en dan volgt de drang naar avontuur. De held ontkent die drang. De drang is er weer, en de held vindt motieven om gehoor te geven aan die drang. Hij treft bewakers bij de poort, die hun twijfel uitspreken. Hij ontmoet bondgenoten, bedriegers en mensen die van gedaante veranderen. De held ontmoet een mentor, een gevallen held, iemand die al eerder een reis heeft gemaakt en wegen kent hoe de slechterik vermoord kan worden. De mentor geeft de held een zwaard, waarmee hij de slechterik kan overmeesteren en vervolgens met een elixer naar de gewone wereld kan terugkeren. In veel opzichten is het een nauwkeurige weerspiegeling van de Sanskritische dramatheorie. Ik stel me mijn leven altijd op die manier voor, door de tijd bewegend in een serie voortschrijdende fasen.'

We gaan het café binnen en Rekhev kiest het tafeltje uit waar we eerder hebben gezeten; hij bestelt twee thee. Hij haalt een sigaret tevoorschijn en steekt die aan, waarna hij mij het pakje aanbiedt. Ik schud mijn hoofd.

'Is de mentor een soort goeroe?' vraag ik.

'Misschien wel, maar een goeroe komt niet altijd in de vorm van een wijze, bebaarde oude man. Een goeroe is niet altijd iemand die je iets geeft. Hij of zij kan ook iemand zijn van wie je iets pakt, of iemand die je bewust maakt van iets. De goeroe kan zelfs een proces starten zonder dat hij dat door heeft.'

'Denk je dat ik dat model volg? In India?' vraag ik.

'Door hier te zijn schrijf je misschien je eigen verhaal met elke stap die je zet – wat denk jij? Je grootmoeder heeft je de drang naar avontuur gegeven, de impuls. Ik zou een bedrieger op je weg kunnen zijn. Ik zou ook een bondgenoot kunnen zijn.'

'Maar wie is dan de slechterik? De mentor?'

Rekhev tikt met de brandende punt van zijn sigaret op een klein metalen bakje dat vol zit met uitgedrukte peuken van eerdere klanten, en wacht even.

'Misschien heb je hem nog niet ontmoet, misschien ook wel. Misschien ontmoet je hem nooit in voorspelbare gedaanten. Uiteindelijk vorm jij de mythe en elk personage. Mogelijk vind je die mentor of slechterik in de wereld om je heen, mogelijk vind je hem in jezelf. In een Griekse tragedie is de held de veroorzaker van de tragedie. Ik vind dat de zoektocht in het Westen naar dramatiek, of dat nu in boeken of films is, gestuurd wordt door slechts één emotie. Terwijl in India de held zijn informatiebron vaak in één persoon vindt.'

'Ik heb die stap dus gezet.'

'Dat doen we allemaal,' zegt Rekhev, en wacht even. 'Wat voor iemand was je grootmoeder?'

Ik denk even na en overweeg hoe ik haar het beste kan typeren.

Om de een of andere reden wil ik Rekhev het liefst details over Nana vertellen die ik normaal gesproken niet noem, onbelangrijke details die eigenlijk nooit vlak na elkaar bij me opkomen. Ik wil een portret van haar maken voor hem, een beeld dat ik hem over tafel kan aanbieden.

'In haar kamer had ze een boekenplank waarop ze allerlei kleine spulletjes bewaarde die ze had meegebracht van haar buitenlandse reizen... vreemde dingen: een hond gemaakt van schelpen, een theekopje met de koning van Zweden erop, een miniatuur van de Big Ben. Kitsch bestond niet voor haar. Ze zag de dingen niet op die manier. Ze breide babykleertjes in vreemde kleuren: in tinten pastelgroen en heel felgeel. Dan zei mijn moeder: "Amma, waarom hebt u voor dit garen gekozen?" en dan zei Nana: "Omdat het zo'n prachtige kleur is!"' Ik moet lachen en stel me haar voor met de bollen wol in haar hand, druk gebarend tegen mijn moeder. 'Ze had een heel ander idee over esthetiek dan haar dochter, dan iedereen in ons gezin.'

Rekhev glimlacht flauwtjes.

'Ze is me zo vertrouwd,' zegt hij. 'Weet je, ik kan jouw Nana veel beter begrijpen dan ik jou ooit zal kunnen begrijpen.'

We zitten in stilte thee te drinken. Ik kijk via de ingang van het café hoe een man een groot, dampend blok ijs achter op zijn fiets probeert te binden. Hij rolt een stuk geweven jute uit, dat hij om het blok wikkelt. Hij windt een stuk gevlochten touw om het blok en is er druk mee om te voorkomen dat het blok ijs wegglijdt.

'Kijk,' zeg ik, en ik wijs naar buiten, 'die man probeert ijs te vervoeren.'

Rekhev kijkt over zijn schouder maar is niet onder de indruk, en richt zijn aandacht weer op zijn theekopje. Ik voel me een vreemdeling.

'Wat betekent je naam?' vraag ik Rekhev, als ik zijn naam – Rekhev Bharadwaj – op de kaft van zijn schrift zie staan.

'Bharadwaj is de naam van mijn *gotra*. Weet je wat een gotra is?'

Ik schud mijn hoofd.

'Mijn gotra is mijn clan – ik stam af van brahmaanse wijze mannen, of *rishi's*. Wij zijn Mohyals, Hoessein-brahmanen die zij aan zij hebben gevochten met de kleinzoon van de Profeet in de Slag om Karbala. Is jouw familie sjiitisch of soennitisch?'

'Soennitisch.'

'Wat jammer,' zegt hij, een beetje spottend. 'Wij zijn gelieerd aan de sjiieten. De Mohyals geloven dat een voorvader van ons, Rahab Sidh Datt, bevriend raakte met imam Hoessein toen hij in de buurt van Bagdad woonde – dat zou aan het eind van de zevende eeuw zijn geweest. Toen Hoessein van Medina naar Karbala reisde en door het leger van Yazid werd aangevallen, maakte de familie van Datt deel uit van de entourage. Hij en zijn zonen vochten zij aan zij met de imam, en tijdens die gevechten stierven zeven van Datts zonen. De overlevenden vestigden zich in heel Noord-India, vooral in de Punjab. Mijn voorvaderen waren hindoes, maar een aantal van hun tradities zijn duidelijk beïnvloed door de islam.'

'Jouw familie verschilt dus niet zo heel erg veel van de mijne,' zeg ik.

'Ik denk dat je daar gelijk in hebt,' zegt Rekhev, met een weifelende blik. 'Het gebeurde natuurlijk eeuwen geleden. Mijn familie bestaat nu uit behoorlijk traditionele Noord-Indiase brahmanen. Maar de geschiedenis blijft.'

'Zijn de mensen op de hoogte van jullie gemeenschap?'

'Niet veel – een paar. Sommigen willen onze geschiedenis natuurlijk het liefst uitwissen. Maar ik had een oude oom die deze spreuk vaak herhaalde: *Wah Dutt Sultan, Hindu ka dharm, Musalman ka iman, adha Hindu adha Musalman.* Het betekent: O! Dutt, de koning, die de religie van de hindoe en het geloof van de moslim volgt, half hindoe, half moslim. Mijn oom was een Urdu-dichter. Hij sprak beter Urdu dan veel Pakistani. Sommige lijnen houden niet op, weet je.'

'En hoe zit het met je voornaam? Heeft die een betekenis?'

'Alle namen hebben een betekenis,' zegt Rekhev stekelig. 'In de Chandogya Upanishad wordt terloops melding gemaakt van een rishi die Rekhev heette, slechts twee regels. Een koning komt bij hem, op zoek naar *tatvagyan*, de kennis van de elementen. Zijn dochter, de prinses, is bij hem. Rekhev zegt dat hij de koning alleen maar die kennis zal geven omdat zijn dochter zo fantastisch knap is. Waarom zou hij dat zeggen? vroegen de mensen zich af. Eeuwenlang hebben geleerden over die twee regels gediscussieerd. Iemand heeft een roman geschreven die was gebaseerd op die twee regels, de *Diary of Anonymous.*'

'Gaat dat verhaal over Rekhevs verhouding met de koning en de prinses?'

'Nee, eigenlijk is het de uitleg van die twee regels uit de Chandogya Upanishad, over wat er vooraf was gegaan aan de ontmoeting.'

'Waar ging die roman over?'

'Dat is een lang verhaal. Zullen we nog een kop thee nemen?' vraagt Rekhev en ik knik.

'*Bhaiyya, do chai*,' zegt hij tegen de ober, die gezwind met onze bestelling naar de keuken vertrekt.

'Rekhev had zijn hele leven al naar de prinses gezocht. In het begin mediteerde Rekhev en deed hij *tapasya*, boete, in de wildernis omdat hij een wijsgeer was. Hij had in zijn hele leven nog nooit een vrouw gezien. Op de dag dat dit verhaal zich afspeelde, regende het hard. De prinses reed door dezelfde jungle en ze had een ongeluk: haar kar raakte onklaar. Omdat Rekhev nooit eerder een vrouw had gezien, dacht hij dat de prinses een godmens, een *dev-pursh*, was. Omdat ze gewond was, bood Rekhev aan haar op zijn rug te dragen. Ze zei dat dat niet juist zou zijn omdat zij een vrouw was. "Wat is een vrouw?" vroeg hij haar. Ze vertelde het hem en hij begreep het – het idee was hem niet vreemd, hoewel het geen deel uitmaakte van zijn ervaringen. Wat is het Engelse woord voor *manobhava*, voor een idee over iets...?'

'Een "concept"?'

'Ze maakte hem het verschil duidelijk tussen een concept en iets tastbaars, tussen een concept en...'

'Materie.'

'Precies. Tussen een concept en materie. Hij zei: "Omdat u me het verschil tussen concept en materie hebt laten inzien, bent u mijn goeroe."'

'Hoe is ze weer uit de wildernis vertrokken?'

'Dat weet ik niet zeker. Op de een of andere manier is de prinses naar een veilige plaats teruggekeerd, en Rekhev ging naast de kapotte kar zitten mediteren. Hij kreeg uitslag op zijn rug als gevolg van de zondige gedachte dat de prinses op zijn rug had gezeten. Hij bleef lange tijd in die houding zitten, zelfs jarenlang, zijn rug krabbend en mediterend, in een poging zijn goeroe te begrijpen. Vervolgens ging hij op reis op haar te zoeken. Hij trof een heel oude vrouw die tegen hem zei dat hij informatie had, maar dat het hem ontbrak aan kennis, omdat hij geen *satsang* had gedaan. Weet je wat satsang betekent?'

'Satsang is toch dat mensen bij elkaar komen en gewijde liederen zingen?'

'Nee, nee. Ik veronderstel dat er mensen zijn die dat satsang noemen, maar de werkelijke betekenis van satsang is "edele vriendschap". Je moet weten dat Rekhev helemaal alleen was. Hij was nooit met niemand omgegaan.'

'En, ging hij op weg om die edele vriendschap te vinden?'

'Ja. Het is het hoofdthema in het grootste deel van het boek. Eigenlijk zou het wel een interessante film kunnen opleveren. Het volgende is helemaal mijn eigen idee, en jij kunt ermee doen wat je wilt, maar ik denk dat informatie zich pas transformeert als je die van het ene domein naar het andere overbrengt. Dan verandert het van informatie naar kennis. Ik denk dat mensen daarom reizen.'

'Maar jij reist niet.'

'Ik heb Poona een tijdje niet verlaten,' zegt hij, en steekt weer een sigaret op. Plotseling ziet hij er heel moe uit. 'Zullen we teruggaan?'

'Goed, laten we gaan,' antwoord ik.

We lopen zwijgend terug naar de campus, zoals dat inmiddels al gewoon voor ons is geworden. De duisternis is ingevallen en de tijd voor het avondeten is voorbij. Mijn maaltijd zal ook nu weer bestaan uit tarwebiscuits, chips en flessenwater, bedenk ik me. Mijn hoofd doet zeer van alle informatie die ik in één dag heb geprobeerd op te nemen. Ik vraag me af waarom Rekhev besloten heeft mij al die theorieën ook te vertellen. Hij lijkt het allemaal zo serieus te nemen.

'Dag,' zeg ik, en steek mijn hand uit als we bij de poort van de compound zijn aangekomen.

'Dag,' zegt Rekhev, en schudt snel mijn hand. 'Waarschijnlijk zul je me een tijdje niet zien.'

Ik probeer niet teleurgesteld te klinken. 'Waarom niet?'

'Er zijn wat zaken waar ik me mee bezig moet houden,' antwoordt hij geheimzinnig. 'Maar we zullen elkaar wel snel weer tegenkomen.'

Als hij wegloopt roep ik hem na: 'Veel geluk dan maar.'

'Geluk?' zegt hij, en kijkt me aan over zijn schouder.

'Ik bedoel: veel succes met je werk.'

'Geluk staat in de sterren,' zegt hij, en slingert zich een weg tussen de auto's door naar de hoofduitgang van de campus.

Ik moet glimlachen om zijn woorden. Ik draai me om en loop terug naar mijn kamer, en ik vraag me af of hij wel de bedoeling had om zich zo cryptisch uit te drukken.

10

Richard en Samina

Chestnut Hill, 1986

Ik hoorde voor het eerst over mijn moeders interesse voor Amerika op een feestje dat mijn ouders gaven toen ik elf was. Het was een zaterdagavond in december en mijn moeder en grootmoeder waren overdag druk geweest met de bereiding van kip *biryani*, waardoor het hele huis naar geroosterde komijn rook. Het licht was op schemersterkte gezet en mijn vader had in de serre de open haard aangemaakt en een van zijn platen met Pakistaanse volksliedjes opgezet. De serre was helemaal aan de andere kant van het huis, naast de wat stijvere woonkamer, en lag iets lager, één tree lager dan de rest van het huis, zodat je een stap naar beneden moest zetten om erbinnen te gaan – een kleine maar nadrukkelijke daad die duidelijk maakte dat dit een ander soort kamer was. Hier vertelden mijn moeder en grootmoeder verhalen. De wanden hadden rozenhouten lambrisering met aan de uiteinden grote ramen die zich als een draaideur openden, en overdag de zon erin en 's avonds de rook van de open haard eruit lieten. Boven de open haard hingen een paar oude Indiase poppen die mijn vader zorgvuldig zó had opgehangen dat ze elkaar aankeken, hun armen in de lucht en monden open, waardoor het leek alsof ze druk in gesprek waren.

Tegen acht uur was het huis vol met vrienden van mijn moeder uit Pakistan en vrienden van mijn ouders uit Boston, die cocktails dronken en lachten. Het eten werd geserveerd op de dikke metalen *thali*-borden met bijpassende kopjes, die we gebruikten als er bezoek was. De gasten prezen de biryani, en verscheidene Amerikaanse vrouwen verzamelden zich rond mijn grootmoeder en vroegen haar hoe ze dat moesten bereiden. Ik hoorde hoe ze heel bescheiden begon met: 'Het is echt niet moeilijk. Je neemt gewoon wat gember, knoflook...'

Na het eten verzamelde iedereen zich in de serre. Iemand vroeg mijn moeder of ze een verhaal wilde vertellen. Haar vrienden noemden haar anekdotes 'Samina-verhalen' en die avond vroeg iemand naar haar eerste reis naar Amerika. Ze lachte en zei: 'Het is allemaal begonnen in de bioscoop...' Toen het verhaal begon gingen Cassim en ik op de vloer in de serre zitten, en maakten het ons gemakkelijk naast Nana.

'Toen ik acht was nam mijn vader zijn drie vrouwen, acht zonen, twee dochters, vier neven en vijf bedienden mee naar de Paradise Cinema in het centrum van Karachi om te kijken naar *The Greatest Show on Earth* van Cecil B. DeMille, en diezelfde dag besloot ik naar Amerika te gaan. De film was in kleur en ik had nog nooit zoiets fantastisch gezien. Er speelde een trapezewerker, een olifantendompteur en een clown in mee... Ik weet nog dat ik dacht: gaat het er zo aan toe in Amerika?'

Mijn vader zat aan de andere kant van de kamer en glimlachte. Het maakte niet uit hoe vaak hij die verhalen al had gehoord, het was net alsof hij ze voor het eerst hoorde.

Mijn moeder vervolgde haar verhaal. 'Toen ik vijftien was, deed ik er alles aan om in aanmerking te komen voor uitzending naar de Verenigde Staten om daar te studeren. Ik haalde mijn nicht Uzma over om zich samen met mij aan te melden voor het uitwisselingsprogramma van de American Field Service. Uzma was mooi, veel mooier dan ik, met lang, glanzend zwart haar en lange wimpers, en we waren hartsvriendinnen. Mijn broer noemde ons "Belle en het Beest".'

De gasten lachten. Mijn moeder maakte graag grapjes over de tijd dat ze jong was en niet knap, maar ik had foto's gezien en wist dat ze overdreef.

'Uzma had een tante die op het Pakistaanse consulaat in Parijs werkte die haar af en toe Franse tijdschriften en ondergoed toestuurde, en Uzma was gefascineerd door Europa. Ze wilde naar Parijs, maar ik legde haar uit dat Amerika een veel betere keuze was – het was het land van Elvis Presley, onze favoriete zanger. Ik bood aan haar met haar essay te helpen en ze liet zich vermurwen. We vulden onze aanmelding in en brachten ze zelf naar het Amerikaanse consulaat, en toen begon het wachten op een reactie. Elke dag na school vroeg ik Majjid, de majordomus van ons huishouden, of er post voor mij was gekomen. En elke dag zei Majjid weer hoofdschuddend: "Nee, beti, er is geen brief bezorgd. Misschien morgen." Het leek alsof de brief nooit zou komen.

'Op een dag, meer dan drie maanden later, ging na het eten de telefoon. Het was Uzma. "Is jouw brief er ook al? Is hij er al?" vroeg ze. "Ik heb geen brief gekregen. Wat staat er in die van jou?"

"O, Sam, ik ga naar Lockport in de staat New York! Ik ga bij de familie Parsons wonen! Ze hebben twee jongens en een meisje, dat ook vijftien is! O, Sam, het is zo spannend!"'

Mijn moeder schudde verdrietig haar hoofd. 'Om eerlijk te zijn was ik vreselijk ongelukkig. Ik dacht bij mezelf: hoe kan het nou dat Uzma wel geaccepteerd is en ik niet? Het leek zo ontzettend oneerlijk. En niet alleen omdat ik niet naar Amerika zou gaan, ik zou mijn beste vriendin ook nog eens kwijt raken. Vijf dagen later kwam ik uit school de poort binnensloffen en daar stond Majjid me op te wachten, hij zag er triomfantelijk uit.

"Een brief voor Hare Koninklijke Hoogheid!" riep hij.

"Is hij gekomen?" Ik liet mijn rugzak vallen en rende naar boven, naar de provisiekamer – de enige plaats waar ik de deur dicht kon doen en in afzondering mijn brief kon lezen. Hij was er. Dik, vaalblauw en vol met Amerikaanse stempels. Ik mocht naar Amerika! Naar Manhattan!

Er moest nog zo veel gebeuren. Ik moest voor een heel jaar kleren in twee hutkoffers pakken en daar moesten de cadeaus voor mijn Amerikaanse familie ook bij in. En ik moest onderzoek doen. Ik ging naar het Amerikaanse consulaat en vroeg om foto's van Manhattan. De secretaresse van de consul-generaal ging op een krukje staan, pakte de *Encyclopædia Britannica*, en liet me foto's zien van het Vrijheidsbeeld, het Metropolitan Museum of Art en het Empire State Building. Ik bekeek ze aandachtig en stelde me voor wat ik in Amerika allemaal zou gaan doen. Ik kon niet wachten om ernaartoe te gaan.'

Mijn moeder pauzeerde even en streek de stof van haar salwar kameez glad.

'Toen het eindelijk tijd was om te gaan, werden Uzma en ik met een lange karavaan van auto's, versierd met bloemenslingers, gefotografeerd en beweend, naar het vliegveld gebracht – de meeste familieleden waren ervan overtuigd dat ons een verschrikkelijk lot wachtte.

We namen een Alitalia-vlucht naar Parijs, waar we twee dagen zouden verblijven voordat we aan boord zouden gaan van een stoomschip dat ons naar New York zou brengen. Er was een telegram gestuurd naar Uzma's tante, Seema. Zij had de instructie gekregen dat ze ons in huis moest nemen en in Parijs moest begeleiden. Onze moeders, die heel zenuwachtig oogden, stonden dicht bij elkaar op de landingsbaan en zagen hun vijftienjarige dochters aan boord gaan van een Boeing 747.

Ik weet nog dat ik, toen we eenmaal aan boord waren, nogal onder de indruk was van de gestroomlijnde, beige oppervlakken van het interieur. Ik was nooit in een vliegtuig geweest. Toen het eten werd langsgebracht, was ik helemaal verbaasd over de minuscule hoeveelheden voedsel die in de piepkleine vakjes van het dienblad lagen, en ik begon erin te prikken.

"Dat moet je niet opeten, het kan wel varkensvlees zijn," fluisterde Uzma fel.

Omdat varkensvlees volgens de Koran verboden is, was ons op het hart gedrukt dat we dat moesten mijden. Geen van ons tweeën wist hoe het eruitzag.

"Ik ga het opeten," kondigde ik aan.

Een uur later kwam het vliegtuig in hevige turbulentie terecht en we grepen elkaars hand vast.

"Dat komt omdat jij varkensvlees hebt gegeten!" zei Uzma angstig. "Dit vliegtuig gaat neerstorten omdat God boos op je is!"
We baden tot God en ik vroeg om vergiffenis, en we vroegen zijn zegen voor een veilige landing in Parijs.

"Alstublieft, God," smeekte ik, "ik beloof dat ik gehoorzaam zal zijn, als U ons nou maar gewoon met dit vliegtuig naar Frankrijk laat gaan."

Tien uur later, om vier uur 's middags lokale tijd, landden we. We verlieten slaperig het toestel en gingen de aankomsthal binnen, op zoek naar tante Seema. We vonden een bankje en gingen zitten, omringd door vier koffers. Na een uur was er nog steeds geen spoor van haar te bekennen. De luchthavenpolitie kwam naar ons toe en vroeg wat het probleem was. Uzma sprak een beetje Frans, en het lukte haar uit te leggen dat Seema op het Pakistaanse consulaat in Parijs werkte. De politie was duidelijk geïrriteerd en wist niet goed wat ze aanmoest met deze twee verloren dochters, maar uiteindelijk belden ze met het consulaat. Maar omdat het augustus was, was Seema op vakantie aan de Franse Rivièra; ze had het telegram uit Karachi niet eens ontvangen. Het consulaat stuurde een auto en we werden naar Seema's appartement gebracht.

We hadden heel erge honger. We keken rond in het appartement en vonden een beetje kleingeld in een potje in de keuken. We besloten naar buiten te gaan om te zien wat we daarvan konden kopen, en vonden een klein winkeltje niet ver van het appartement. We kozen twee flessen melk en twee croissants, die we op de toonbank legden. We legden al ons kleingeld ernaast en keken de verkoper aan.

"Is het genoeg?" vroeg Uzma.

Met een hautain gebaar wuifde de man ons weg, en beduidde dat we ons ontbijt en ons geld mee moesten nemen.

We liepen over straat, dronken melk en aten croissants, en konden ons geluk niet op.

Het consulaat stuurde een telegram naar Seema's hotel en zij moest haar vakantie afbreken en de trein terug naar Parijs nemen. Tot die tijd kwam er twee keer per dag een auto langs om ons op te halen en ons naar het consulaat te brengen om daar te eten. Intussen zwierven we door de straten van Parijs en bekeken etalages. Tante Seema kwam net op tijd thuis om ons op het schip te zetten dat ons naar Amerika zou brengen.

Aan boord waren er spelletjes en dansavonden, en we ontmoetten studenten uit heel Europa en de rest van de wereld. Ik bracht veel tijd door met kletsen met een aardige Deense jongen die Steen heette en op weg was naar Arizona, en hij zei tegen me dat hij me heel erg knap vond. In Pakistan had nog nooit iemand gezegd dat ik knap was – het was een spannende ervaring. Op een morgen, bijna twee weken later, werd ik wakker met geschreeuw vanaf de voorkant van de boot – Amerika was in zicht. Ik rende naar het voordek en keek betoverd toe hoe het Vrijheidsbeeld steeds dichterbij kwam. Het zag er precies zo uit als op de foto in de *Encyclopædia Britannica*. We waren in Manhattan aangekomen.

Het schip meerde af in New York Harbor en werd verwelkomd door een team van het uitwisselingsprogramma, de leden hadden allemaal gele shirts aan en liepen rond met klemborden en deelden naamlabels en enveloppen met informatie uit. Uzma en ik stonden naast elkaar en wachtten af. Een man met een megafoon riep Uzma's naam om. Naast de man stonden de Parsons, Uzma's Amerikaanse familie, bestaande uit een vriendelijk uitziend echtpaar met twee tieners op sleeptouw.

Ik kuste Uzma ten afscheid en ging op een van mijn koffers zitten, nerveus wachtend tot mijn eigen gastgezin zou arriveren. Waar bleven ze toch? Na twee uur waren alle studenten vertrokken. Het dok was leeg en lag bezaaid met bagagelabels. Ik steunde mijn kin op mijn hand en vroeg me af wat ik nu moest doen. De man met de megafoon kwam verwonderd kijkend naar me toe.

"Wat is je eindbestemming, jongedame?" vroeg hij, en zocht naar mijn naam op het klembord.

"Manhattan," antwoordde ik.

De man bekeek mijn naamlabel nauwkeurig en vervolgens zijn lijst.

"Nee, jongedame, dat klopt niet. Je kunt beter je rode schoenen aan doen en Toto roepen. Je gaat niet naar Manhattan, New York. Je gaat naar Manhattan, Kansas!"'

De gasten keken naar elkaar en naar mijn moeder en barstten in lachen uit. Rode schoenen, Toto. Manhattan, Kansas – The Wizard of Oz!

'De man gaf me een envelop met daarin veertien dollar en een buskaartje naar Kansas, en riep een taxi om me naar het busstation bij het havenkantoor te brengen. De volgende drie dagen bracht ik door met mijn neus tegen het raam van de Greyhound-bus en zag Amerika aan me voorbijtrekken. Ik had nog nooit zo'n groen en uitgestrekt geheel gezien. In de bus waren de mensen heel vriendelijk tegen me, maar ik paste wel op dat ik niet met onbekende mannen sprak. Een heel aardige vrouw uit Missouri deelde haar boterhammen met mij. Ze vertelde: "Ik heb thuis een dochter van jouw leeftijd, en jij ziet eruit alsof je vreselijke heimwee hebt, zo helemaal alleen." In Kansas City stapte ik over op de trein, en ik kon niet geloven hoe groot Amerika was. Uiteindelijk bereikte ik Manhattan op 18 augustus 1961 om vier uur 's ochtends.

Op het perron stond de complete fanfare van de Manhattan High School, die "For she's a Jolly Good Fellow" speelde en met een grote vlag zwaaide met daarop: DE LITTLE APPLE VERWELKOMT SAMINA!.

Manhattan was kleiner dan alle plaatsen die ik eerder had bezocht, en ik kon er niet over uit hoe schoon het er was, met rijen huizen zonder hekken – ik kende alleen compounds met muren eromheen. En er groeide zo veel gras! Ik kwam uit de woestijn en was verwonderd over al die gazons en bomen. Er waren geen bedelaars, arme mensen waren nergens te bekennen en iedereen leek een auto te hebben. Iedereen lachte en ze kenden allemaal mijn naam. Er was een knappe brunette in een geel rokje met een bijpassende blouse die uit de menigte naar voren stapte en haar rechterhand uitstak.

"Ik ben Suzy Beck, voorzitter van de leerlingenraad voor de bovenbouw, en we willen je hartelijk welkom heten in Manhattan. We hopen dat je het hier heel erg naar je zin zult hebben.'"

Mama drukte haar handen tegen elkaar en keek met glinsterende ogen de kamer rond.

'Amerika zag er uiteindelijk heel anders uit dan ik had verwacht. Maar dat was het dan.'

Sommige gasten wendden zich tot Nana. Was zij niet bang geweest om Samina te laten gaan?

'Zeker,' riep Nana, en schudde bij die gedachte weer haar hoofd. 'Het was zó'n koppig kind en het was zó ver weg!'

Tegen de tijd dat ik oud genoeg was om me over het huwelijk van mijn ouders te verwonderen, hadden ze samen een normaal huwelijk met een zekere cadans en orde. Mijn moeder had het Onze Vader geleerd en wist hoe ze een kalkoen voor Thanksgiving moest bereiden, mijn vader kende de juiste manier om een Pakistaanse oudere te begroeten of, indien nodig, een partijtje cricket te spelen. Maar hoe waren ze ertoe gekomen om voor elkaar te kiezen?

Mijn ouders hebben elkaar in hun laatste jaar op Yale ontmoet – mijn vader studeerde voor architect en mijn moeder studeerde Art & Design, en kon zo haar gearrangeerde huwelijk in Pakistan uitstellen. Mijn moeder had gemengde gevoelens over dat huwelijk, maar had ingestemd met de verbintenis. Haar verloofde, Hoessein, was acht jaar ouder dan zij en had medicijnen gestudeerd in het Westen, en mijn moeder had het gevoel dat een huwelijk haar stabiliteit zou geven en de vrijheid om in Karachi haar ambities waar te maken. Aan het eind van de jaren zestig was Pakistan nog een jonge natie en mijn moeder zat boordevol plannen. Ze hoopte dat ze bij de publieke televisieomroep kon gaan werken en ze wilde een tijdschrift over Pakistan maken. Het was zeker niet haar bedoeling om permanent in de Verenigde Staten te blijven, maar ze dacht dat ze voor haar huwelijk misschien één keer een romantische liefde zou kunnen beleven. Ze wilde iets hebben om op terug te kunnen kijken als ze in Pakistan oud zou worden.

Mijn moeder zag de rode bandana en cowboylaarzen van mijn vader voor het eerst in de lift van het gebouw voor Kunst en Architectuur. Met zijn een meter achtennegentig torende hij hoog boven haar uit, en zij vond hem de knapste Amerikaan die ze ooit had gezien, net de Marlboro Man in levenden lijve. Mijn vader vertelde dat hij mijn moeder van afstand had bewonderd, maar gewaarschuwd was om interesse te tonen. 'Ze heeft een kerel in haar eigen land,' hadden de andere studenten tegen hem gezegd. 'Ze is veel te hoog gegrepen voor jou.'

Mijn ouders spraken voor het eerst met elkaar tijdens een fotografieles. Mijn vader maakte gecomponeerde foto's van gebouwen en landschappen en deed dat heel nauwkeurig. Mijn moeder maakte al haar foto's tijdens één enkele reis naar Pakistan en keerde met stapels negatieven terug, die ze in de drie maanden erna in de doka afdrukte. De afdrukken waren perfect en mijn vader vroeg haar hoe ze dat deed. Welke F-stop gebruikte ze? Welk soort fotopapier? Samina had haar schouders opgehaald. Ze hoefde er geen moeite voor te doen. Mijn vader was gebiologeerd door mijn moeder. Hij vroeg haar of ze met hem mee wilde naar het Wintercarnaval op Dartmouth College, waar hij het jaar ervoor zijn diploma had gehaald, en dacht niet dat ze ja zou zeggen. Er waren veel mannen op Yale die haar mee uit hadden gevraagd – footballspelers, rechtenstudenten en een filosofiestudent die bezig was met zijn promotie en een heel semester lang elke dag een liefdesbrief van tien kantjes onder haar deur door had geschoven. Ze ging met deze mannen uit om erachter te komen hoe ze waren, maar ze had nooit écht interesse. Maar Richard leek iets speciaals over zich te hebben, iets aardigs, bedachtzaams – het kennen waard. Ze besloot één Amerikaanse man te kiezen met wie ze een affaire wilde, en dat werd mijn vader.

Mijn moeder vertelde altijd dat ze mijn vader ervan had verdacht dat hij alleen geïnteresseerd was geweest in haar exotische uiterlijk. In die dagen droeg ze haar lange zwarte haar, dat tot aan haar knieën reikte, los, en ze kleedde zich in kleurige Pakistaanse, met blokdruk versierde kleren. Maar als voorbereiding op het afspraakje ging ze naar het centrum van New Haven en kocht genoeg Amerikaanse kleren voor een heel weekend. Toen mijn vader zijn auto bij het International House parkeerde, verscheen mijn moeder gekleed in een roze coltruitje, een tweedrok en bruine laarzen tot aan haar knieën.

Mijn vader zegt dat hij al een paar dagen nadat ze elkaar hadden leren kennen had besloten dat hij met mijn moeder wilde trouwen. Zij was totaal anders dan iedereen die hij ooit had ontmoet. Ze was gefocust, ambitieus en vol vertrouwen. Hun achtergrond was totaal verschillend, maar tijdens die autorit van New Haven naar Hanover merkten ze dat ze een aantal dingen gemeen hadden. Ze hadden allebei lastige, charismatische vaders gehad die jong waren gestorven, zorgzame moeders die zichzelf opofferden en hun emoties voor zich hielden, en jongere broertjes en zusjes waar ze zich zorgen over maakten. Ze vonden kunst, goede boeken en het verbeteren van hun omgeving allebei heel belangrijk. En ze waren allebei helemaal weg van de hogeschool.

Mijn vaders gave om in mijn moeder iemand te herkennen met wie hij de rest van zijn leven wilde doorbrengen, had me altijd geïntrigeerd. Hoe was hij erin geslaagd haar ervan te overtuigen dat hij voorbestemd was om meer te worden dan een herinnering?

Na haar proefschrift verhuisde mijn moeder weer naar Karachi en daar begon ze inderdaad met een televisieprogramma, waarin ze door landelijke gebieden reisde en de Pakistani kennis liet maken met de verschillende Pakistaanse regio's. Nadat mijn vader was afgestudeerd ging hij bij een klein architectenkantoor werken en begon te sparen om mijn moeder naar de vs te laten overkomen. Op een dag kondigde hij tot grote verrassing van zijn baas aan dat hij ontslag nam om in Pakistan te gaan trouwen. Hij stuurde een telegram naar Karachi om mijn moeder te laten weten op welke dag hij zou aankomen. Hij stelde zich voor dat hij op het vliegveld een krans omgehangen zou krijgen en als zoon verwelkomd zou worden. Het liep anders: hij stond om vijf uur 's ochtends in een onbekende stad, omgeven door bedelaars die aan zijn mouw hingen en taxichauffeurs die aanboden om hem naar zijn hotel te brengen. De muezzin deed een krakende oproep via de luidsprekers en de meeste mannen verdwenen om te gaan bidden. Hij bleef in de terminal achter en vroeg zich af wat hij het beste kon doen, nu de ontnuchterende gedachte postvatte dat trouwen met Samina ingewikkelder zou zijn dan hij had gedacht.

Hij stuntelde met zijn koffers naar de taxistandplaats en dirigeerde de chauffeur naar het huis van mijn moeder, waar hij de paar woorden Urdu voor gebruikte die hij had geleerd: '*Bridge ke pas*' — dicht bij de brug. Toen ze het eindelijk hadden gevonden, maakte hij de poortwachter wakker en probeerde hem uit te leggen dat hij een vriend was van Samina. Mijn moeder kwam in haar nachtpon en peignoir naar beneden, met haar lange haar in een vlecht op haar rug. Ze stak haar handen door de spijlen van het hek. Ze zei: 'Het spijt me zo, maar mijn broers wilden niet dat ik naar het vliegveld ging om je op te halen. We hebben er dagenlang ruzie over gemaakt. Ze zeiden dat dat ongepast zou zijn.'

Die eerste nacht liet ze mijn vader in een appartement boven de garage naast het huis logeren, waar hij zich buiten het blikveld van haar roddelende familieleden zou bevinden. De dag erna vond ze een flat in de buurt waar hij kon verblijven. Als alibi voor zijn aanwezigheid in Karachi zorgde mijn moeder ervoor dat hij muzieklessen kon volgen en vertelde dat hij een Amerikaanse student was die hier was om les te krijgen van een sitarmeester. De buren zeiden: 'Samina voert iets in haar schild,' en hielden haar nauwlettend in de gaten. Ze huurde een groep mensen die muurschilderingen maakten om een dorpsscène op een van de muren van zijn nieuwe appartement te laten schilderen. Ze omringde hem met haar vrienden, zodat ze als een groep jongelui konden reizen, concerten bezoeken en zelfs naar de disco konden gaan. Om elkaar alleen te ontmoeten, moest ze uitgebreid voorbereidingen treffen en ingewikkelde smoezen verzinnen. Mijn moeder had gezegd dat hij een getalenteerd musicus was, dus haar broers wilden Richard een keer horen spelen. Ze moest telkens nieuwe redenen bedenken waarom hij geen concert kon geven. Het duurde een jaar voordat mijn vader mijn moeder ervan had overtuigd dat ze moest terugkeren naar de Verenigde Staten, en om Nana te overtuigen dat hij haar kon onderhouden. Hij bestudeerde de Koran en ging met haar broers naar de moskee. Toen mijn moeder eenmaal had ingestemd om met hem te trouwen, moest hij naar Hoessein, haar verloofde, om hem over te halen haar de verloving te laten verbreken. Mijn vader zei dat het grotendeels aan Nana te danken was dat hij dat allemaal had kunnen doen. Zelfs toen hadden die twee al een speciale band: zij stond aan zijn kant.

Mijn vader bracht 's middags altijd een bezoek aan Nana en dan dronken ze samen thee in de langgerekte salon van Siddiqi House, waarbij de stiltes werden opgevuld door het geluid van de constant ronddraaiende plafondventilatoren. Mijn vader vertelde Nana dan over zijn familie in Denver, over de manier waarop zij in de zeventiende eeuw vanuit Engeland naar Amerika waren gekomen en in de negentiende eeuw van de oostkust naar Colorado waren verhuisd. Over zijn nauwe band met zijn twee zussen en zijn broer en hoe hij de toekomst met mijn moeder zag.

Op een dag vroeg Nana hem: 'Weet je het zeker, Richard? Weet je zeker dat je mijn dochter wilt? Want je hebt het erover om haar naar ergens heel ver weg mee te nemen, en ze is een moeilijk kind. Je moet er wel heel zeker van zijn dat je haar wilt.'

Als ik hem vraag wat hij toen zei, krijg ik altijd hetzelfde antwoord.

'Ik vertelde haar de waarheid. Ik zei tegen haar dat ik niet zonder haar kon leven.'

Er wordt niet vaak meer over gepraat, maar toen de tijd daar was maakten de broers van mijn moeder bezwaar tegen de gedachte dat mijn ouders in Siddiqi House zouden trouwen. Toen Nana eenmaal haar zegen had gegeven konden ze niet veel meer doen om het tegen te houden, maar de broers wilden niet overkomen alsof ze het huwelijk goedkeurden door gastheer te spelen tijdens de huwelijksplechtigheid. Hoe Nana ook smeekte, het maakte niets uit – ze wilden het niet hebben. In plaats daarvan trouwden mijn ouders in een heel andere wereld, op een heuvel in mijn vaders geboortestaat Colorado, ver weg van de cameraflitsen en de schittering van zware juwelen, zonder versierde tenten, bladen vol voedsel en een week van steeds heftiger wordende feesten.

Er is een film van de ceremonie, een super8-mm, die ik honderden keren heb bekeken. Ze zijn in 1973 getrouwd. Ze staan met hun vrienden in een cirkel, in een weide onder aan de heuvel bij het huis van mijn overgrootouders in de Rocky Mountains. Om het huwelijk bij te wonen was Nana voor het eerst van Pakistan naar de Verenigde Staten gereisd. Ik weet nog dat ze tegen me zei dat ze nog nooit een huwelijksplechtigheid had gezien waarbij het zo informeel was toegegaan, 'als een picknick', zei ze, met mensen die buiten stonden met sandalen aan. Mijn vader droeg een marineblauw kostuum met een colbert met drie knopen, met haar dat bijna tot op zijn schouders kwam. Hij liep de heuvel af, met zijn broertjes en zusjes, zijn moeder en grootmoeder in pastelkleurige kleding achter zich aan, naar mijn moeder toe, die gekleed was in een wit met gouden sari. Haar lange haar had een scheiding in het midden en was in haar nek tot een dikke wrong gedraaid, die werd omkranst door een guirlande van wilde bloemen. Een vriend van mijn ouders van de theologische opleiding van Yale had een dienst in elkaar gezet met lezingen uit de Bijbel en de Koran. Ter ere van Nana's verbintenis met het judaïsme werd er een glas gebroken.

Anderhalf jaar later werd ik in Denver geboren.

11

Zorgelijk van aard

Poona, december 2001

Een klop op de deur benadrukt mijn vage bewustzijn dat het ochtend is. Het is laat, te laat om nog te slapen, maar het lijkt alsof ik de energie niet kan opbrengen om wakker te worden, me aan te kleden en de wereld onder ogen te komen. Ik ben de laatste tijd vaak ziek geweest. Ziek zijn neemt hier heel andere vormen aan dan thuis – het overvalt me, zonder waarschuwing vooraf, en ik voel me gevangen in een eindeloze cyclus van hoofdpijn, koorts en keelpijn. Ik weet niet goed wat ik in mijn e-mails aan vrienden moet schrijven. Het Indiase parlement in Delhi is aangevallen door terroristen en er zijn speculaties dat India en Pakistan misschien oorlog gaan voeren. Ik denk aan de dag, nu drieënhalve maand geleden dat ik uit New York vertrok, mijn vrienden gedag kuste alsof ik ze over een paar dagen in plaats van een paar maanden terug zou zien, met heel vage ideeën over de dingen waarvoor ik ze verliet. Ik dacht dat ik Nana kon vervangen door hier te zijn, alsof ik het gat dat door haar afwezigheid was ontstaan met verhalen kon opvullen. Ik dacht dat me hier iets groots te wachten zou staan, iets uit een van de beroemde anekdotes van mijn moeder. In New York had mijn plan heel redelijk geleken. Nu voel ik me belachelijk.

Ik vind het moeilijk om me door de joodse gemeenschap in Poona geaccepteerd te voelen. Toen ik de synagoges bezocht, voelde ik me als een indringer, een toerist. Ik maak de reis naar Bombay steeds vaker, waar de gemeenschap meer gewend is aan bezoekers en ik gemakkelijker met mensen kan praten. Daar kan ik stilletjes achter in de synagoge gaan zitten en me betrekkelijk ongezien wanen. Ik reis per nachtbus naar Bombay om het verkeer en de hitte te ontlopen, en om mijn slapeloze uren te vullen, maar ik raak afgemat door de stoffige wegen, de vervuiling door de vrachtwagens en riksja's en de nachten met te weinig slaap. Als ik heen en terug ben gereisd naar Bombay, ben ik uitgeput, maar dan doe ik in elk geval wel iets aan mijn project.

Er wordt weer geklopt, luider deze keer. Ik trek een ochtendjas aan en doe de deur open. Het is Rekhev die me afkeurend aankijkt.

'Je moet deze eens lezen,' zegt hij, en geeft me verschillende zware boeken. Hij kijkt me scherp aan en ziet de vellen contactafdrukken verspreid over mijn bureau liggen.

'Wat is er aan de hand?' vraagt hij.

'Ik voel me niet zo goed,' beken ik. 'Ik weet niet waarom.' Tegenwoordig word ik elke dag wakker met nieuwe, onbekende klachten: uitslag, keelpijn, een ooginfectie. Ik heb iets opgelopen dat op astma lijkt, iets wat ik nog nooit eerder heb gehad. Het is net alsof mijn hele lichaam allergisch is voor India, alsof mijn gestel voor een ander klimaat geschapen is. Ik voel me gevangen in een constante cirkel van ziekte en korte weer voorbijgaande oplevingen. Net als ik me weer een beetje beter voel, word ik weer ziek.

Een paar dagen later klopt Rekhev weer aan. Hij is teleurgesteld dat ik de boeken nog niet heb gelezen.

'Wat doe je hier dan de hele dag?' vraagt hij.

Ik zeg tegen hem dat ik de laatste tijd eigenlijk geen energie heb om ook maar iets te doen.

'Kom met mij mee,' zegt hij resoluut.

'Dat gaat niet, Rekhev. Ik voel me echt niet goed,' zeg ik.

'Je gaat met me mee naar de dokter van het instituut. Hij woont hier niet ver vandaan.'

We lopen door lommerrijke straten naar een bungalow in een woonwijk. Het huis van de dokter heeft geen verdieping, ligt een eindje van de weg af en heeft een kleine voortuin. Rekhev vindt een bankje in de tuin en slaat zijn boek open. Ik bel aan.

Een oudere dame in een zachtroze sari doet de deur open. Haar grijze haar is strakgetrokken in een lage wrong en haar ogen stralen van nieuwsgierigheid. Ik ga ervan uit dat ze de vrouw van de dokter is. 'Ja?' zegt ze vragend.

'Ik zou graag de dokter willen spreken,' stamel ik verlegen.

'Broeder!' roept ze, en keert zich dan weer naar mij toe. 'Kom, kind,' zegt ze, en legt haar hand op mijn schouder, en ik voel me meteen gerustgesteld.

Ik zit in hun donkere woonkamer te wachten en kijk naar een vreemde verzameling beschilderde keramische tegeltjes aan de muur. De deur gaat open en ik hoor een man 'kom binnen' zeggen.

Ik loop naar binnen, ga zitten op een smal bankje en neem ondertussen de omgeving in me op. De dokter is een vriendelijk uitziende man van naar het zich laat aanzien eind zestig in een bruin safaripak. Zijn onderzoekskamer is een soort studeerkamer, met boeken langs de wanden en een groot bureau dat bedekt is met papieren. De enige aanwijzingen dat hij arts is, bestaan uit de doelloos om zijn nek bungelende stethoscoop en een ouderwets uitziende medische kaart aan de wand.

Hij onderzoekt me, schijnt me met een klein lampje in beide ogen en duwt een spatel in mijn opengesperde mond, waarna hij mijn tong kan bekijken, zoekend naar aanwijzingen.

'Waarom ben je gekomen?' vraagt hij na een paar minuten.

'Waarom ik naar India ben gekomen of waarom ik naar uw praktijk ben gekomen?' vraag ik.

'Allebei,' zegt hij. 'Eerst India.'

Ik vertel hem over mijn project en daarna over mijn gezondheid.

'Elke week mankeer ik wel weer iets. Ik heb dat nog nooit eerder gehad. De meeste ochtenden heb ik last van astma-aanvallen, en ik lijk nooit voor langere tijd gezond te kunnen blijven. Overdag heb ik het gevoel dat ik moet slapen, en 's nachts doe ik bijna geen oog dicht.'

'Waar ga je altijd eten?'

'In het pension van het Filminstituut.'

'Aha, slechter is er niet. Helemaal geen voedingsstoffen. Neem je multivitamines?'

'Nee.'

Hij kijkt me misprijzend aan en neemt via een prik in mijn arm wat bloed af.

'Ben je veel onderweg?'

Ik vertel hem dat ik elke week met de bus naar Bombay op en neer reis.

'Je probeert als een echte Indiase te leven, of niet? Je hebt een virusinfectie, wat heel gewoon is met de verandering van de seizoenen,' zegt hij. 'En allergieën. Waarschijnlijk voor stof en dergelijke. Je bent niet gewend aan deze omgeving en deze mate van vervuiling. Het werk dat je hier in India doet, speelt zich dat vooral in Poona of Bombay af?'

'Beide, maar ik verwacht dat het steeds vaker Bombay wordt,' zeg ik.

'Dat heen en weer reizen is slecht voor je gezondheid,' zegt hij. 'Je moet proberen om op één plaats te blijven. Ik kan ook merken dat je zorgelijk van aard bent. Door al dat gepieker maak je jezelf ziek.'

Hij geeft me een recept voor antibiotica en een lange lijst met vitamines.

Hij begeleidt me terug naar de woonkamer, waar zijn zuster op me zit te wachten. 'Drink sap!' zegt hij. 'Eet gestoomde groenten!'

Door de open deur zie ik Rekhev in de tuin rondjes lopen om een klein terras.

'Mag ik je iets laten zien?' vraagt de zuster van de dokter, en gebaart naar de keuken. 'Kom, kom.'

In een hoek van de ruimte heeft ze een kleine schrijn gemaakt, versierd met bloemen, miniatuurpotten en schalen met olie, water en bloemen als offergaven.

'Ken je het verhaal van Sai Baba?' vraagt ze.

'Nee,' geef ik schaapachtig toe en vraag me af waar dit naartoe gaat. Ik weet dat Sai Baba een gerespecteerde hindoeheilige is, maar dat is dan ook alles wat ik weet.

'Hoe oud denk je dat ik ben?' vraagt ze, en kijkt me vragend aan.

Ze ziet eruit alsof ze eind zestig is, maar het lijkt me niet erg gepast om een oudere dame te zeggen hoe oud ze oogt. Ik heb daar niet zo veel zin in.

'Ik weet het niet. Hoe oud?' zeg ik.

'Raad eens,' zegt ze, verrukt over het spelletje. Haar ogen schitteren van plezier.

'Vijfenzestig?' zeg ik, aarzelend.

'Nee, toe nou, hoe oud?' reageert ze, met een nog bredere glimlach.

'Zevenenzestig?'

'Ik ben tweeëntachtig. Over drie maanden word ik drieëntachtig.'

Het lijkt echt onmogelijk dat deze kwieke dame al tweeëntachtig is. Nana was tweeëntachtig toen ze stierf, haar lichaam kromgetrokken van de pijn.

'Eerder was ik ook heel gewoon,' voegt ze er snel aan toe. 'Ik had kwalen, ik leed pijn. Maar toen heb ik een bedevaart naar Shirdi gemaakt. Er heerst daar vrede en die vrede heeft intrede in mijn leven gedaan. Je hebt er geen idee van hoe geweldig dat is. Sinds die dag is mijn leven helemaal anders. Drie keer per dag doe ik hier *puya* om hem te eren.'

'Dat is heel bijzonder, tante.'

Ze loopt met me mee naar de deur en drukt me een korte biografie van Sai Baba in handen. 'Geloof, m'n kind, neemt allerlei vormen aan.' Ze glimlacht me lief toe en steekt een hand zwaaiend omhoog als ik de tuin in loop op zoek naar Rekhev.

Rekhev slaat zijn ogen naar me op en kijkt me bezorgd aan.

'Ik kwam net een van mijn docenten tegen,' zegt hij.

'Wat zei hij?' vraag ik.

'Hij was bezorgd. Hij zei: "Ben je ziek?" Ik zei tegen hem dat een kennis van mij ziek was. "Ik begrijp het," zei hij, alsof hij al wist dat het om een vrouw ging. Weet je: ik ben nog nooit met iemand naar de dokter geweest, m'n hele leven nog niet. Mijn vader is goed in deze dingen – voor treinkaartjes zorgen en een dokter vinden. Ik heb zoiets nog nooit gedaan.'

Als we naar huis lopen voel ik me plotseling duizelig. Ik ben me ervan bewust dat ik de ene voet voor de andere probeer te zetten en tel de minuten totdat ik weer veilig in bed lig.

'Het geeft wel heel veel stress om te proberen een vriend voor je te zijn,' zegt hij tegen me onderweg naar huis.

'Hoe bedoel je?' vraag ik.

'Normaal gesproken hou ik afstand van dit soort vriendschappen, van mensen. Jij wilt iemand hebben die weet hoe het in India toegaat, en je denkt dat ik dat ben. Maar ik weet niet beter dan jij hoe het toegaat in India. Jij en ik, we zijn hier allebei expats. Ik ben geen toeristengids.'

'Ik heb je nooit gevraagd om voor toeristengids te spelen,' zeg ik bits.

'Nee, maar dat is wel wat je wilt. Een bijzonder iemand.'

Ik voel me ineens uitgeput.

'Wat heb je daar in je hand?' vraagt hij.

'Een boek over Sai Baba. De zus van de dokter heeft het mij gegeven.'

'Ga je dan een andere godsdienst leren?' vraagt hij.

Ik knik, te moe om de discussie aan te gaan.

De rest van de weg leggen we in stilte af. Rekhev loopt mee tot aan het hek en ik ga alleen verder, het moment vrezend dat ik het slot moet openmaken. Alles voelt veel te zwaar.

De volgende dag koop ik de medicijnen en vitamines die de dokter me heeft voorgeschreven, en de volgende drie dagen heb ik koortsaanvallen en ben ik misselijk. Mijn astma-aanvallen zijn de wekker die mij 's ochtends vroeg wakker maken. Op de vierde ochtend lukt het me om me aan te kleden en loop ik naar de telefooncel om mijn ouders te bellen. Hun stemmen zijn helder en duidelijk, en ik probeer de mijne daarop af te stemmen. Het is zo moeilijk om mijn leven hier te beschrijven, hoe het voelt, hoe ik mijn tijd doorbreng. Ik weet niet wat ik doe met mijn dagen. Mijn moeder hoort de frustratie in mijn stem.

'Hoe lang ben je nu in India?' vraagt ze kortaf.

'Drieënhalve maand.'

'En je hebt het gevoel dat dat een lange tijd is.'

'Het voelt alsof ik hier al eeuwig ben.'

'Waar ben je zo gefrustreerd over?'

'Nou, toen ik hier kwam had ik het gevoel dat ik iets kwam doen, en ik dacht dat ik begreep wat dat was. Maar ik weet niet hoe ik kan vinden wat ik hier kwam zoeken. Ik weet niet eens zeker of het hier wel is.'

'Je doet net alsof je in New York bent – je belegt vergaderingen, reist naar een andere stad, voert telefoongesprekken, probeert foto's te maken. Daar is het gewoon veel te warm voor, en je maakt er jezelf ongelukkig mee. Vergeet niet dat een week daar gelijk staat aan een dag in New York.'

'Hoe bedoelt u?'

'Denk er maar eens over na. Jij legt je eigen tijdsindeling op aan je omgeving, maar dat kan daar niet. Daar beweegt alles zich in een andere tijdsspanne. Accepteer dat, probeer dat niet te veranderen. Weer beter worden, dat is op dit moment je eerste verantwoordelijkheid. Zorg daarvoor, en dan kun je goed werk doen.'

Ik begin tegen te stribbelen, maar hou dan mijn mond. Ik weet dat ze gelijk heeft, op die ergerlijke manier die zo bij moeders hoort.

Het kost me bijna twee weken voordat ik contouren van mezelf zie opstijgen uit de dikke mist die me omgeeft. Ik kan mijn hoofd bijna niet optillen en voedsel lijkt een grillige vriend. Ik keer op mijn schreden terug naar het huis van de dokter en hij zegt tegen me dat mijn bloed heel weinig witte bloedcellen heeft.

'Er is iets in jouw manier van leven waar je ziek van wordt,' zegt hij bedachtzaam. 'Je put jezelf uit, je eet niet goed, slaapt niet goed. Daar moet verandering in komen.'

'Denkt u dat ik allergisch ben voor India?' vraag ik hem.

'Je moet je niet zo veel zorgen maken, liefje,' zegt hij op geruststellende toon. 'Allergisch voor India... zoiets bestaat niet eens.'

Op een nacht droom ik over Nana.

In die droom is ze een jaar of zestig. Ze ziet er gezond uit, zoals ze er misschien uitzag toen ik een baby was. Ze wuift zichzelf koelte toe met een waaier gemaakt van dun, geurig sandelhout. *Flap-flap* klinkt het als de waaier haar sleutelbeen raakt. We drinken thee in een weelderig ingerichte zitkamer die ik niet herken en worden omringd door verguld barok meubilair. Er zijn een of twee Pakistaanse vrouwen aanwezig die aandachtig naar Nana luisteren terwijl zij vertelt over een van haar dromen. Nana draagt een glanzende groene zijden sari en juwelen met smaragden. Haar lippen zijn rood gestift, iets wat ik nooit bij haar heb gezien. Het is alsof de dood mijn grootmoeder in schitterende, niet bij elkaar passende kleuren laat terugkeren.

'Ik probeer over te steken op Lamington Road. Al mijn vijf kinderen zijn bij me, houden zich vast aan mijn sari – ik draag een witte sari. De kinderen zijn allemaal nog klein en ik kan ze niet allemaal tegelijk in de gaten houden. Mijn man is pas overleden en ik denk: hoe moet ik dit leven alleen dragen? Hoe ga ik dat doen?' Ze wacht even en maakt lange vegende gebaren met haar waaier. 'En dan verschijnt hij voor mij. Hij gaat naast me staan en legt zijn sterke hand onder mijn elleboog. Kijk zo.' Ze laat het zien. 'En dan leidt hij me zo naar de andere kant van de straat.' Ze kijkt me aan en glimlacht teder. 'En dan is hij weg.'

De droom vervaagt en dan word ik wakker en staar naar de ronddraaiende plafondventilator. *Zjoef, zjoef.* Voor mijn raam fladderen de duiven, die telkens weer op de schuinstaande klepjes van matglas proberen te gaan zitten. *Flip-flap* gaan hun vleugels. Een zacht klapperend geluid van spijt. In het moeras van mijn ziekte weet ik niet meer of dit een verhaal is dat Nana me over een van haar dromen heeft verteld, of dat deze droom alleen van mij is. Lamington Road. Ik heb er nooit eerder van gehoord. Het klinkt als Londen.

De volgende ochtend is de ergste koorts voorbij en voel ik me goed genoeg om het stof uit mijn kamer te vegen, de binnenplaats op. Als ik de deur opendoe en een paar happen nieuwe dag neem, voel ik me dronken door het inademen van de frisse lucht. Ik steek de geiser aan om water voor een bad te verwarmen en leg voor het eerst in een week schone kleren klaar.

Ik ga naar de bibliotheek en zoek Lamington Road op. Het is in Bombay. Nana heeft altijd gezegd dat ze me boodschappen zou sturen in mijn dromen. Ik weet nu zeker dat ze me wil zeggen dat het tijd is om verder te gaan.

DEEL TWEE

Veldwerk

12

De vuilophalers

Bombay, januari 2002

Wonen in Bombay geeft me een anoniem gevoel. Niemand kent me daar. Ik denk dat ik de hele dag binnen zou kunnen blijven zonder met iemand te praten. Maar dat heb ik mis. Bombay komt gewoon bij me aan de deur en klopt aan om binnengelaten te worden.

Mijn nieuwe thuis, Bilva Kunj, is een eenkamerstudio in een huis met twee verdiepingen en een brede veranda rondom in de Gamdevi-buurt in de Pandita Ramabai Road, waar Nana Chowk wordt gekruist door de drukke weg naar Bombays beroemde Chowpatty Beach. Aan mijn linkerkant ligt Laburnum Road, genoemd naar de sinds lang verdwenen laburnumbomen, ofwel goudenregens, die er door de Engelsen waren geplant. Mijn hospita, de elegante mevrouw Murdeshwar, vertelt me dat de goudenregens vroeger schaduw boden aan de particuliere woonhuizen in de buurt. Recht tegenover mijn huis staat een tempel waar de gelovigen met zonsopgang wierook aan steken en bloemenkransen aan de voeten van hun godin te leggen. 's Ochtends is de weg aan weerszijden bezaaid met compacte bundeltjes slapende mannen, netjes ingepakt in witte doeken, als rupsen in een cocon, die in rijen langs de stenen muren liggen die de weg omzomen. Voor het huis woont een man met maar een arm. Hij ligt er steunend op zijn ene goede elleboog, en zijn slimme, opmerkzame blik ziet iedereen die mijn appartement in of uit gaat – een stille getuige. 's Middags loopt er meestal een andere man door de straat. Hij is lang, heeft een grijze baard en draagt een bruin geblokt overhemd. Elke keer als ik hem zie, hoor ik hem in meerdere talen in zichzelf praten, en hij gebaart erbij alsof hij tegen een onzichtbaar publiek spreekt.

Het is nu januari en koel genoeg om betrekkelijk aangenaam door Bombay te wandelen. De mensen zeggen dat deze weken met gematigde temperaturen snel voorbij zullen zijn, dus probeer ik ze goed te benutten: ik verken de oude joodse buurt van de stad te voet en maak foto's van de synagoges en hun huisbewaarders.

De dag nadat ik mijn nieuwe woning heb betrokken, wordt er voor het eerst geklopt. Het is een man die leesboekjes in Hindi en Engels aanprijst. Het zijn veelkleurige boekjes met afbeeldingen van zelfstandige naamwoorden – 'A is for Apple, B is for Boy'. De man bladert door zijn collectie en spreidt ze uit op zijn dunne, uitgestrekte arm.

'Nee, dank u. Nee, dank u,' zeg ik herhaaldelijk. 'Nee, dank u. Er zijn hier geen kinderen.' Ik schud mijn hoofd om dat nog eens te benadrukken en doe de deur dicht.

Er wordt weer geklopt. Iemand die iets met de televisie te maken heeft. Hij komt binnen en onder voortdurend gemompel prutst hij wat aan het toestel. De man van de telefoon, de elektricien, de monteur voor de airco die het apparaat helemaal uit elkaar haalt, maar zonder resultaat. 's Ochtends paraderen er allerlei mensen door mijn kleine kamertje, allemaal gestuurd door mijn vriendelijke hospita. De bel begint 's ochtends te rinkelen en houdt soms pas op aan het begin van de middag. Ik heb verhalen gehoord over mensen in Bombay die maanden en soms zelfs jaren op een fles gas om te koken moesten wachten, en ik begrijp nu beter dat de aanzienlijke huur die ik betaal deels het gevolg is van de mogelijkheid om in deze kant-en-klare situatie te stappen.

Op een ochtend wordt er weer aangeklopt en ik doe de deur open. Er staat een dertien- of veertienjarige jongen die wilde handgebaren maakt en een getypte, gelamineerde brief bij zich heeft. Hij wijst op zijn gesloten mond en maakt keelgeluiden die hij met uitpuilende ogen benadrukt. Ik kan met de beste wil van de wereld niet bedenken wat er aan de hand is. Hij overhandigt me de brief met de volgende inhoud:

Geachte mevrouw of meneer,

Ik ben doofstom. Ik kan niet praten! Geef me alstublieft een gulle gift die ik kan gebruiken om een einde te maken aan mijn huidige ellendige situatie en hulp kan bieden aan anderen die in dezelfde omstandigheden als ik verkeren. Uw donatie gaat naar een fonds voor doven en blinden dat is opgericht door de Regering van Maharashtra, 1983 (Borivali, Mumbai). Geef alstublieft met gulle hand.

Ik krijg hetzelfde gevoel als bij de jochies die snoep verkopen in de metro's van New York City en beweren dat ze daarmee de sportteams op hun middelbare school sponsoren – hier klopt iets niet. Maar ik moet toegeven: het plan getuigt wel van originaliteit. Terwijl ik nog sta na te denken of ik hem geld zal geven, plaatst de jongen het puntje van zijn tong tegen zijn gehemelte en laat me de achterkant van zijn tong zien, wijzend en springend van de ene op de andere voet. Ik begrijp dat hij me ervan wil overtuigen dat hij geen tong heeft.

'Een minuutje, een minuutje,' zeg ik, en doe de deur dicht terwijl ik op zoek ga naar een paar bankbiljetten.

Ik rommel wat en vind een paar losse briefjes, die ik aan hem geef. Hij wordt op slag zakelijk, richt zich kalm op en overhandigt me een vel papier met een lijst met namen en adressen van mensen. Hij geeft me een pen en ik noteer: 'Sadia, Gamdevi, Bombay, Rs. 100'.

De volgende dag wordt er weer geklopt. Dezelfde jongen, dezelfde gang van zaken.

'Ik heb je gisteren al geld gegeven!' zeg ik en wijs naar mijn naam op zijn lijst. 'Zie je wel?'

Hij kijkt naar mijn handtekening en knikt, haalt zijn schouders op en kijkt me aan alsof hij wil zeggen: je hebt denk ik wel gelijk. Hij pakt de gelamineerde brief, het klembord en de pen en loopt rustig naar zijn volgende bestemming.

De dag erna word ik gewekt door een klop op de deur om zeven uur 's ochtends. Ik heb absoluut geen zin om weer met die jongen te kibbelen, maar als ik de deur opendoe staat daar tot mijn verrassing een vriendelijk uitziende vrouw gekleed in een fleurige salwar kameez. Ze lijkt achter in de dertig en heeft golvend lichtbruin haar dat ze in een vlecht op haar rug draagt.

'Ik ben Julie,' zegt ze. 'Ik werk hier. Ik binnenkomen?'

'Je werkt hier?' vraag ik, een beetje warrig, slaperig.

'Ik ben uw hulp.'

Ik doe een stap opzij, laat haar binnen en wrijf mijn ogen uit. Ze heeft een klein plastic tasje bij zich dat ze meeneemt naar de badkamer; ze doet de deur dicht. Even later komt ze weer tevoorschijn gekleed in een andere, oudere salwar kameez. Ze draagt een emmer met melkwit water en daaruit stijgt de geur van ammonia op.

'Zijn manspersonen hier?' vraagt ze.

'Alleen ik,' antwoord ik.

Ze verdwijnt weer in de badkamer en komt even later tevoorschijn zonder de broek van haar salwar kameez. Ze giechelt.

'Als hier alleen meisjes zijn, maak ik schoon zonder broek. Als manspersonen hier zijn, doe ik broek aan,' legt ze uit.

Ik kijk toe hoe ze neerhurkt en vakkundig met een grijze doek van links naar rechts zwaait en de vloer schoon zwabbert, terwijl ze achteruit beweegt.

Ik weet niet goed waar ik naartoe moet gaan. Nadat ik me in de badkamer heb aangekleed, ga ik aan tafel zitten terwijl zij haar werk doet en til mijn voeten op als ze in de buurt van de tafel komt. Het lijkt onbeleefd om hier te zitten en aantekeningen te maken terwijl zij mijn vloer schoonmaakt, maar ik wil haar niet voor de voeten lopen, en het lijkt me ook gênant om alleen naar haar te gaan zitten kijken. Ik twijfel tussen de mogelijkheden en probeer vervolgens een gesprek aan te knopen.

'Hoe lang werk je al hier?' vraag ik.

'Ik werk hier vier of vijf jaar. Er was hier een Duits meisje en een Engels meisje. De Franse rector is boven. Ik werk op de Franse school. Mijn belangrijkste baan. Daar ben ik al dertien jaar.'

Ik herinner me dat mijn huisbaas me heeft verteld dat zijn dochter lesgeeft bij de Alliance Française – misschien is er wel een verband.

'Bent u een vriendin van Lindsay?' vraagt ze plotseling.

'Nee... ik ken Lindsay niet. Was dat het meisje dat hier eerder woonde?'

Julie lijkt opgelucht.

'"Julie," zei ze tegen mij, "jij komt niet elke dag, dit is kleine kamer, jij komt drie keer per week." Dan op een dag, zij weg. Maandag zij is hier, dinsdag zij wég.'

Ik bedenk plotseling dat de kamer waarschijnlijk daarom zo snel beschikbaar was.

'Is ze gewoon verdwenen? Weet je niet waar ze naartoe is gegaan?'

'Ik weten helemaal niets. Ik ben alleen dienstmeid. Meneer Murdeshwar zegt: "Waar is Lindsay? Waar is Lindsay?" Xerox Wallah, van de overkant, hij zegt: "Waar is Lindsay? Ik krijg nog honderdvijftig roepies van haar!" Dhobi Wallah zegt: "Waar is je mevrouw? Ik heb haar schone kleren!" Iedereen vraagt naar Lindsay. Ik zeg: "Zij weg!" Ik weet niet waar naartoe.'

'Wat deed Lindsay hier in India?'

'Ze was hier om te werken. Toen ging ze weg van dat werk. Ze blijft thuis, ze vraagt meneer Murdeshwar om kabeltelevisie. Dan gaat ze yogalessen nemen. Ze gaat naar ashram. Ze gaat om met nietsnutten, dat denk ik. Ze neemt ander werk, dan op een dag, zij gaat weg. Ik weet niet waar naartoe...'

De vraag wat er van mijn voorgangster is terechtgekomen fascineert me. Ik vraag naar haar gewoonten, probeer het mysterie van haar plotselinge verdwijning op te lossen.

'Lindsay is erg dol op brood. De hele tijd alleen brood eten. En snoep. Lindsay wordt dik in India, dat denk ik.' Julie giechelt – een zacht, warm, aanstekelijk geluid. Ik weet niet waarom, maar ik lach ook. 'Lindsay is heel erg dol op mijn kip. "Alsjeblieft Julie, maak kip. Maak kip,"' zegt ze, Lindsay imiterend. 'Soms ik dat maken.'

Julie dweilt het laatste stuk vloer en maakt de badkamer schoon.

Er klinken waterige geluiden – klotsen en spoelen, een doek die op de vloer neerkomt, opgehangen wordt om te drogen. Als ze klaar is, doet ze haar andere outfit weer aan en loopt snel de kamer door naar de deur.

'Ik kom overmorgen. Oké-bedankt-dag.'

Op een morgen gaat de telefoon. Het is een man die naar Lindsay vraagt. Ik vertel hem dat Lindsay verhuisd is, en hij vraagt of ik een vriendin van haar ben.

'Nee, waarom vraagt u dat?' en vervolgens biedt hij me een baantje aan als figurant in een Bollywoodfilm. Als ik zin heb, kan ik hem en zijn partner de dag erna op Churchgate Station ontmoeten. Het is de bedoeling dat een buslading westerse jongeren in een luxe touringcar naar Ahmedabad wordt gebracht om daar als figuranten te fungeren in een scène die zich zogenaamd in Europa afspeelt.

'Je vindt het vast heel leuk,' zegt hij op een vleiende en ietwat roofzuchtige toon. 'Lindsay vond het leuk.'

Ik bedank beleefd en hang op.

Elke keer als Julie komt, vertelt ze me meer over Lindsay of de bijzondere gewoonten van haar andere klanten. Bij stukjes en beetjes vertelt ze me over haar leven. Haar naam is Julie Rocky D'Souza. 'Julie' is een afkorting van Genevieve, dat ze uitspreekt als 'Jen-vee'. Ze is christen en oorspronkelijk afkomstig uit Mangalore. 'Rocky' is de naam van haar man en daarom haar middelste naam. Rocky zit bij de vakbond voor elektriciens en heeft een goede, vaste baan en ze hoopt dat hij die aan zijn zoon kan overdragen als hij stopt met werken. Ze hebben twee kinderen: een meisje van dertien en een zoon van elfenhalf.

De verbintenis van Julie en Rocky was gebaseerd op liefde, althans van zijn kant.

'Mijn man zag me destijds samen met mijn moeder tijdens de festivaltijd in de kerk van Mount Mary in Bandra. Hij zag mijn haar. In die tijd had ik heel lang haar, tot daar kwam het wel.' Julie wijst naar haar middel. 'Ik heb hem niet gezien, maar hij herinnerde zich mij. Hij vroeg de hele tijd naar mij. Uiteindelijk stemde mijn moeder in met het huwelijk.'

'Heb je je toen verloofd?' vraag ik.

'Ik wás verloofd,' zegt ze, alsof ik daaraan twijfel. 'Ik gá naar Chowpatty, ik gá naar Gateway, ik gá naar Marine Drive, Juhu Beach. Ik doe al die verloofde dingen.'

Het zijn de flirtplaatsen in Bombay waar stelletjes naartoe gaan om in het geheim enkele ogenblikken van betrekkelijke afzondering te beleven, zich te voegen bij de massa geliefden die zij aan zij zitten, hand in hand. Op al die plaatsen heb je uitzicht over de oceaan. Op al die plaatsen kijken mannen en vrouwen over het water uit – een uitgestrekte vlakte waarop ze zich hun toekomst samen kunnen voorstellen.

'Vond je je echtgenoot aardig? Ik bedoel voordat je met hem getrouwd was.'

'Ik hou niet van manspersonen. Ik hou alleen van meisjes – mijn zussen, mijn moeder. Mijn echtgenoot was gek van mij, gek van mijn haar toen we trouwden. "Laat maar loshangen! Laat maar loshangen!" zei hij dan. Ik vind alleen dat hij een beetje donker is. Maar hij is een goede man,' zegt ze, oprecht. 'Hij is een goede vader en een goede echtgenoot. Hij slaat mij nooit, hij biedt mij geld aan als hij dat heeft. Maar ik heb mijn eigen geld. Ik werk al sinds ik negen jaar had. Soms gaat mijn man drinken. Hij smijt met geld in de bierbar. Dan zegt hij: "Julie, ik heb wat geld nodig." Ik zeg: "Waar is jouw geld nu?" Ik ga het hem niet geven. Nu is hij goed. Hij heeft niet gedronken in het laatste jaar.'

'Echt? Het hele jaar niet?'

'Rocky is een goede man,' is haar conclusie. 'Oké-bedankt-dag.'

Ik begin uit te kijken naar de komst van Julie. Haar aanwezigheid geeft me troost en ik hoor haar graag praten. Als ze aan het werk is, kletsen we over haar leven en dan stel ik haar vragen over de gang van zaken in Bombay. Ik vraag haar waar ik een broodrooster kan kopen, waar ik mijn messen kan laten slijpen, waar ik een saribloes kan laten herstellen.

Op een dag, als ze ziet dat ik etenswaren heb gekocht, zegt ze: 'Hoeveel hebt u betaald voor tomaat? Hoeveel per kilo?'

Ik zeg tegen haar dat ik dat niet zeker meer weet – misschien dertig roepies?

Ze schudt haar hoofd vermanend.

'Waar hebt u gekocht?'

Ik vertel haar waar ik ze heb gekocht: op de groentemarkt in het derde stalletje van links.

'U betaalt veel te veel. U betaalt het buitenlanderstarief. Ik neem u mee.'

De volgende keer als ze komt, loopt ze met me mee naar Bhaji Gali, wat letterlijk vertaald groentesteeg betekent. Het is een lange, drukke, nauwe doorgang met fruit- en groenteverkopers die Grant Road Station met de volgende grote verkeersader verbindt, op ongeveer tien minuten lopen vanaf mijn studio.

'Dit is mijn mevrouw,' stelt ze me voor aan de man bij wie ik de tomaten heb gekocht. Ik glimlach en knik. Ze wijst op de producten en hij weegt ze op een bascule: tomaten, aardappels en uien. Dan zegt ze iets tegen hem in het Marathi wat ik niet begrijp. Zo te zien legt ze hem het vuur aan de schenen omdat hij me te veel heeft laten betalen. Ik doe net alsof ik nergens van af weet en voel me als een klein, dankbaar kind. Sindsdien berekent de groenteman me Julies prijzen.

Omdat we dicht bij het treinstation zijn en Julie vanaf hier naar huis naar Bandra gaat, vraag ik haar waarom zij haar boodschappen niet in Bhaji Gali doet.

'Ik heb mijn eigen markt. Prijs waar ik woon is goedkoper dan hier,' zegt ze.

'Hoe komt dat?' vraag ik.

Ze kijkt me aan met een geduldige blik, alsof ze het tegen haar dertienjarige dochter heeft.

'Omdat ik arm ben en jij rijk, niet?'

Ik besluit op zoek te gaan naar een joodse school in Bombay waar ik vrijwilligerswerk kan doen. Als ik hier samen met de mensen iets kan doen, iets kan bijdragen, word ik misschien minder als een bezoeker beschouwd. Daarom ga ik naar ORT India in Worli, Bombay, een joodse vakschool die toevallig maar een paar honderd meter van Rahat Villa ligt. Als ik er aankom, besef ik pas waarom de naam van de school me zo bekend in de oren klinkt: mijn oom Moses, degene die mijn project zo'n tijdverspilling vond, vertelde me dat zijn zoon Benny de directeur is van ORT.

De opleiding is gehuisvest in een grote betonnen toren met meerdere verdiepingen, en aan het bord te zien worden er heel veel verschillende leerprogramma's aangeboden. Er is een school voor schoonheidsspecialistes, een opleiding voor reisbureaumedewerkers, een peuterklas en een bakkerij, plus een joodse bibliotheek. Ik zeg tegen de receptioniste dat ik de directeur graag wil spreken en ze vraagt me wie ik ben.

'Zeg hem maar dat zijn achternichtje uit Amerika er is,' zeg ik. Ze spert haar ogen open.

Na een paar minuten komt er een bewaker in een grijs uniform die me meeneemt naar het kantoor van Benny Isaacs, een ruime, zonnige kamer met een groot bureau, verscheidene telefoons en helder gekleurde posters van Israël.

'Hoe zit dat met het verhaal dat je mijn achternichtje bent?' zegt Benny Isaacs als ik binnenkom. Hij is een lange, goedgeklede man van achter in de vijftig die onmiskenbaar op een van mijn grootmoeders broers, mijn oom Solomon lijkt. Ik heb oom Sol in geen jaren gezien, maar ik herinner me zijn gezicht, en ik vind de gelijkenis opvallend – dezelfde lichtbruine huid, de ronde neus, een bril en een grijze snor.

Ik stel mezelf voor en leg uit wie ik ben, dat ik de kleindochter ben van Rachel Jacobs. Als ik me niet vergis, was zijn moeder, Lily, een volle nicht van mijn grootmoeder.

'Dat klopt, ja!' zegt hij, en slaat met de vlakke hand op zijn bureau. 'Ik herinner me je grootmoeder wel! Ze was een heel elegante dame.'

De bediende zet een kopje thee met veel melk en een bladerdeegkoekje voor me neer, en Benny wijst er vol trots naar.

'Hier op eigen terrein gebakken,' zegt hij. 'In onze koosjere keuken. Maar vertel eens,' zegt hij, vooroverbuigend, 'wat kan ik voor je doen?'

Ik vertel meneer Isaacs over mijn Fulbright-beurs en de reden waarom ik in India ben, en ik zeg tegen hem dat ik hoop op medewerking van een school om daar vrijwilligerswerk te doen, misschien iets met een groep jongeren, als er zoiets is. Meneer Isaacs vertelt me dat er over een paar weken een jongerendelegatie van veertien Bene Israël-studenten naar Israël gaat. Toevallig is hij voor die groep op zoek naar een manier waarop ze hun geschiedenis kunnen uitleggen aan de verschillende Israëlische studentengroeperingen die ze zullen ontmoeten als ze door het land toeren. Hij vraagt me of ik hun misschien kan helpen bij het bedenken van een of andere presentatie.

'Net als een toneelstuk!' zegt hij. 'Je weet wel: grappig en serieus – om onze geschiedenis te laten zien.'

'Wat weten de studenten over hun geschiedenis?' vraag ik hem.

'Niet veel. En de mensen zullen hun vragen: "Hoe is jullie volk in India terechtgekomen? Hoe steekt dat verhaal in elkaar?" Dat soort dingen. Weet je iets van drama?'

Ik zeg tegen hem dat ik op de middelbare school en de universiteit wel wat aan toneel heb gedaan.

'Geweldig! Waarom schrijf je geen toneelstuk? Ga het regisseren en dan gaan we het in Israël spelen.'

Ik krijg te horen dat het Overseas Resource Training (ORT) Institute in India ervoor zorgt dat jonge mannen en vrouwen van de Bene Israël vaardigheden aanleren die hun hopelijk van nut kunnen zijn als ze naar Israël emigreren. Ik breng steeds vaker mijn middagen daar door en elke keer als ik door het gebouw loop, verwonder ik me over de eindeloze codes die de aankomende reisbureaumedewerkers moeten leren, codes die ze moeten intoetsen om goedkope vluchten te vinden, de reeksen getallen en letters van de c++-programmering die ze in het computercentrum intypen en de intense concentratie van jonge vrouwelijke studenten, die zich gewapend met een schaar aandachtig over de rijen proefmodellenhoofden van de schoonheidsopleiding buigen. De wanden zijn bedekt met fleurige muurschilderingen gemaakt door kinderen en steeds vager wordende kleurenfoto's van belangrijke religieuze plaatsen in Israël.

Mijn acteurs vormen een groep van veertien studenten van tegen de twintig en begin twintig – negen slungelige jonge mannen vol zelfvertrouwen en vijf heel verlegen jonge vrouwen. Ik denk terug aan de eerste vragen die ik over de Bene Israël had – over hun uiterlijk – en ik zie dat hun donkere haar en lichtbruine huid precies overeenkomen met de foto's die ik van Nana's Israëlische familieleden heb gezien. Mijn mannelijke leerlingen kleden zich in witte of grijze nette overhemden en donkere vrijetijdsbroeken, het alom aanwezige uniform van stedelijk India. De jonge vrouwen dragen een salwar kameez in één kleur met een bijpassende dupatta. In tegenstelling tot mijn outfit, die bestaat uit een katoentje uit een confectiewinkel, zijn de kleren van de jonge vrouwen met de hand gemaakt en afgezet met kant of versierd met geappliqueerde bloemen.

Ik word geassisteerd door twee aardige docenten van achter in de twintig, Samson en Sharon, die door meneer Isaacs zijn uitgekozen om de supervisie over dit project te voeren en mee te spelen in het stuk. Samson is een opgewekte, enthousiaste ICT-leraar met kortgeknipt, steil zwart haar, die gemakkelijk lacht. Sharons lange krullerige baard, de *kippah*, en het ronde, studentikoze brilletje maken dat hij er ernstig uitziet, maar dat wordt al snel ontkracht door zijn vriendelijke gedrag. Achter zijn brillenglazen glanzen zwarte ogen, die plezier en interesse tonen in alles wat er om hem heen gebeurt. Hij geeft Hebreeuwse les aan een groep jonge mannen en fungeert binnen de gemeenschap als *sofer* – een officiële joodse schriftgeleerde. Zowel Samson als Sharon doet zijn best om me het gevoel te geven dat ik welkom ben, en ze werpen zich vol overgave op de pantomimeoefeningen die ik introduceer om de acteurs op te warmen. Ze moedigen hun studenten aan hetzelfde te doen, met wisselend resultaat.

Onze ontmoetingen vinden plaats in een donkere vergaderruimte waar gordijnen hangen versierd met kleine blauwe davidssterren. Mijn toneelstuk bestaat uit een serie korte eenakters waarin de hoogtepunten uit de geschiedenis van de Bene Israël worden verbeeld. Met een onhandige sprong van een denkbeeldig schip dat op de Kust van Konkan strandt, overbrugt de groep de afstand met de almaar herhalende bewegingen van het persen van olie uit zaden en naar het optillen van zware, denkbeeldige koffers om de aankomst van de Bene Israël in Bombay tussen 1850 en 1860 uit te beelden, om ze daarna weer op te tillen om de migratie naar Israël vanaf 1948 te schetsen waar de hele gemeenschap mee te maken kreeg. Tijdens de repetities zijn de acteurs voortdurend in beweging, van zee naar land, van dorp naar stad, van India naar Israël.

Als de studenten de tekst uitspreken die ik heb geschreven, staan ze stijfjes met hun armen langs hun lichaam en hun gezicht naar het publiek. De jongens spreken luid en duidelijk, maar de meisjes kun je nauwelijks verstaan. Als ik hun echter vraag om Hebreeuwse liedjes en gebeden op de juiste momenten in de tekst in te passen, klaren ze helemaal op en zingen vol overgave en zelfvertrouwen.

Ze vertellen me de namen van de liedjes en ik schrijf ze fonetisch op. Hebreeuwse liedjes gezongen op Indiase melodieën die honderdvijftig jaar geleden door bezoekende cantors van de joodse gemeenschap in Cochin zijn achtergelaten. Ik ben verrast door de flarden geschiedenis waaraan deze jonge mensen zich vasthouden. Velen van hen hebben delen van de legende nooit eerder gehoord, maar toch kunnen ze de Marathi-namen die hun voorouders hebben gebruikt noemen, zelfs als die namen al meer dan een eeuw in onbruik zijn geraakt. Mijn kennis van onze gemeenschappelijke voorouders is vooral gebaseerd op etnografische geschriften over de gemeenschap die tussen 1970 en 1980 door westerse vrouwen zijn geschreven. Ik merk dat ik me afvraag hoe de gemeenschap er twintig jaar geleden uitzag, toen deze wetenschappers in Bombay werkten.

Als het tijd is om te lunchen, persen Samson, Sharon en de studenten zich naar binnen bij de kantine van ORT, waarbij ze bij het naar binnengaan in een reflex met hun rechterhand de mezoeza aanraken en hun vingers kussen. De kok van ORT, tante Shoshanna, is een al wat oudere dame met de beschermende houding van een chaperonne. Nadat de studenten grappend onder elkaar grote porties op hun eigen bord hebben geschept, vult ze de schalen bij met rijst, *dhal* en salades van komkommer, tomaten en koriander. Ik luister naar de gesprekken en probeer de onuitgesproken trouw tussen de verschillende leden van de groep te begrijpen. Tegen het eind van de maaltijd vraag ik de studenten of ze van plan zijn om in India te blijven of zich liever in Israël willen vestigen. Het blijft lang stil.

'En?' zegt Sharon, rondkijkend. 'Waarom zijn jullie allemaal zo stil? Hoe denken jullie daarover?'

Na een lange pauze beginnen de antwoorden te komen, als een biecht.

'Ik ga weg als ik mijn studie heb afgemaakt,' zegt een van de jonge mannen vrijmoedig. 'Het is ons thuisland, daar moeten we eigenlijk naartoe.'

'Daar zijn het allemaal joden, samen,' zegt een andere student. 'Je kunt er een baan vinden waar ze je niet verplichten om op de sabbat te werken. Dat is veel prettiger.'

Voor sommigen is de verhuizing slechts een kwestie van tijd. Voor anderen is de beslissing veel moeilijker.

'En jij dan, Sharon? Ga jij ook naar Israël?'

'Ik heb al eens een tijdje in Israël gewoond,' zegt hij. 'Ik heb er een jaar lang met een beurs aan een jesjiva gestudeerd, daarna ben ik een *sofer* geworden. Nu kan ik de perkamenten rollen voor in de mezoeza maken, het gebed dat we aan de deurpost bevestigen. Ik ben hier teruggekomen om als joods docent te werken, maar ik hoop me nog een keer in Israël te vestigen. Mijn vrouw en ik hebben een dochter en we zouden haar graag naar een joodse school willen sturen. We hopen dat we over niet al te lange tijd kunnen emigreren, misschien al wel binnen een paar jaar.'

Ik vraag aan de hele groep: 'Gaan jullie hier of daar trouwen?'

De meisjes laten een onderdrukt gegiechel horen, en ik zie dat Judith, een van de jonge vrouwen haar beste vriendin, Leah, een elleboogstootje geeft, die vervolgens knalrood wordt. Judith is een opgeruimd, knap meisje met golvend zwart haar en wat zekerder van zichzelf dan Leah, een lange, stevige jonge vrouw met een rustig, onverstoorbaar karakter. Leah draagt haar lange haar altijd naar achteren in een paardenstaart en kleedt zich in salwar kameez-pakken in bedekte bruine en karmozijnrode tinten. Het valt me op dat ze sterk en doelbewust is als ik een-op-een met haar praat, maar dat ze in het openbaar verschrikkelijk verlegen is. Het lukt bijna niet om haar haar tekst in het stuk zodanig te laten zeggen dat het publiek het kan verstaan. Judith is al sinds de tijd dat ze kleine kinderen waren haar beste vriendin en ze zijn onafscheidelijk, dus om het wat prettiger voor hen te maken, heb ik het zo geregeld dat Leah en Judith het grootste deel van de tijd samen op het toneel kunnen staan.

De studenten vertellen me dat er tegenwoordig veel huwelijken uit liefde worden gesloten, maar dat sommigen nog steeds de voorkeur geven aan het traditionele proces van een gearrangeerd huwelijk, waarbij de ontmoetingen tussen families door een matchmaker uit de gemeenschap of een gezamenlijke vriend worden geregeld. Ze vertellen dat een aantal van hen hier zal trouwen en dan naar Israël zal gaan, maar anderen gaan voor het werk naar Israël en keren terug naar India om daar een bruid of bruidegom te zoeken. Sommigen vinden hun aanstaande in de Bene Israël-gemeenschap in Israël, die nu tussen de zestig- en tachtigduizend mensen telt.

'Zijn sommigen van jullie verloofd?' vraag ik, en de studenten lachen.

'Leah! Leah!' zeggen ze plagend. 'Vertel!'

De groep vertelt dat Leah verloofd is met Daniel, een man van de Bene Israël die nu in Israël woont. Leah en Daniel gaan volgend voorjaar trouwen en daarna verhuist ze meteen naar Israël.

'Wat doet je verloofde daar?' vraag ik Leah.

'Hij heeft een baan,' zegt ze, kijkend naar haar handen op haar schoot.

'Wat voor baan?'

'Hij werkt.'

Het valt me op dat de meeste Bene Israël geen specifieke informatie geven over wat voor werk hun vrienden en familieleden in Israël doen. Het belangrijkste is dat ze er zijn. Als ik aandring, kom ik erachter dat velen van hen in winkels, kleine bedrijfjes en hotels werken.

'Is het er anders dan je familieleden dachten toen ze ernaartoe gingen, of klopte het beeld dat ze hadden?'

De jongeren vertellen over het racisme waar de eerste Bene Israël in de jaren zestig mee te maken hadden gekregen, voordat het rabbinaat officieel verklaarde dat de Bene Israël 'in alle opzichten volledige joden' waren. Ze vertellen dat sommige van de eerste Bene Israël-emigranten een paar jaar later zijn teruggekeerd. Het was er niet zoals ze hadden verwacht. Het werk was er te zwaar, de omgeving te onbekend. Maar de meesten zijn gebleven en zijn er heel gelukkig.

'Hoe reis je van hier naar daar?' vraag ik. 'Hoe verhuis je van India naar Israël en word je een Israëlisch staatsburger?'

Ze vertellen hoe de leiders van de gemeenschap hen helpen bij het invullen van het papierwerk. Er zijn heel veel formulieren om in te vullen, en dan moet je het geld bij elkaar zien te krijgen voor een ticket en ervoor zorgen dat je klaar bent om te vertrekken. Als je aankomt, word je eerst in een *absorption center* ondergebracht waar je Hebreeuwse les krijgt. Daarna ga je op zoek naar een baan.

Ik vraag of ze zich zorgen maken over het geweld in Israël, en niemand reageert meteen.

'Zelfs hier zijn er bomaanslagen,' zegt Samson. 'En in New York ook. Je bent nergens veilig. India is ons moederland, maar Israël is ons vaderland.'

De studenten knikken heftig.

'Zijn er dingen die je zult gaan missen als je daarnaartoe verhuist?' vraag ik.

'Je zult er nooit het sociale leven krijgen zoals je dat hier in India hebt,' zegt Samson, en schudt zijn hoofd.

'Hoe bedoel je?'

'Hier maakt iedereen grappen, lacht en roept door elkaar heen. Daar zijn de mensen rustiger. Ik ben er bij mijn broer op bezoek geweest. Hij was in een nieuw flatgebouw gaan wonen. "Wie is je buurman?" vroeg ik. "Het is een alleenstaande man van in de veertig," zei hij. De dag erna wilde ik bij hem aankloppen. "Wat doe je?" vroeg mijn broer. Ik zei: "Ik dacht: ik ga de buurman even gedag zeggen en hem vertellen dat ik hier een maand op bezoek ben. Misschien wil hij wel een keer bij ons komen eten." "Nee, nee, niet doen," zei mijn broer fel, zijn hoofd wild schuddend. "Dat doen we hier niet." "Hoezo?" vroeg ik. "Hij is je buurman. Wil je zeggen dat je hem niet kent?" Mijn broer zei dat de dingen in Israël er anders aan toe gingen. Ik kon het niet geloven. Hoe kun je een muur delen met iemand en zijn gezicht niet kennen? Niet met hem eten? Ik vond dat heel vreemd. Waarschijnlijk moet ik daaraan wennen.'

Op weg naar huis kijk ik naar het chaotische stadsverkeer als de schemer overgaat in duisternis. Elk jaar emigreren er meer jonge Bene Israël naar Israël om daar een leven op te bouwen. Steeds vaker volgen familieleden hen, en er blijven er steeds minder in India achter. Ongewild vraag ik me af of degenen die vertrekken de juiste keuze maken. Maar ik ben dan ook niet opgegroeid met het idee van Israël als mijn thuisland – niet zoals deze studenten. Ik weet niet hoe het voelt om naar een thuis te verlangen dat je nog nooit hebt gezien.

Als ik de oprit op loop passeer ik rechts de man met één arm, die me stil aankijkt. De man in het geblokte overhemd die in verschillende talen in zichzelf praat, passeert me aan mijn linkerkant en begint tegen me te praten alsof we midden in een gesprek zitten.

'Het probleem is dat de stelling helemaal niets bewijst,' zegt hij rustig, op zakelijke toon. Hij spreekt Engels alsof we in Londen wonen. 'Dat is nou juist het probleem.'

Aan de wanden van mijn kamer heb ik plattegronden van de stad geprikt, en als ik 's avonds thuiskom en mijn camera-uitrusting heb weggelegd, markeer ik met een potlood welke route ik heb afgelegd. Rondom de plaatsen die favoriet waren bij mijn grootmoeder staan dikke potloodlijnen. Ik woon op slechts een paar honderd meter van Cama Hospital – waar Nana voor verpleegster studeerde en afdelingshoofd was – en drie huizen van Mani Bhavan, Gandhi's huis. Soms denk ik dat ik een glimp van Nana zie in Bhaji Gali – een hersenspinsel van een wezen met heimwee. Ik hoor hoe de verkopers hun waren aanprijzen: 'Tomatar, tomatar, tomatar... Alu, alu, alu...' Het is een soort liedje dat ze al vanaf hun jeugd hebben gezongen. Ik stel me Nana voor in deze zelfde steeg, luisterend naar dezelfde geluiden en lopend op de maat van hun kreten.

'Mevrouw!' roept Vivek, mijn groenteman. Hij bewaart de 'Engelse' groenten speciaal voor mij. Ik had nooit gedacht dat broccoli nog eens uitheems zou zijn.

'Mevrouw, u ziet er moe uit,' zegt Vivek vanavond tegen mij.

Ik knik, ik ben het met hem eens. 'Ik ben ook moe. Ik mis mijn grootmoeder, Vivek.'

'Is ze in Engeland?'

Ik knik, wil er niet dieper op ingaan.

'Ze mist u ook, dat weet ik zeker,' zegt hij plechtig, en overhandigt me vier pakjes groenten. Hij doet er gratis een stuk of tien limoenen bij en knipoogt naar me.

Ik ga naar huis en speel het cassettebandje met Nana's stem af dat ik heb meegenomen. Het is een opname die ik heb gemaakt als deel van een interviewopdracht op de middelbare school en duurt dertien minuten. Ik ben dankbaar voor de gelijkenis van de stem en de krakerige opdringerigheid van mijn slechte opnamewerk. Er zijn zo veel vragen die ik had willen stellen.

'Waar kwam uw moeder vandaan?' hoor ik mijn stem beginnen.

'Ze kwam uit een dorp in een fort.'

'En waar kwam uw vader vandaan?'

'Hij kwam uit Bombay, maar zijn voorouders kwamen uit een dorp dicht bij het dorp van mijn grootmoeder.'

'Hoe heetten ze?'

'Mijn moeder heette Segulla-bai Chordekar. Chor-de-kar. Mijn vaders naam bij de Bene Israël was Bhorupkar. Later werd die wat Engelser gemaakt. Toen werd onze familienaam Jacobs.'

'Hoe noemde u uw echtgenoot? Ik bedoel voordat u getrouwd was?'

'Ik noemde hem altijd gewoon meneer Siddiqi...'

'Meneer Siddiqi...'

Ik herhaal de oorspronkelijke achternamen van mijn overgrootvader en overgrootmoeder in gedachten telkens weer en leer ze uit mijn hoofd. Bhorupkar, Chordekar. Hun voorouders zijn van oorsprong ongetwijfeld afkomstig uit de dorpen Bhorup en Chorde. Ik zoek de namen op en omcirkel de piepkleine stipjes op de dorpenkaart. In een van mijn boeken staat een zwartwitfoto van een vrouw die op een oude oliepers zit die door een grote os wordt aangedreven. De foto werd gemaakt in 1992 en ik vraag me af of de pers er nog steeds is. Ik probeer andere foto's van de dorpen in de Konkan te vinden, nieuwsgierig naar hoe ze eruitzien en of er nog Bene Israël-families over zijn.

13

Lessen in Hindi

Bombay, januari 2002

Ik ben ervan overtuigd dat er meer is dat me van India scheidt dan alleen mijn andere achtergrond, mijn huidskleur, mijn lengte en mijn buitenlandse smaak voor felgekleurde salwar kameezes. ('Die vreemde kleren,' zei Rekhev eens tegen me in Poona. 'Ik zie nergens anders van die vreemde kleren als die jij draagt.') Het zijn al die dingen bij elkaar, maar het komt ook door de taal. Als ik Hindi zou spreken, als ik erin zou slagen de bijzonderheden van het accent en de toon onder de knie te krijgen, als ik zou weten hoe ik, zoals de plaatselijke uitdrukking luidt, me zou kunnen 'aan-passen' dan zou ik me verstaanbaar kunnen maken en zou ik, wat nog belangrijker is, begrijpen wat er om me heen gebeurt.

Al een maand lang kom ik op weg naar huis vanaf Grant Road Station langs een onopvallend bord met daarop:

Mr. V. Shukla, b.a., m.a. English
Hindi-onderwijs
Uitmuntendheid verzekerd inzake lessen
aan vele buitenlandse cliënten uit alle landen

Ik besluit er een kijkje te nemen.

Hindi, een mix van verschillende Indiase talen, wordt in heel Noord-India gesproken en lijkt erg veel op Urdu, wat de taal is van Zuid-Aziatische moslims en de taal waarmee mijn moeder in Karachi opgroeide. Ik ben opgegroeid met de klanken van Urdu – de zangerige tongval van mijn moeder en mijn grootmoeders aarzelende staccato – en de patronen van die taal hebben hun stempel achtergelaten. Tot op heden heb ik me in Bombay kunnen redden met mijn beperkte woordenschat in het Hindi en met handgebaren, maar ik ben me scherp bewust van de nuances die aan me voorbijgaan. Het is een beetje als cocooning, dat niet begrijpen van de terloopse gesprekken die me als gezang van vogels omgeven. Marathi, de taal die in de staat Maharashtra wordt gesproken, was Nana's moedertaal, en op haar dertigste, na haar emigratie naar Pakistan, leerde ze pas Urdu. Net als de meeste Bene Israël sprak ze op school Engels, in Bombay op straat Hindi of Marathi en thuis een mengeling van Marathi en Engels. Nu spreken vrijwel alle Bene Israël Engels, net als de rest van de Indiase middenklasse. De taal voor het opvoeden van kinderen en van eenvoudige huishoudelijke zaken is nog steeds Marathi. Degenen die plannen hebben om naar Israël te emigreren volgen Hebreeuwse lessen in het plaatselijke joodse gemeenschapscentrum in Mahim. De klanken van het Marathi zijn één grote brij tegen de tijd dat ze mijn oren bereiken. Hindi klinkt toegankelijker en de noodzaak om die taal te leren lijkt groter.

Op een middag in januari volg ik een stel kleine gele pijlen vanaf de steeg tot aan de deur van meneer Shukla, op de eerste verdieping van een oud flatgebouw – een grauw en grijs betonnen bouwwerk versierd met wat eens kleurrijk geverfde houten bogen en balkons zijn geweest.

Boven de deur hangt een limoen, doorboord met een draad. Aan de draad zitten vier kleine groene Spaanse pepers en een stuk houtskool geknoopt. Ze hebben me verteld dat het zuur van de limoen, gecombineerd met de pittige pepers het boze oog afweert, dat op zijn beurt door de houtskool wordt opgenomen. Aan de deur hangt een bord met daarop Mr. V. Shukla, b.a., m.a. Op een ander, kleiner plakkaat eronder staat te lezen: opgeleid in het buitenland. Heel even speel ik met de gedachte om ook zo'n bord voor mijn eigen deur te maken.

Ik klop drie keer op de deur met een koperen klopper en omdat ik geen reactie krijg, begin ik de trap weer af te lopen. Op hetzelfde moment gaat de deur open en verschijnt er een slaperig uitziende vrouw, zo te zien van midden zestig, gekleed in een kamerjas. '*Bolo?*' zegt ze, waarmee ze me vraagt iets te zeggen. Ik zeg haar dat ik op zoek ben naar meneer Shukla. 'Hindi les?' vraagt ze hoopvol, en ik knik instemmend. '*Ek* minuutje,' zegt ze, en trekt zich een ogenblik terug in de kamer. Ik hoor haar praten tegen een man binnen. Dan komt ze weer tevoorschijn, grist een mannenhemd van de waslijn en gaat weer naar binnen. Een paar minuten later word ik binnengelaten in een kamer van zo'n twee bij drie meter, waar een oudere man, gekleed in het overhemd van de waslijn, aan een miniatuurbureau de krant zit te lezen. Hij lijkt midden zeventig, heeft dikke brillenglazen, en een plukje wit haar staat in de houding richting plafond. De vrouw, van wie ik nu denk dat ze de echtgenote van de man is, maakt het zich gemakkelijk op een matras links van mij, die op kastjes boven de vloer is geplaatst, waardoor er voor overdag een bank is ontstaan en, waarschijnlijk, voor 's nachts een bed. Ze legt haar dupatta over haar hoofd en haar hand over haar gezicht om weer verder te slapen. In een hoek van de kamer staat een kookplaat boven op een klein formaat koelkast en een vrijstaande plastic watertank. De rechterwand van de kamer wordt volledig in beslag genomen door boeken en handleidingen, die zorgvuldig op elkaar zijn gestapeld. *The Complete Works of William Shakespeare* ligt gebroederlijk naast *Chicken Soup for the Soul.*

De man gebaart naar een plastic stoel aan de andere kant van zijn bureau en vraagt me te gaan zitten.

'Ik hoop dat ik niet stoor?' vraag ik aarzelend.

'Zeker niet. Ik ben V. Shukla, leraar Hindi,' deelt hij ietwat hoogdravend mee. 'Ik ben de leraar van vele buitenlandse cliënten op alle ambassades. Ik geef workshops en lezingen, en ik leer mensen binnen één maand Hindi spreken. En jij bent?'

Ik leg meneer Shukla uit dat ik een Amerikaanse studente ben die een jaar in India verblijft.

'Hindi is een geweldige taal,' geeft meneer Shukla een voorzetje. 'Helemaal niet moeilijk. Zullen we beginnen? Pak alsjeblieft een vel blanco papier en een potlood nummer twee. Om Hindi te leren is alleen nummer twee geschikt.'

Ik leg meneer Shukla uit dat ik niet ben voorbereid om vandaag al met de lessen te beginnen, en dat ik geen potlood en papier bij me heb. Hij kijkt me over zijn bril aan, zijn kin op de borst. 'Om Hindi te leren is goed materiaal noodzakelijk,' zegt hij hoofdschuddend. 'Het geeft niet. Ik zorg er wel voor. Jyoti!' zegt hij, waardoor zijn vrouw wakker schrikt. 'Papier en potlood nummer twee!' Jyoti werpt een vernietigende blik op haar man, komt in beweging en pakt wat hij wil hebben uit een kastje onder het bed.

'Eerst leggen we het papier voor ons neer, zoals zo.' Meneer Shukla legt een vel papier voor zichzelf neer en een ander voor mij.

'Vervolgens schrijven we "Om" boven aan het papier, zoals zo.'

Meneer Shukla schrijft 'ом' in bibberige hoofdletters boven aan het vel papier en daarna op het mijne.

'Daarna bidden we tot de godin Saraswati, de hindoegodin van het leren. Doe je ogen dicht.'

Ik sluit mijn ogen, en gluur af en toe naar meneer Shukla, die zijn handen tegen elkaar heeft gezet en een kort gebed opzegt.

'En dan beginnen we,' zegt meneer Shukla. 'Boven aan de bladzijde schrijven we "*Namaste*". Dat is een Indiase manier om iemand met respect te begroeten.' Meneer Shukla schrijft 'Namaste' boven aan zijn vel papier, dan op het mijne.

'Daarna schrijven we "Hoe heet je?" "*Aapka nam kya hai?*" Daarna schrijven we "Hoe gaat het ermee?" "*Aap kaise haam?*" Vergeet niet: "kaise" voor mannen, "kaisi" voor vrouwen. Dat is het grammaticaal geslacht.'

'Meneer Shukla, kunt u me uitleggen hoe dat grammaticaal geslacht in het Hindi werkt en hoe de opbouw van een zin in elkaar zit? Het is me bijvoorbeeld opgevallen dat in het Hindi het werkwoord van de zin vaak aan het eind staat in plaats van...'

'Dat is voor een latere les. We behandelen nu een introductieles.'

'O, sorry.'

'Daarna schrijven we *"Aapko yahaan kaisa lag raha hai?"* "Vindt u het hier leuk?" *"Aap kis desh se hain?"* "Uit welk land komt u?"'

De les gaat op dezelfde manier nog minstens een uur door, totdat beide kanten van mijn vel papier vol staan met zinnen Hindi, als in een taalgidsje. Als meneer Shukla bij *'Aapki yatra mangalmay ho'*, 'Ik wens u een goede reis', is aangekomen, betekent dat het eind van zijn eerste les.

'Nu bidden we tot de godin Saraswati, de hindoegodin van het leren, danken haar voor wat we hebben geleerd en vragen haar om een succesvolle voltooiing van de lessen Hindi te garanderen.'

We doen onze ogen dicht, net als eerder, en meneer Shukla zegt een ander gebed op.

'Nu gaan we theedrinken,' kondigt meneer Shukla aan, en als op afroep produceert een morrende Jyoti twee kopjes zoete thee. 'Hoe laat kom je morgen?'

Ik zal hopen dat de lessen na deze introductieles wat interessanter worden en ik probeer een regeling voor te stellen die voor ons allebei acceptabel is. Ik stel voor dat we misschien drie sessies per week kunnen houden, op een tijdstip dat geschikt is voor meneer Shukla.

'Als je Hindi wilt leren is zeven uur 's ochtends de beste tijd, na de yoga,' zegt meneer Shukla stellig. 'Doe je aan yoga?' vraagt hij.

Ik schud mijn hoofd. Hij kijkt verrast.

'Buitenlanders zijn erg dol op yoga. Ik doe zelf zeven dagen per week yogaoefeningen, net als mijn vrouw. Het is uitstekend voor je gezondheid! Geeft niets. Kom hoe dan ook om zeven uur.'

Ik leg uit dat zeven uur een beetje vroeg voor mij is. Is het niet mogelijk om om negen uur te komen?

'Negen uur kan niet.'

'Tien uur?'

'Kan niet.'

'Twee uur?'

'Twee uur moet ik afraden.'

'Zes uur?'

Meneer Shukla wacht even en denkt er met gesloten ogen over na. 'Zes uur. Afgesproken,' zegt hij, zijn ogen openend.

We spreken als honorarium een bedrag af dat voor ons beiden aanvaardbaar is en spreken af elkaar overmorgen weer te ontmoeten.

'Leer de aantekeningen uit je hoofd en breng spullen mee. Denk eraan: potlood nummer twee!'

Ik knik, bedank hem voor de les, dank mevrouw Shukla voor de thee en haast me via de trap naar beneden, de laan door naar mijn huis, voordat meneer Shukla besluit de les nog te verlengen.

14

Geboortegrond

Bombay, februari 2002

Mijn broer, Cassim, is een jaar geleden afgestudeerd en heeft een beurs gekregen om op de Fiji-eilanden onderzoek te doen naar de blijvende gevolgen van de contractarbeid en de rassenpolitiek van de recente coup. Hij woont er nu vijf maanden – lang genoeg om het hele hoofdeiland in de lengte over te lopen, vrienden te maken in de plaatselijke Ierse pub en door een plaatselijke Indiaas-Fijisch gezin te worden opgenomen. Suva, de hoofdstad, waar hij woont, telt tachtigduizend inwoners. Getallen zeggen me niets, maar het klinkt groot. Cassim berispt me door de telefoon en zegt dat ik beter zou moeten weten: het is ongeveer net zo groot als Newton, de voorstad van Boston waar we zijn opgegroeid. Om zijn opmerking kracht bij te zetten vertelt hij me dat hij de dag ervoor was vastgelopen met zijn onderzoek en naar de bioscoop in het centrum van de stad was gelopen. Hij had bij zichzelf gedacht: niemand ter wereld weet wat ik aan het doen ben. Toen hij naderhand de pub binnen was gewandeld, had de barkeeper gevraagd: 'Hoe was de film?' Cassim had hem gevraagd hoe hij wist dat hij, Cassim, naar de film was geweest en de barkeeper had geantwoord: 'Fiji is niet zo groot.'

'Kom me in Bombay bezoeken,' zeg ik tegen hem. 'Ik heb je hulp nodig en hier vind je meer dan genoeg anonimiteit.'

Cassim heeft er drie dagen voor nodig om van Fiji naar India te reizen – hij volgt de route in tegengestelde richting die de Indische contractarbeiders tussen 1860 en 1870 per boot zetten, die tegen hun wil uit hun vertrouwde omgeving waren weggerukt en door de Britse autoriteiten gedwongen werden langdurige, onbepaalde contracten af te sluiten. Cassim steekt het zwarte water met een aantal vliegtuigen over: Suva naar Auckland, Auckland naar Sydney, Sydney naar Delhi en Delhi naar Bombay. Als hij op een ochtend vroeg per taxi bij mijn appartement arriveert, beginnen we te praten en stoppen daar pas weer mee aan het eind van de middag. Fiji heeft Cassims huid een warmbruine kleur gegeven. Hij lijkt zich meteen thuis te voelen, waar hij ook is, op een manier die me doet afvragen of mij dat ooit zal lukken.

'Je ziet er mager uit,' zeg ik.

'Fijiërs staan niet bekend om hun goede keuken,' zegt hij.

Julie verschijnt en trots stel ik Cassim aan haar voor. Julie, net als altijd nogal wantrouwig tegenover 'manspersonen', werpt een blik op zijn gekreukelde verschijning en zegt: 'Hij moet zijn kleren wassen. Denk ik?'

Dat is waar. Cassim en zijn Fijische vrienden dachten dat het avontuurlijk zou zijn om te voet naar het vliegveld te gaan, wat inhield dat ze door een stuk regenwoud moesten lopen. Door zijn van water doortrokken schoenen ruikt mijn broer als een tropisch moeras.

Hij vertelt me over zijn werk en ik vertel over het mijne. Cassim moet om me lachen en schudt vol genegenheid zijn hoofd als hij me hoort ratelen. Stilzwijgend accepteert hij mijn aanbod van thee, toast en lunch, en ik heb het gevoel alsof we weer thuis zijn, in ons ouderlijk huis. Het is zo opwindend om mijn pas verworven kennis en frustraties met iemand te kunnen delen die Nana heeft gekend en dezelfde associaties heeft. Ik leg een kaart van Maharashtra op de grond en volg met mijn vinger de korte afstand tussen Bombay en de Kust van Konkan.

'Daar hebben de Bene Israël schipbreuk geleden, zeggen ze... Daar.' Ik wijs het dorp Navgaon aan. 'En dit is het gebied waar ze zich hebben gevestigd, verschillende Bene Israël-gezinnen in elk dorp en werkend als oliepersers.' Ik wijs naar een serie dorpjes die voornamelijk langs de kust verspreid liggen. 'Dat zijn kleine synagoges die midden 1800 zijn gebouwd, nadat de Bene Israël in contact waren geweest met Britse missionarissen die hen als joods hadden herkend.'

'Dat is te gek,' zegt Cassim. 'Daar had ik geen idee van.'

Ik pak een handgemaakte kaart uit een boek over de Bene Israël.

'Dit is een kaart met dorpen in de Konkan, in het district Raigad, waar Bene Israël-families hebben gewoond. Kijk, ze hebben hun achternamen ontleend aan de dorpen waar ze verbleven. "Kar" betekent "uit" in het Marathi. Als we dus naar het dorp Pen kijken, dan weten we dat die families zich Penkar noemden.'

'Ik herinner me dat Nana's vader Bhorupkar heette.'

'Dat klopt. Kijk, daar ligt Bhorupali, kijk daar,' zeg ik opgetogen. 'En Nana's moeder was een Chordekar. Dat hoorde ik via een interview met haar dat ik had opgenomen. Haar voorvaderen moeten dus afkomstig zijn geweest uit Chorde.'

'Ik zie Chorde. Dat is niet erg ver van Bhorupali.'

'Als Nana's ouders een voorbeeld waren voor dat tijdsgewricht, zijn hun grootouders of ouders in die dorpen opgegroeid, en groeiden ze zelf hoogstwaarschijnlijk op in Bombay. Maar Nana vertelde dat haar ouders afkomstig waren uit een dorp in een fort.'

'Dat klinkt als een raadsel,' zegt Cassim.

'Ik weet het.'

'Nou, laten we dat gaan uitzoeken. Ik ben overal voor in,' zegt Cassim, en buigt zich over de kaart.

Als ik opbel om een auto te reserveren die ons langs de Kust van Konkan kan rijden, vraag ik Bimal, de eigenaar van het verhuurbedrijf, of het mogelijk is om een chauffeur in te huren die Marathi spreekt. Cassim heeft op de universiteit Hindi gestudeerd. Ik denk dat het Marathi van de chauffeur en het Hindi van Cassim tezamen met de landkaarten voldoende zijn om de weg te vinden.

'Ik kom zelf wel,' zegt Bimal.

'Spreekt u dan Marathi?' vraag ik.

'Eigenlijk kom ik van oorsprong uit Delhi en spreek ik alleen Hindi. Maar ik neem een vriend mee. Die spreekt Marathi en is hard aan vakantie toe.'

De volgende ochtend om zes uur vertrekken Bimal, zijn vriend Vinod, Cassim en ik naar het zuiden, richting de Kust van Konkan. We ruilen het centrum van de stad in voor de buitenwijken, rijden eerst door groene gedeelten en daarna volgen lange stukken snelweg. Ik had niet gedacht dat het zo'n opluchting zou zijn om Bombay achter me te laten, de vervuilde lucht, het voortdurende spervuur aan beelden die het brein bezetten. Nog geen drie uur later worden we omringd door een landschap van geruststellende eentonigheid: groene en bruine velden aan beide zijden, hier en daar een boom, af en toe een telefooncel en sigarettenwinkel, en de terloopse ossenwagen die kalm langs de weg rolt.

Bimal lijkt niet onder de indruk van het uitzicht, maar zijn vriend is enthousiast. Vinod draait het raampje naar beneden en ademt de frisse lucht in. 'Eersteklas!' roept hij, maar draait het raampje toch weer omhoog omwille van de airco, waar Bimal de voorkeur aan geeft.

Als we onze eerste stop naderen, informeren Bimal en Vinod naar mijn project.

'Je wilt dus mensen ontmoeten die uit Israël komen?' vraagt Bimal met gefronst voorhoofd.

'Eigenlijk zijn ze van hier. Ze spreken Marathi en ze wonen in deze streek, maar ze geloven inderdaad dat ze oorspronkelijk uit Israël afkomstig zijn. Ze geloven dat ze tweeduizend jaar geleden in India schipbreuk hebben geleden.'

'Maar ze zijn dus van oorsprong Israëliërs?'

'Het zijn joden. Ze zijn aanhangers van het judaïsme, maar ze wonen al honderden jaren in India, dus ze zijn behoorlijk Indiaas.'

'Zien ze er Indiaas uit?' vraagt Vinod.

'Sommigen zijn vrij blank, maar over het algemeen genomen zien ze er heel Indiaas uit.'

'Ik begrijp het,' zegt Vinod, met een sceptische blik.

Alibag, onze eerste stop, is een middelgroot stadje met aspiraties om een beach resort te worden. 'GOLDEN SEA SIDE HOTEL SIX STARS!' 'LILAC FAMILY STYLE INN' 'COLOR TV!' schreeuwen de borden die de gebouwen in het stadscentrum sieren. We naderen een groep riksjarijders die zich bij het busstation heeft verzameld, wachtend op passagiers, en we vragen de mannen waar we de synagoge kunnen vinden – de vraag wordt met starende blikken ontvangen.

'Wat is dat voor iets?' vragen de riksjarijders, en ze komen om ons heen staan. We leggen uit dat het een joodse tempel is, een *yahudi ka mandir*, een bedehuis.

'Een soort kerk?' vraagt een van hen. Ik knik.

'Een soort kerk of tempel,' antwoord ik. 'Voor joodse mensen. Waar ze naartoe gaan om te bidden.'

De riksjarijders schudden mismoedig hun hoofd.

'Nee, zoiets is hier niet,' zegt er een tegen een ander. En vervolgens ernstig tegen mij: 'Mevrouw, wij vinden die plaats hier niet.'

Ik gebruik het woord 'yahudi' voor 'joods', een term met een Semitische achtergrond. Het is duidelijk dat de riksjarijders er nog nooit van hebben gehoord.

'Hebben jullie wel eens gehoord van een gemeenschap, een kleine gemeenschap die hier al vele, vele jaren bestaat, en de leden geloven in één God, net als moslims, maar werken niet op zaterdag?'

Vinod vraagt tot welke kaste ze behoren. Daardoor kunnen ze misschien gemakkelijk worden geïdentificeerd.

'Ze stonden bekend als de kaste van oliepersers,' zeg ik aarzelend.

'O! U bent op zoek naar de Israëlische *masjid*!' is de onmiddelijke reactie, in koor. 'Waarom hebt u dat niet meteen gezegd?'

'Masjid' betekent 'moskee', en het verbaast me dat ik dat woord hoor gebruiken om een joods gebedshuis mee aan te duiden. Er is enige onenigheid over wie ons naar de 'Israëlische masjid' zal brengen, en dan wordt er onderling besloten dat degene die er het dichtst bij woont het wel het beste zal weten en maar als gids moet fungeren. Ondanks de toch duidelijke uitkomst van het gesprek met de riksjarijders, worden we in een bonte stoet naar een kloosterschool gebracht, waar de voorste rijder zijn voertuig op de oprijlaan parkeert en het gebouw binnengaat. Ik vraag me af of hij christenen en joden op de een of andere manier in gedachten aan elkaar heeft gekoppeld, en had hem dat graag willen vragen.

De riksjarijder komt nonchalant terugkuieren. We keren om en staan weer met ons gezicht in de richting waar we vandaan zijn gekomen. We zoeven in vliegende vaart door de beschaduwde lanen totdat Cassim iets vanuit zijn ooghoeken ziet flitsen.

'Sadia, is dat geen davidsster?'

Ik draai mijn hoofd en zie een davidsster uitgehakt in een stenen poort, naast een serie namen van Bene Israël-leden die geld hebben gedoneerd voor de poort, en, conform de plaatselijke traditie, de hoogte van het geschonken bedrag. Achter de poort ligt een prachtig, in verval geraakt oud gebouw – dat moet de synagoge zijn. Bimal parkeert de auto en Cassim en ik wagen ons aarzelend naar binnen. De voorzijde van het bouwwerk wordt gesteund door verschillende pilaren, die nog steeds een vage blauwe kleur hebben. Het gebouw heeft een soort veranda met ingelegde tegels en een grote en indrukwekkend bewerkte houten deur met een ivoren mezoeza. Een eenzaam paar sandalen staat bij de deurpost. We gluren naar binnen en zien een heel oude meneer, helemaal in het wit gekleed, zijn gebeden opzeggen op het verhoogde plateau in het midden van de synagoge.

Cassim en ik gaan stilletjes op een bank zitten. Uit mijn cameratas vis ik een keppeltje tevoorschijn dat ik voor de gelegenheid van ORT India heb geleend, en geef dat aan Cassim om het op zijn hoofd te zetten.

'Ik had nooit gedacht dat ik nog eens een keppeltje zou moeten dragen voor een van jouw onbezonnen plannen. Hoe zie ik eruit?' vraagt Cassim grinnikend.

'Perfect,' zeg ik.

Als de oude heer klaar is met zijn gebeden, loopt hij langzaam de synagoge uit. Hij lijkt niet verbaasd ons daar te zien. Hij werpt ons een vage, welwillende glimlach toe en wuift, alsof hij meedoet aan een optocht en langs ons heen zweeft.

'Neemt u me niet kwalijk, maar bent u hier de huisbewaarder?' vraag ik, de zin uitsprekend die ik met mijn leraar, meneer Shukla, heb geoefend.

Hij kijkt ons aan, wuift weer naar ons en wijst naar een gebouw aan de overkant van de straat, daarna weer naar de synagoge en blijft maar doorlopen. We zien hem langzaam, met steun van zijn stok door de laan lopen. Ik weet niet goed wat ik nu moet doen.

Op hetzelfde moment dat we lawaai horen van metalen potten en pannen die tegen elkaar aan ketsen, komt er vanaf de overkant van de straat een andere oudere heer aanlopen. Hij is iets jonger en veel gezetter dan de eerste en komt de weg op stormen. Hij heeft blauwe ogen en een grote, witte, vrij vierkante snor en is gekleed in een hemd vol vlekken, dat eruitziet alsof het ooit een soort uniform is geweest.

'Baba! Baba!' roept hij naar de oudere man en rent achter hem aan. 'Sorry, sorry,' zegt hij. Hij biedt de man zijn arm aan en helpt hem naar de voordeur van zijn huis, een paar huizen verderop in de straat. 'Ik kom er zo aan!' roept hij naar ons, over zijn schouder. 'Blijf daar wachten! Ik moet alleen oom even helpen, dan kom ik eraan!'

Bimal en Vinod staan aan de andere kant van de weg geparkeerd en luisteren naar een cricketwedstrijd op de radio.

'Zijn dat ook joden?' vraagt Vinod, wijzend op de mannen, en ik knik.

De man verschijnt weer, nu met een zwierig gebaar. Hij maakt een klein sprongetje en als hij ons nadert draait hij aan zijn snor.

'Neemt u me alstublieft niet kwalijk. Het is mijn taak hier om die oom te helpen, van zijn huis naar de synagoge en terug. Hij is inmiddels behoorlijk oud en heeft niet zo'n goede gezondheid. Ik zat te eten en vergat helemaal dat het gebed ongeveer klaar moest zijn.'

'Bent u de huisbewaarder van de synagoge?'

'Ja, ik ben meneer Ellis. Ik ben hier de huisbewaarder. Zeg alstublieft, uit welk land komt u?'

We vertellen dat we uit de Verenigde Staten komen en dat ik de synagoges in de Konkan wil fotograferen.

'Welkom, welkom. Er komen hier veel buitenlanders op bezoek. Uit Israël, uit de VS. Veel mensen komen hier om onze synagoge te bekijken. We zijn bezig met een renovatie – daarom is het gebouw een beetje een rommel – maar als we het af hebben, zal het er nog veel mooier uitzien. Wilt u thee?'

Hij neemt ons mee naar een openluchtkeuken aan de voorkant van het huis waar hij eerder vandaan kwam en wijst naar een *charpoy*, een soort bed met gevlochten touw als matras, waar we op kunnen gaan zitten.

'Hallo?' roept hij, en er verschijnt een oudere vrouw die er slaperig en nogal bozig uitziet. Hij praat met haar in het Marathi.

'Is zij uw vrouw?' vraag ik, nadat ze weer naar binnen is gegaan.
'Nee, nee,' zegt hij haastig. 'Ik woon hier alleen. Dit een hindoe-
dame. Haar gezin en zij zorgen voor mij, ik ben een soort betalende
gast. Ze geven me eten op betaling.'
'Vindt ze het vervelend dat ze thee moet zetten?' vraag ik, en
voel me opgelaten dat ik de dame overlast bezorg.
'Nee, nee, natuurlijk niet. Jullie zijn mijn joodse gasten! Sjalom!'
'U zei dat de gemeenschap de synagoge aan het renoveren is?'
zegt Cassim.
'Ja, dat klopt. Er komt een parkeerplaats. We krijgen elektriciteit.
Het wordt nog veel mooier.'
'Hoeveel families wonen hier? Hoeveel mensen komen naar de
synagoge?' vraag ik.
'Er zijn nog ongeveer vijftig joden over. En uit de omliggende
dorpen komen de mensen ook naar deze synagoge. We hebben niet
altijd tien mannen voor een *minjan*, maar we doen ons best. Op de
hoogtijdagen is er een goede opkomst. Soms komen de mensen zelfs
uit Bombay en nog verder weg. Zeg eens, kent u St. Louis, Missouri?' vraagt hij opgetogen. 'Woont u daar in de buurt?'
Cassim en ik schudden het hoofd. 'Nee, wij komen uit de buurt
van Boston en New York,' zegt Cassim. 'Dat is er nogal ver vandaan.'
'Een neef van mij woont in St. Louis, Missouri. Hij heet Reuben.
Hij is een heel geslaagd zakenman. Hij zit in het middenkader. Ik
dacht dat u hem misschien een boodschap zou kunnen overbrengen
als u hem tegenkomt...' zegt hij met een teleurgestelde blik. 'Misschien ontmoet u hem nog wel een keertje,' zegt hij, vrolijker nu.
'Als u hem ziet, zegt u hem dan dat zijn neef Ellis op hem wacht. Ik
ben nu de huisbewaarder van de synagoge van Alibag en wacht hier
op hem. Wilt u dat tegen hem zeggen?'
Cassim en ik knikken instemmend, weten niet wat we anders
moeten doen.
Na de thee lopen we rond in de synagoge, en ik maak een paar
foto's van de renovatiewerkzaamheden. Meneer Ellis laat ons een
lamp zien die op een tafel staat, bijna in het midden van de ruimte,
en hij vertelt ons dat het zijn belangrijkste taak is om de vlam brandend te houden. Eén keer per dag ververst hij de olie, wat hij ons
demonstreert. Terwijl wij staan te praten, komen twee grijze dames

de synagoge in lopen. Ze hebben de mooi versierde uiteinden van hun sari's over hun hoofd gedrapeerd.

'Sjalom sjalom!' zegt meneer Ellis, de dames begroetend. Hij legt in het Marathi uit wie we zijn en wat we komen doen. Ter begroeting knikken ze naar ons en wij knikken terug. De dames zeggen iets in het Marathi tegen meneer Ellis en hij maakt de ark open waardoor versierde zilveren rollen zichtbaar worden met de Sefer Thora binnenin. De dames gaan naar de ark toe en steken hun hand uit, met de handpalm richting de Thora. Ze doen hun ogen dicht en beiden zeggen ze een kort gebed op. Daarna kussen ze hun vingertoppen met korte, steeds herhalende bewegingen, bedanken meneer Ellis en knikken naar ons ten afscheid.

'Wonen die dames in Alibag?' vraag ik.

'Nee, die dames komen uit dorpen hier ver vandaan, maar misschien moesten ze iets doen in Alibag en komen ze daarom hier. Voordat ze naar huis gaan betonen ze God eer in de synagoge. Zo gaat dat.'

Als we naar buiten gaan, vraag ik meneer Ellis of ik een foto van hem mag maken.

'Zeker!' zegt hij. 'Zal ik een liedje zingen?'

Hij begint een lievelingsliedje van de Bene Israël te zingen. De woorden zijn Hebreeuws, vertelt hij, maar de melodie is afkomstig van een populaire Marathi-film uit de jaren vijftig. Het lied klinkt prachtig en mysterieus. Ik zet meneer Ellis op de foto terwijl hij op de veranda staat te zingen en Cassim zijn optreden met mijn videocamera vastlegt. Cassim vraagt me niet in beeld te gaan staan en ik loop de tuin in. Meneer Ellis denkt dat ik het niet meer interessant vind.

'Ik ken nog wel een ander liedje,' dringt hij aan, en hij barst uit in een indrukwekkende vertolking van Havah Nagilah. Hij kent alleen het refrein en zingt dat keer op keer, en dan gaat hij over op een soort vreugdedansje: hij trekt zijn benen hoog op en springt heen en weer op de veranda. De jonge kinderen uit de buurt gluren door het hek en kijken naar meneer Ellis. 'De kinderen vinden dit prachtig!' roept meneer Ellis uit.

We doen een kleine donatie voor de synagoge en zeggen meneer Ellis dankbaar gedag. Als we wegrijden zegt Cassim: 'Sadia, draai je eens om.'

Meneer Ellis staat midden op de weg en danst op zijn a-capella-vertolking van Havah Nagilah. Hij wordt omringd door een groep kinderen die op het ritme van de muziek meeklappen.

'Zo gaat het goed, kinderen!' horen we meneer Ellis zeggen. 'Ha-vah Na-gi-lah... Ha-vah Na-gi-lah... Ha-vah Na-gi-lah...'

'Volgens mij is deze man heel gelukkig met het dienen van God,' zegt Vinod als we wegrijden.

De volgende drie dagen rijden we van dorp naar dorp, op zoek naar precies hetzelfde. Naarmate we verder weggaan van Bombay, lijkt het alsof onze missie voor de mensen die we onderweg ontmoeten steeds geheimzinniger wordt, maar het is geweldig op die zeldzame momenten dat ik een flits van herkenning over de gezichten van de mensen zie glijden als we de weg naar de synagoge vragen. Als we weer een ander dorp hebben bereikt steekt Vinod zijn hoofd uit het raampje en maakt een smakkend geluid met zijn lippen, waarmee hij de aandacht van de theedrinkende oude mannen trekt.

'Waarom maak je telkens dat geluid?' vraagt Bimal geïrriteerd.

'Dat is een begroeting in het Marathi, *yaar*,' zegt Vinod, en kijkt geërgerd. 'Deze mensen begrijpen dat.' Hij werpt Bimal een chagrijnige blik toe en doet het nog een keer. 'Oom, oom,' roept Vinod. 'Israëlische masjid? Israëlische masjid?'

In Bombay wordt de route aangegeven met een systeem van herkenningspunten en worden adressen alleen maar gebruikt om hun verhouding duidelijk te maken met ziekenhuizen, politiebureaus en bioscopen. In de dorpen bestaan de herkenningspunten uit tempels, bomen en huizen, die samensmelten tot één grote onherkenbare brij. We rijden door smalle laantjes en maken telkens weer dezelfde rondjes.

We hangen om beurten uit het raampje met de vraag: 'Israëlische masjid? Israëlische masjid?'

Ik probeer zelf ook dat smakkende geluid te maken, maar dat mislukt hopeloos. Ik begin de antwoorden van de mensen op onze vragen op te schrijven, waarmee ik me nuttig probeer te maken.

Onder een boom, naast de plaatselijke telefooncel van PCO en een *paan*-winkel, zit een oudere man gehurkt op zijn platte voeten een *beedi*-sigaret te roken.

'De Israëlische masjid...' zegt een man peinzend. 'O, bedoelen jullie de mensen die na elke oogst een tent bouwen en daarin dansen?' vraagt hij Vinod, die het vertaalt.

'Ja, ja,' zeg ik opgetogen, als ik begrijp wat hij bedoelt. De man heeft het vast en zeker over het Loofhuttenfeest, waarbij joden uit de hele wereld buitenshuis een bouwsel maken ter herinnering aan de jaren van onderworpenheid in Egypte. Aan het eind van het zeven dagen durende Loofhuttenfeest wordt de Simchat Thora gevierd, en dan wordt er gedanst omdat het joodse volk de Thora bezit en leest, en er weer een jaar voorbij is en een nieuw jaar begint. 'Dat zijn ze!'

'Waar zijn ze?' vragen we allemaal tegelijk.

Het antwoord is vaak: 'Weg.' We treffen lege huizen en synagoges aan met gesloten deuren. Ik vraag me af wat voor soort leven de vroegere bewoners nu leiden. Of ze in Bombay of Israël zijn, en wat ze denken van het leven dat ze hier achter zich hebben gelaten.

In een dorp genaamd Poinad treffen we tussen de woonhuizen

een goed onderhouden synagoge aan. Het gebouw is in helderblauw, roze en wit geverfd en doet een beetje aan een taart denken. Cassim zegt: 'Ik verwacht steeds dat al die gebouwen op elkaar lijken, maar ze zijn allemaal verschillend. Ik vraag me af wat de betekenis is van al die kleuren.'

We vragen bij de buren wie de huisbewaarder van deze synagoge is, en het antwoord luidt meestal 'Moses'. We dwalen rond in Poinad, op zoek naar Moses, die we aantreffen in een stal opzij van de hoofdweg, en die druk bezig is met de verzorging van een prachtig chocoladebruin paard. We hadden verwacht een oudere man te ontmoeten en zijn dan ook verbaasd dat we een jongen van een jaar of achttien aantreffen. Hij legt uit dat het paard van zijn familie is, en dat het dier voor huwelijken en speciale gebeurtenissen wordt verhuurd. Hij gaat ons te voet voor naar de Hesed-El Synagoge, die niet veel groter is dan een kleine slaapkamer. Een flinke olielamp domineert de ruimte die Moses graag gefotografeerd wil zien. Hij wijst op de renovaties die zijn familie heeft uitgevoerd en vertelt ons dat het hem zo spijt dat ze niet meer kunnen doen. Hij zegt dat zijn familie een van de twee overgebleven Bene Israël-families in Poinad is. Zijn oudere broer is naar Israël geëmigreerd en nu zijn alleen zijn ouders en hij nog over. Ik vraag hem of hij ook plannen heeft om in de toekomst naar Israël te vertrekken.

'Ik wil wel graag gaan,' zegt hij, 'maar ik maak me er zorgen over. Wie moet er dan na mijn vader voor de synagoge zorgen?'

Cassim vraagt hem naar de kleuren. 'Hebben die een of andere betekenis? Zijn dat de traditionele kleuren van de Bene Israël?'

'Vindt u ze mooi?' vraagt Moses, met een blij gezicht. 'Ik heb ze zelf uitgekozen.'

We trekken verder naar het zuiden, naar Murud-Janjira. Dit gebied was ooit een islamitisch bolwerk, gevolgd door een periode van overheersing door maratha en hindoes, en het behoorde tot een van de laatste regio's die zich aan de Britten overgaven. Hoewel het bekendstaat als een soort vakantiebadplaats, lijkt het op vergane glorie te teren. Het belangrijkste gedeelte van het stadje bestaat uit een stoffige weg omzoomd door ijsstalletjes en een paar eettentjes met rode plastic stoelen. We kiezen voor een klein pension dat er schoon uitziet en kamers vrij heeft: eentje voor Bimal en Vinod en eentje voor Cassim en mij.

Het enige overblijfsel van een joodse gemeenschap die we de volgende dag kunnen vinden is een vreselijk vervallen oude begraafplaats – de graven zijn overwoekerd door onkruid en een nieuwe woonwijk kruipt aan een kant steeds dichterbij. Het bouwafval, de rotzooi, de opslag en de waslijnen bevinden zich al deels over de buitenste grenzen van de begraafplaats. Het zal slechts een kwestie van tijd zijn voordat de huizen het overnemen en de begraafplaats zal zwichten voor een nieuwe identiteit.

We rijden langs de kust en vervolgens het binnenland in. Cassim en ik zijn vastbesloten onze twee voorouderlijke dorpen, Bhorupali en Chorde, te vinden. Terwijl de meeste dorpen die we hebben bezocht in elk geval nog steeds als voetnoten in boeken bestaan, hebben mijn zoektochten in het archief geen enkele informatie over deze twee opgeleverd. We komen dichter bij de stip op mijn kaart die Bhorupali heet en Vinod leunt uit het raampje om een menigte jongemannen de vraag te stellen: 'Bhorupali *kidhar hai?* Bhorupali? Bhorupali?'

'Bhorupali?' herhaalt de groep, die de naam blijkbaar niet kent. Ze halen hun schouders op of schudden het hoofd.

Ik blijf maar staren naar de stip op de kaart en probeer het dorp tot leven te dwingen. Omdat er op mijn kaart geen moderne wegen staan, alleen een verzameling met de hand getrokken strepen, is het heel goed mogelijk dat we de verkeerde weg hebben genomen.

'Mag ik dat even zien?' zegt Cassim, en hij bekijkt de kaart nauwkeurig.

Bimal, Vinod, Cassim en ik proberen om beurten uit te dokteren wat de juiste weg is: door een dorp, links langs een ander dorp, over een kleine brug. In dit gebied, dat bestaat uit weidse losgeploegde velden, is maar weinig vegetatie. Er zijn niet veel bomen binnen ons blikveld. Af en toe komen we langs een verzameling kleine, betonnen huisjes die bij elkaar staan bij een stalletje met gekoelde dranken. We raken helemaal opgetogen als een oude man de indruk wekt dat hij van de plaats heeft gehoord – misschien komen we in de buurt. Hij wijst ons in een andere richting en die nemen we maar al te graag. Hij zegt dat we moeten uitkijken naar een grote boom en een bushalte. We kijken aandachtig naar beide kanten van de stoffige weg en proberen te bepalen wat een 'grote boom' is. Wat we onder 'een bushalte' moeten verstaan is net zo moeilijk te definiëren. Stopt de bus bij dit bankje? Dit theestalletje? Deze telefooncel? Voordat ik het in de gaten heb, ben ik op Cassims schouder in slaap gesukkeld.

Twee uur later word ik wakker, als Bimal de auto aan de kant van de weg parkeert. Ik ga rechtop zitten en vraag me af waar we zijn.

'Ik denk dat dit het is,' zegt hij.

Voor ons staat onmiskenbaar een grote boom. We kijken vanuit de auto toe als een grote rode bus onder de boom stopt en een vrouw en haar zoontje instappen.

'Zullen we uitstappen?' vraagt Cassim.

Bhorupali, als dit Bhorupali is, lijkt niet eens een dorp te zijn, maar slechts letterlijk een bocht in de weg. Nu de vrouw en haar zoontje weg zijn, is er geen mens of huis te zien. We lopen een klein rondje en vragen ons af wat we nu moeten doen.

'Ik kan een foto maken,' zeg ik.

'Waarvan?' vraagt Cassim.

Een motorrijder komt aanzoeven en Bimal beduidt dat hij moet stoppen en vraagt hem de weg naar Bhorup. Ze praten even kort met elkaar en dan rijdt de man verder. 'Misschien is het dorp hier lang geleden geweest, maar het is al heel lang weg,' vertelt Bimal ons. 'In feite bestaat het niet.'

'Ik begrijp het,' zeg ik. Ik probeer niet teleurgesteld te klinken en loop naar de auto.

Onze zoektocht naar Bhorupali heeft ons een groot deel van de ochtend gekost en de vaart is eruit. We stoppen bij het volgende stalletje met gekoelde dranken en gaan onder een minuscule, nauwelijks functionerende ventilator op een rij plastic stoelen zitten. Hier is de aarde gebarsten en droog en voelt de lucht zwaar aan.

Vinod haalt een kleine groene mango uit zijn zak en vraagt de eigenaar van het stalletje of hij wat zout voor hem heeft en een mes mag lenen. Hij snijdt de mango in stukken en strooit er zout overheen.

'Dit werkt heel goed tegen de hitte,' zegt hij ernstig, en biedt ons allemaal een stuk aan.

Bimal schudt zijn hoofd.

'Geloof jij echt in die oudewijvenpraat?' vraagt hij zijn vriend.

We blijven nog een paar minuten zitten, proberen af te koelen en weer wat energie op te doen, knabbelend op onze stukken onrijpe mango.

'Dit is allemaal wel heel vreemd,' zegt Cassim, die opstaat en opgewekt probeert te klinken.

'Ja,' zeg ik. 'Laten we op zoek gaan naar Chorde.'

We slingeren terug naar de bekende weg en volgen die, en vragen ondertussen naar de juiste route. Na onze zoektocht naar Bhorupali lijkt het relatief eenvoudig om Chorde te vinden. Ik moet verbaasd lachen als we een bord zien met CHORDE in blokletters in het Engelse en het Devanagari schrift. Het weggetje naar Chorde is zo klein dat we tot twee keer toe een afslag missen en onze weg terug moeten zoeken om die afslag te vinden. We rijden over een breed pad waar nooit auto's rijden. Aan het eind van het pad zien we een groepje kleine bouwsels van hout en modder en een paar betonnen gebouwen met golfplaten daken. De gebouwen lijken heel licht op het land te liggen, alsof ze zomaar kunnen opstijgen en vertrekken.

'Dit ziet er absoluut niet uit als een dorp in een fort,' zegt Cassim.

'Nee, je hebt gelijk, dat doet het ook niet,' antwoord ik.

We rijden door zulke smalle doorgangetjes dat we op nog geen meter afstand in nieuwsgierige ogen kijken. Onze auto en onbekende gezichten zijn overduidelijk heel bijzonder. Ik draai het raampje naar beneden en zeg: 'Chordekar?'

Ik heb geen idee of er überhaupt nog een Bene Israël-familie in Chorde woont, maar ik vind het de moeite van het proberen waard. Het kan natuurlijk ook dat wij naar een hindoefamilie worden gebracht, die net zo overdonderd zal zijn door onze komst.

'Israëli? Israëli *log?*' vraagt Bimal, vragend naar joodse mensen. Hij laat de auto in een slakkengangetje voortrollen en laat zijn ogen langs de rij toeschouwers glijden, op zoek naar een glimp van herkenning.

Een kleermaker, zijn schoot vol hemden, kijkt op van zijn naaiwerk. 'Abraham Chordekar?' zegt hij vragend.

Abraham Chordekar. Dat moet een Bene Israël zijn. Ik knik heftig.

We krijgen instructies om eerst rechtsaf en vervolgens linksaf te slaan. Na de eerste afslag wordt een groot betonnen bouwwerk zichtbaar dat eruitziet als de mogelijke dorpsschool. Nadat we linksaf zijn geslagen zien we een rij huizen, elk een klein vierkant, met ertegenover een andere rij huizen. Een van deze huizen, een blauw vrijstaand gebouw, is het huis van Chordekar. Ik zie een mezoeza aan de deurpost en weet bijna zeker dat we goed zijn.

Bimal, Vinod, Cassim en ik stappen uit en naderen het huis omzichtig.

'Hallo?' roep ik, in de duisternis achter de open deur.

Een lange, slanke vrouw in een roze sari verschijnt aan de deur en we proberen haar uit te leggen wat het doel van onze komst is.

'Vinod, kun je haar uitleggen dat onze overgrootmoeder een Chordekar was en dat we gekomen zijn om het dorp van onze voorouders te bekijken?'

Ik zie Vinods snelle handbewegingen en merk dat hij de belangrijkste punten van onze reis vertelt, en dat we uit Amerika komen.

'Amerika?' zegt ze, en zet grote ogen op.

'Amerika,' zeggen Cassim en ik. We knikken en proberen er vriendelijk uit te zien.

Ze gebaart dat we binnen moeten komen en schuift stoelen voor ons aan.

Als onze ogen aan het licht gewend zijn, zien we dat we in een ruimte zijn die dienst lijkt te doen als woonvertrek, keuken en opslagruimte. Tegen de achterwand staat een stapel blikken die ruiken alsof ze met kerosine zijn gevuld. Rechts van ons staat een kleine kleurentelevisie en daarboven hangen een kandelaber en een grote belvormige olielamp, van het soort dat we ook in de synagoges van de Bene Israël hebben gezien. Links van ons staat een ladder die naar de verdieping erboven leidt. Als we binnenkomen, rennen twee kinderen snel de ladder af, verbijsterd door onze plotselinge verschijning.

Mevrouw Chordekar zegt iets tegen Vinod, die het vertaalt. 'Blijkbaar is haar man niet helemaal in orde. Hij ligt te rusten, maar kan elk moment hier zijn. Hij heeft problemen met zijn ogen. Als ik het goed heb begrepen, is hij blind of wordt hij blind. Ze heeft twee kinderen, een jongen en een meisje. Ik neem aan dat dat deze kinderen zijn.' Hij wijst op de jongen en het meisje, die ons met onverholen nieuwsgierigheid aankijken. De jongen lijkt een jaar of tien of elf te zijn, het meisje ongeveer dertien.

Mevrouw Chordekar glimlacht tegen ons en dringt erop aan dat we gaan zitten.

Ik vraag Vinod of hij haar wil vragen of ze van oorsprong uit Chorde komt of uit een ander dorp. We komen te weten dat mevrouw Chordekar geboren en getogen is in een kleine Bene Israëlgemeenschap in Ahmedabad in Gujarat. Het was een gearrangeerd huwelijk en inmiddels woont ze veertien jaar in Chorde. Ze heeft een zus die getrouwd is in een familie in een stad op twee uur afstand en daar werkt ook een jongere broer van haar. Ik vraag me af hoe de overgang voor haar moet zijn geweest van Ahmedabad, een stad met meer dan vier miljoen inwoners, naar het dorp Chorde.

Meneer Chordekar komt de kamer in, geholpen door zijn dochter, die hem bij de hand heeft. Hij is een stevig gebouwde man met grijs haar, een heel bleke huid en blauwe ogen die troebel zijn door de staar en permanent gericht zijn naar een onzichtbaar punt in de linkerbovenhoek. Hij zegt dat het hem spijt dat hij ons niet beter kan zien en ons niet in het Engels kan aanspreken, en wij verontschuldigen ons snel voor onze onaangekondigde komst. We herhalen waarom we er zijn, en via Vinod vraagt hij naar de naam van onze overgrootmoeder.

'Segulla-bai Chordekar,' zeg ik.

Hij schudt zijn hoofd. De naam komt hem niet bekend voor. 'Chordekar,' zegt hij, op zichzelf wijzend en knikkend. Ik zeg: 'Ja, Chordekar.'

We zitten een tijdje zwijgend bij elkaar, weten niet goed wat we nu moeten doen. Hij vraagt of we een koekje willen en ik wil zijn gastvrije gebaar niet afslaan. Hij geeft zijn zoon vijf roepies, en die glipt de deur uit, waarschijnlijk naar een stalletje dichtbij. Als hij twee of drie minuten later met een pak koekjes terugkomt, legt mevrouw Chordekar die op een metalen bord en laat dat de kamer rondgaan.

Meneer Chordekar is in Chorde opgegroeid. Op een bepaald moment woonden er zelfs tien Bene Israël-families in Chorde, maar die tijd is al lang voorbij. Iedereen is naar Bombay of Israël verhuisd. Hij en zijn gezin zijn de enigen die nog over zijn. Toen hij blind werd, kon hij niet meer werken. Hij is het American Jewish Joint Distribution Committee in Bombay dankbaar – dat heeft hem een subsidie gegeven om een klein bedrijfje te beginnen, dat ze vanuit huis bestieren. De mensen komen met lege vaten aan de deur en mevrouw Chordekar vult die met kerosine van hun voorraad. Ze weegt de gevulde vaten op een weegschaal en berekent het juiste bedrag. Het is niet veel geld, maar op deze manier kunnen ze de kosten dekken. Ze hebben het plan om in het komende jaar of iets later naar Israël te emigreren, in de hoop dat hun kinderen daar betere kansen hebben.

'Vinod, willen ze naar Israël emigreren?' vraag ik en het lukt me niet om de verrassing uit mijn stem te weren.

'Het lijkt er wel op dat dat het plan is.'

Ik probeer me meneer en mevrouw Chordekar in Israël voor te stellen, hoe ze Hebreeuws leren. Hun kinderen zijn duidelijk enthousiast over het idee. Het meisje deelt mee dat ze graag naar een joodse school zou willen, waar ze andere joodse meisjes kan ontmoeten.

Er komt een jonge vrouw in een huisjurk met een leeg blik aan de deur. Mevrouw Chordekar vult en weegt het blik en geeft het terug, waarbij ze in ruil een paar bankbiljetten ontvangt.

Ik vraag meneer Chordekar of ik een foto van zijn gezin mag maken, die ik hem later zal toesturen, en hij blijkt dat een goed idee te vinden. Ik vraag waar ze gefotografeerd willen worden en stel voor om het voor hun huis te doen. Meneer Chordekar overlegt met zijn vrouw en ze beslissen dat ze ter plaatse gefotografeerd willen worden, in hun woonvertrek. De dochter stelt voor om de kleurentelevisie, de kandelaber en de olielamp als achtergrond te nemen. De zoon zet vier plastic stoelen netjes op een rij. Mevrouw Chordekar vraagt de kinderen of die zich willen omkleden; ze stelt een roze salwar kameez voor haar dochter voor, die dat weigert en tegen haar moeder zegt dat ze een westerse jurk aan wil. Ze excuseert zich en gaat naar boven om die aan te trekken.

Als ze allemaal klaar zijn verzamelen de Chordekars zich plechtig voor de foto en blijven heel stil zitten. Geen van de gezinsleden lacht. Op meneer Chordekar na kijken ze allemaal recht in de camera.

Na de opname laten ze mij familiefoto's zien – vergeelde oranje afdrukken achter gebarsten glas, die in de gang hangen tussen de voordeur en het woonvertrek. Ze laten ons het huis zien. Er is een grote kamer met vier bedden waar ze slapen en een grote bank buiten, waar ze de meeste avonden op doorbrengen. Meneer Chordekar zegt ons gedag en trekt zich terug in zijn kamer en mevrouw Chordekar en haar kinderen gaan op de bank zitten. We zijn blij met het zachte briesje, waarmee het eind van de dagelijkse zonnebrand wordt aangekondigd. Ze lijken wat meer ontspannen nu ze buiten zijn en de formele rituelen achter de rug zijn. Ik maak nog meer foto's van hen en ze lijken het leuk te vinden. Mevrouw Chordekar glimlacht een beetje. Ze ziet er jonger uit dan haar man en ik vraag me af hoeveel jonger ze is.

Ze zegt dat we misschien wel graag foto's willen maken van de tempel in het stadje, en ze vraagt de kinderen om ons ernaartoe te brengen. We lopen over een smal paadje dat omzoomd wordt door kleine hutten. Tijdens het lopen komen er telkens groepjes kinderen bij, totdat we omringd worden door tientallen kleine lichaampjes. Hun stemmen vormen een soort koor en het worden er steeds meer.

'Sadia, kijk eens achterom,' zegt Cassim.

Ik draai me om en zie misschien wel vijftig kinderen onder de tien jaar. Een veelheid aan zwarte wimpers, glanzende zwarte ogen en iele ledematen die onder groezelige shorts en rokken van schooluniformen uitsteken. De meisjes dragen hun vlechten in twee grote lussen die zijn vastgemaakt boven hun oren. Als wij lachen, lachen ze allemaal mee, als een giechelend, rondzwermend echo.

'Waar gaan we naartoe?'

'Ik heb geen idee,' zegt Cassim.

'Mijn… naam… is… Peter,' hoor ik een klein, dapper ventje roepen, en ik draai me verrast om.

'Heet jij Peter?' vraag ik.

'Mijn… naam… is… Peter,' herhaalt een andere jongen, die heel tevreden lijkt met zichzelf.

'Heten jullie allebei Peter?' vraag ik.

'Mijn… naam… is… Peter,' zegt weer een ander jochie, en een heleboel jongetjes beginnen steeds harder te lachen. Ik realiseer me dat het een regel moet zijn uit een Engelse les, een advertentie of van de televisie.

'Mijn... naam... is... Peter,' schreeuwt een groepje van vier of vijf jongens vanaf mijn linkerkant.

'Mijn-naam-is-Peter,' zegt een klein meisje zacht. Ze trekt aan mijn mouw en kijkt naar me op. De kleine hindoetempel is een nietig, stoffig en leeg bouwsel. Er is niet veel te zien, maar we willen ons publiek niet teleurstellen. Cassim stelt voor om een groepsfoto van de kinderen voor de tempel te maken en hij probeert de hele groep in beeld te krijgen. Er is al snel een oploopje. Het lijkt wel alsof er honderd kinderen tegelijk in beeld willen verschijnen. Ze schreeuwen opgewonden, hun uitroepen en kreten stijgen en dalen als één gezamenlijk, vrolijk geluid. Ik heb niet veel ervaring met kinderen. Ik maak me zorgen dat ze zomaar allemaal tegelijk in huilen zullen uitbarsten. 'Snel, snel!' spoor ik Cassim aan.

Hij zegt tegen hen dat ze tot drie moeten tellen en dan 'Peter' moeten zeggen. Dat doen ze en daarna breekt er een enorm lachsalvo uit.

Cassim en ik lopen terug naar de auto, waar we Bimal en Vinod aantreffen die met een paar mannen uit het dorp de speciale details van hun auto bespreken. Bimal en Vinod hebben duidelijk plezier in hun rol als Bombay-sterren. Als we dichterbij komen worden we enthousiast begroet door Vinod.

'Dus dit is je eigenlijke geboortegrond!' zegt hij, verrukt kijkend.

We rijden stapvoets Chorde uit, aan beide zijden omgeven door een menigte mensen die zich heeft verzameld om ons uit te zwaaien – hun armen rustend op de zijkant en boven op de auto. Kleine kinderen drukken hun handen en gezichten tegen de raampjes, kloppen en zwaaien, en ze maken Cassim en mij aan het lachen. Als we in het buitengebied van Chorde zijn aangekomen, gaat Bimal iets harder rijden, en een paar van de jongens in de groep beginnen te rennen en blijven gelijk op lopen met de auto. Terwijl de meesten zich neerleggen bij ons onvermijdelijke vertrek, is er één jongen die ons bijhoudt en we rijden een paar honderd meter met dezelfde snelheid als zijn sprint. Hij hijgt van vermoeidheid, zijn gezicht van inspanning vertrokken in een grimas. Uiteindelijk heeft Bimal genoeg van het spelletje en geeft gas. We rijden snel langs de jongen, en ik kijk om en zie dat hij midden op de weg stopt, uitgeput. Hij zet zijn handen op zijn knieën en ziet ons weggaan. Achter hem staat een groep kleine kinderen naar ons te zwaaien, hun armpjes bewegen gelijktijdig, totdat ze ons niet meer kunnen zien.

Als de avond valt zijn we terug in Bombay.

'Maak eens een paar foto's van onze challes,' zegt Benny Isaacs tegen me op een ochtend bij ORT India. 'Onze challe, het enige authentieke joodse brood in Bombay,' zegt hij trots. 'Tegenwoordig hebben we een heel goede bakker. Een bijzonder aardige jongeman, een moslim. Misschien wil je hem ook wel fotograferen.'

Cassim en ik vragen waar we naartoe moeten en dan staan we in de spelonkachtige industriekeuken van de school, waar een pezige, bedachtzaam uitziende bakker genaamd Akhtar deeg tot repen kneedt, die hij met eierstruif insmeert en tot broden vlecht. Hij wil graag voor mijn camera poseren, en toont ons plichtsgetrouw het proces dat nodig is om een brood te maken. Als we hem onze naam vertellen, beginnen zijn ogen verrast te glanzen van herkenning.

'*Aap Musalman hain?*' vraagt hij aan Cassim, wijzend op de kleine gouden Koran die hij om zijn nek draagt. Ben je moslim?

Ik vind het interessant te merken hoe vaak Cassim als moslim herkend wordt in vergelijking met mij. Ik vraag me even af of hij er Zuid-Aziatischer uitziet dan ik, of dat mensen het gemakkelijker vinden om hem te benaderen, of allebei.

'*Asalaam alaikum!*' zegt Akhtar enthousiast.

'*Walaikum asalaam!*' antwoordt Cassim automatisch.

Terwijl ik doorga met het fotograferen van de bakkerij neemt Akhtar Cassim terzijde. 'Hoeveel moslims wonen er in Amerika, broeder?' vraagt hij in het Hindi.

'Ongeveer zeven miljoen,' zegt Cassim.

'Zeven miljoen?' vraagt Akhtar, geschokt door het aantal. 'Ik dacht dat er alleen christenen en joden woonden.'

'Nee hoor, er wonen heel veel moslims in Amerika.'

Akhtar buigt zich samenzweerderig naar Cassim en gaat op zachtere toon verder.

'Weet je hoeveel moslims er in India wonen, broeder?'

'Nee, hoeveel?' vraagt Cassim.

'We maken veertig procent van de bevolking uit. De Indiase overheid zegt dat we maar tien procent vormen, maar we zijn met heel velen. Er zijn hier veel problemen tussen de Shiv Sena-partij en onze gemeenschap. Maar wij vormen veertig procent, Cassim, broeder. De regering in Bombay probeert ons aantal klein te houden, maar we zijn heel machtig.'

Cassim kijkt serieus terwijl hij naar Akhtar luistert. Ik ben me ervan bewust dat hij weet dat de getallen die Akhtar noemt niet kloppen – het islamitische bevolkingsdeel in India ligt dichter bij vijftien procent. Maar Akhtar heeft gelijk over de Shiv Sena, de rechtse fundamentalistische hindoepartij die momenteel aan de macht is. Ze zijn fanatieke aanhangers van het idee dat de cultuur in Bombay overwegend hindoe moet zijn en hebben een gewelddadig verleden wat betreft de onderdrukking van moslims.

'Vandaag is het vrijdag,' zegt hij. 'Je kunt met me meegaan om te bidden, ik wilde juist naar de moskee gaan. Kom, je moet meegaan,' zegt hij, aan Cassims mouw trekkend.

'Hij wil dat ik met hem ga bidden. Vind je het erg als ik meega?' vraagt Cassim over zijn schouder terwijl Akhtar hem aan zijn arm naar buiten loodst.

'Nee hoor, ga maar,' roep ik terug.

Als ik de trap naar de derde verdieping op loop om de makers van kiddoesjwijn bij ORT te fotograferen, vragen de medewerkers die ik op de trap tegenkom waar Cassim is gebleven.

'Ik geloof dat hij met Akhtar de bakker aan het praten is,' zeg ik, want ik weet niet hoe ik anders moet uitleggen dat hij naar de moskee is zonder dat ik onze hele familiegeschiedenis moet verduidelijken.

Ik kijk vanaf het balkon van de derde verdieping toe als Cassim en Akhtar de oprijlaan van ORT op lopen, en ik ben onder de indruk van de snelheid waarmee ze vriendschap hebben gesloten. Uit de manier waarop Cassim zich naar voren buigt om naar Akhtars woorden te luisteren, kan ik afleiden dat hij gefascineerd is door hun gesprek, en dat Akhtar daar duidelijk vrolijk om is, waarbij hij Cassim herhaaldelijk op zijn rug slaat. Ik ga weer naar beneden, naar de bakkerij, en Cassim installeert zich op een stoel terwijl Akhtar de ingrediënten mengt om een nieuwe hoeveelheid challes te maken. Cassim vraagt hem naar zijn huis op het platteland in Midden-India, hoe hij in zijn eentje naar Bombay is gekomen om er werk te zoeken en hoe hij elke maand geld naar huis, naar zijn dorp stuurt.

'Je zou naar mijn geboortedorp moeten komen!' zegt Akhtar en roert ondertussen meel, water en eieren met een grote houten lepel door elkaar. 'Dan kun je Bihar met eigen ogen zien!' '*Insjallah...*' zegt Cassim, glimlachend. Als God het wil. Akhtar doet zijn handschoenen uit en krabbelt mijn mobiele nummer op een papiertje, zodat hij met Cassim kan communiceren, en in de twee weken erna belt hij hem om de paar dagen vanuit telefooncellen om hem gedag te zeggen. Cassim, die een veel beter oor voor talen heeft dan ik, zegt tegen me dat het Hindi dat Akhtar spreekt veel lijkt op het Urdu van onze moeder, en dat hij hem daarom beter kan begrijpen dan de meeste inwoners van Bombay. Na de scheiding van de landen zijn veel islamieten in Bihar achtergebleven en niet naar Pakistan vertrokken. Het is nu een verarmde, grotendeels van landbouw levende staat die door de meeste mensen uit de Bombayse middenklasse als ietwat achterlijk wordt beschouwd, en Akhtar maakt deel uit van een grote migratiestroom van jonge mannen uit Bihar die in de afgelopen jaren naar Bombay zijn gekomen, op zoek naar werk. Hij zegt tegen Cassim dat hij nog nooit een buitenlandse moslim heeft ontmoet, noch iemand die deels uit Pakistan afkomstig is. Het idee van een goed opgeleide, bereisde moslim vindt hij wonderlijk en interessant. Na afloop van een van hun gesprekken vertelt Cassim me dat Akhtar een nieuwe baan als assistent-kok patisserie aangeboden heeft gekregen in de exclusieve Athena nachtclub in Zuid-Bombay. Zijn dienst begint om middernacht en gaat door tot de ochtend. Hij nodigt Cassim en mij uit om hem de zaterdag erna aan het werk te zien, en hij vraagt of we om één uur 's nachts willen komen.

De Athena nachtclub ligt aan een rustige straat in Colaba, niet ver van het Taj Mahal Hotel. Een sigarettenverkoper heeft op de stoep, naast de rij mensen bij de ingang, een geïmproviseerd stalletje ingericht en hij doet levendige zaken met de klanten die wachten tot ze naar binnen mogen. Een gezin met kleine kinderen gluurt uit een tent die niet ver van de clubingang is opgezet, en kijkt toe hoe de jonge Bombayse elite uit hun geïmporteerde auto's tevoorschijn komt en zich voegt bij de massa mensen in strakke spijkerbroeken, iriserende shirts en Italiaanse schoenen, hun lichamen tegen de deur duwend en zo proberend binnen te komen. Cassim gaat naar de uitsmijter en vertelt hem onze namen, zoals Akhtar hem gezegd heeft, en we krijgen twee dikke witte kaarten overhandigd – toegangskaarten die vijftienhonderd roepies waard zijn, zo'n dertig dollar per stuk. Binnen pulseren licht en geluid koortsachtig. We bevinden ons in een werkelijkheid die ver verwijderd is van de werkelijkheid buiten, en weten niet goed hoe we hier beland zijn. Een bediende in een zwart uniform buigt voor ons en voert ons langs de lange rij mensen die bij de bar staan te wachten op hun drankjes en een groep mensen die de dansvloer probeert op te gaan. Hij doet een stel deuren open en we volgen hem naar een grote, professionele keuken, waar we Akhtar aantreffen omringd door verschillende andere personeelsleden. Ze staan in de houding op ons te wachten. Akhtar heeft een koksmuts op en een grote witte schort voor die vol chocolade en meel zit. Hij straalt.

'Cassim, broeder!' zegt hij enthousiast, zwaaiend met zijn gehandschoende handen die bedekt zijn onder een laag deeg.

'*Asalaam alaikum*, Akhtar Bai!' zegt Cassim.

Akhtar knikt respectvol in mijn richting en stelt ons voor aan de rest van het personeel van de Athena, dat naar ons knikt. Het blijkt dat de Athena behalve als nachtclub ook als restaurant fungeert. De zeven personeelsleden die in de nachtdienst werken zijn verantwoordelijk voor de patisserie van het restaurant. Akhtar is er leerling en een ervaren patissier, een oudere, ernstig kijkende man met een snor, leert hem het vak.

Ik laat Akhtar foto's van hem zien waarop hij brood bakt bij ORT, en hij vindt het prachtig. Hij zegt dat hij de foto's naar zijn moeder gaat sturen, die er heel blij mee zal zijn. Hij heeft groot nieuws dat hij met ons wil delen. Zijn moeder heeft een vrouw voor hem gevonden en over drie maanden vertrekt hij voor zijn huwelijk.

'Cassim, broeder, kun je naar mijn geboortedorp komen voor mijn huwelijk?' vraagt hij hoopvol. 'Het wordt een groot bruiloftsfeest met zeven dagen van festiviteiten...' Cassim lijkt oprecht in tweestrijd en zegt tegen hem dat hij zijn best zal doen. Ik weet dat het voor Cassim vrijwel onmogelijk is om nog een keer uit Fiji hiernaartoe te komen, maar ik zie dat hij geroerd is door de uitnodiging.

'Nu moeten jullie iets eten,' zegt Akhtar. 'Mijn vriend zal jullie een plaats geven.' Cassim en ik worden door een glimlachende ober in een smoking naar een donker, afgesloten restaurantgedeelte gebracht en krijgen zes variaties op een dessert voorgeschoteld: twee soorten chocoladeroomtaart, verschillende vruchtengebakjes en iets wat op kwarktaart lijkt. Vanachter een glazen afscheiding kijken we toe hoe een menigte jonge mensen op de dansvloer rondtolt en we horen de bekende baslijnen van Amerikaanse hiphop vermengd met Bollywood-zang. Ik zie hoe twee jonge mannen zich tegen een aantrekkelijke jonge vrouw met een massa geföhnd, glanzend zwart haar aan duwen, een aan de voorkant en een aan de achterkant. De drie bewegen als een eenheid en ik vraag me af wat Akhtar denkt van de mensen die zijn desserts eten.

De taarten zijn heerlijk, maar er is veel te veel. We hebben de eerste twee snel op en dan kijken we elkaar aan, ontmoedigd door het vooruitzicht dat de rest ook nog weggewerkt moet worden. Af en toe steekt Akhtar zijn hoofd om de deur van de keuken om te zien hoever we ermee zijn. Ik begin me zorgen te maken dat hij problemen krijgt met zijn meerdere.

We gaan terug naar de keuken, waar Akhtar erop gebrand is ons alle aspecten van zijn nieuwe baan te laten zien. De professionele mixers waar hij de ingrediënten mee mengt, de grote fabrieksovens waar hij zijn taarten in bakt en de spuitzakken waar hij miniatuurroosjes mee maakt. Gaandeweg bewonderen we elk nieuw apparaat en Akhtars talent om ermee om te gaan. Speciaal voor ons glazuurt hij een chocoladetaart, toont ons zijn nieuwe vaardigheden en wij applaudisseren.

'Jullie hebben me vanavond heel gelukkig gemaakt,' zegt Akhtar glimlachend. 'Ik voel me zeer vereerd met jullie bezoek.'

Cassim bedankt Akhtar voor zijn vriendelijkheid en zegt tegen hem dat we moeten gaan, dat het halfdrie is en dat ik doodmoe ben. Akhtar vraagt zijn baas of hij met ons mee mag lopen naar buiten om gedag te zeggen.

We vertrekken uit de keuken en komen terecht in een steegje grenzend aan de ingang van de club, waar nog steeds massa's mensen zich naar binnen proberen te wurmen.

'Cassim, broeder, probeer alsjeblieft naar mijn geboortedorp te komen,' zegt hij. 'Je vindt Bihar vast geweldig.'

'Ik zal het proberen,' zegt Cassim plechtig.

De twee omhelzen elkaar en ik maak een foto van hen, arm in arm in het steegje.

'We zullen elkaar snel weer ontmoeten, insjallah,' zegt Akhtar als we de laan af lopen op zoek naar een taxi.

'Insjallah,' zegt Cassim, en zwaait ten afscheid naar Akhtar.

15

Tweedeklas coupé

Bombay, februari 2002

'Zorg ervoor dat je in de stoptrein altijd de vrouwencoupé neemt,' zeggen de mensen herhaaldelijk. 'Vooral tijdens het spitsuur.'

'Wanneer is het spitsuur?' vraag ik, en krijg verschillende antwoorden, die veelal het grootste deel van de middag inhouden.

In het boemeltje zijn drie soorten wagons: de eerste klas, waar de zakenmannen in zitten, de tweede klas waar de meerderheid van de mannelijke passagiers in reist, en de vrouwencoupé. De eerste klas is duurder en iets minder druk, de tweede klas raakt heel snel vol met mannen die elke beschikbare centimeter van de wagon bezetten. In het spitsuur zitten beide klassen tot barstens toe vol, en ik mag van geluk spreken dat ik in de vrouwencoupé kan reizen, die nooit zó druk bezet is. Het is moeilijk om te bepalen waar ik moet staan tijdens het wachten op de trein naar Grant Road Station, welke plaats de juiste is om in de goede coupé te stappen. Meestal ga ik bij de dichtstbijzijnde groep samen reizende vrouwen staan en probeer ik me gelijk met hen in de trein te proppen. Soms lukt dat niet en raak ik bij aankomst van de trein de weg kwijt in de stormloop van mensen die allemaal tegelijk willen instappen. Soms zien de vrouwen mijn onervarenheid en grijpen ze me bij de schouders en duwen me voor zich uit, en dan voel ik mijn lichaam opgetild worden door de kracht van de groep. Als we eenmaal binnen zijn, zoeken we een plaatsje in de coupé en gaat er een jong meisje rond met een groot kartonnen blad met versieringen voor in het haar, plastic sieraden, damesondergoed en kleurboeken voor kinderen. De vrouwen rommelen afwezig door de koopwaar, houden oorringen bij hun oren, versieringen bij hun vlechten en proberen verschillende voorwerpen uit. De andere passagiers kijken mee en fungeren als spiegel en geven signalen van goed- of afkeuring.

Op een middag ben ik op weg naar Andheri, een van de noordelijke voorsteden, om een bezoek te brengen aan een Bene Israëlgezin en foto's van hen te maken. Ik tref een vrijwel verlaten station aan en zie geen andere vrouwen. Als de trein aankomt, is die bijna leeg en ik vind zonder problemen een plaats in de tweede klas. Het lijkt niet riskant om overdag in een van de gemengde wagons te reizen, denk ik, en voor de veiligheid zet ik mijn statief tussen mijn benen en mijn cameratas op mijn schoot.

Naarmate de trein verder naar het noorden rijdt, zie ik de zon zakken en ik realiseer me dat het later op de dag is dan ik dacht. Ik zie de wagon steeds voller worden met steeds meer passagiers, allemaal mannen. Ze kijken me een beetje nieuwsgierig aan, maar ik kijk strak voor me uit, vastbesloten om er zo kalm mogelijk uit te zien. Ik besef dat de trein nog voller gaat worden en dat ik, lang voordat ik bij het station ben waar ik eruit moet, moet opstaan om er zeker van te zijn dat het uitstappen ook gaat lukken. Met tegenzin geef ik mijn zitplaats op en probeer me een weg te banen naar de open wagondeuren.

Op elk station komen er meer mannen in de coupé, elke keer meer dan ik zelfs maar voor mogelijk had gehouden. Ik heb het geschreeuw en het gedrang van mannen die de treinen van en naar Bombay willen nemen wel eerder gezien, maar nog nooit vanuit de trein, alleen vanaf een comfortabel perron. Ik zie hoe mannen op de grond hun armen omhoog steken om in de trein te worden gehesen, duizenden armen gaan de lucht in om opgetild te worden, omhoog en naar binnen. Als ze licht zijn raken hun voeten de vloer niet eens – hun bovenlichaam neemt de bruikbare ruimte net onder het plafond in.

Ik voel paniek opkomen; ik ben bang dat ik in deze trein vast kom te zitten. Ik zie mijn station op de kaart, een onderbroken verfstreep boven de deur van de coupé. Nog vijf stations te gaan, nog vier. De mannen staan aan weerskanten en zo dichtbij dat het onaangenaam is. Ik heb het statief over mijn ene schouder gelegd en hou mijn cameratas boven de hoofden van de meeste mannen, zodat niemand erbij kan om er iets uit te halen. Ik zie nu hoe mannen uitstappen als ze bij hun station zijn aangekomen, schreeuwend dat het hun beurt is waarna ze met geweld uit de menigte worden verwijderd en door minstens tien man worden vervangen. Het beangstigt me als ik eraan denk dat ik dat ook moet doen, en ik probeer dichter bij de deur te komen. We staan nu zo dicht op elkaar dat mijn lichaam aan alle kanten wordt ingeklemd en tegen de mannenlichamen wordt aangedrukt, en mijn zweet vermengt zich met het hunne. Plotseling voel ik van achteren een hand tussen mijn benen. Ik kan mijn handen niet gebruiken omdat ik mijn tas voor me vasthoud, dus kan ik hem geen klap geven noch zijn hand wegduwen. Nog drie handen, vier, beginnen mijn borsten te betasten en ik kan helemaal niets doen – ik heb een hand boven mijn hoofd en ik kan mijn tas niet loslaten. Ik begin in het Engels te schreeuwen, nauwelijks hoorbaar boven het gerammel van de trein en de lawaaierige menigte passagiers.

'Verdomme, donder op, blijf met je poten van me af, klootzakken!' schreeuw ik, waardoor de troep mannen alleen nog maar meer plezier heeft. De mannen grinniken naar me. Sommigen kijken beschaamd weg.

Ik worstel om me om te draaien en de man achter me aan te kijken.

'Heb jij geen zussen?' schreeuw ik.

Hij trekt zijn hand weg en zegt tegen de mannen voor me dat zij dat ook moeten doen. Een man die dichter bij de deur staat dan ik kijkt achterom en kijkt mij over de massa heen bijna vriendelijk aan.

'Kom, kom maar hier,' zegt hij. 'Ik zal je wel helpen.'

Ik heb het gevoel dat ik geen andere keus heb. Ik pak zijn hand en hij trekt me vastbesloten en zelfverzekerd door de berg mensen heen die aan de deur geplakt zitten als bijen aan een honingraat. 'Ren!' zegt hij als we bij het volgende station aankomen en hij duwt me naar buiten. Ik raak de grond rennend, struikelend over mijn eigen benen, grijp mijn tassen bij elkaar en zorg ervoor dat ik alles heb.

Ik sta in het donker op het perron van een onbekend station, kijk op naar de anonieme treinwagon die vol gepakt zit met honderden, wat aanvoelt als wel duizend mannen, en vloek zo hard ik kan tegen iedereen die het maar wil horen, nog lang nadat de trein vertrokken is.

16

Voortekenen

Bombay, maart 2002

Elke morgen loop ik naar het stalletje op de hoek om een exemplaar van *The Times of India, The Asian Age* en *The Hindu* te kopen. Het nieuws wordt beheerst door ijzingwekkende verhalen over rechtse hindoefundamentalisten die aanslagen hebben gepleegd tegen de moslimbevolking net over de grens in het noorden, in Gujarat. In de winter van 1992-93 werd Bombay getroffen door beangstigend veel geweld, dat begon in de noordelijke Indiase stad Ayodhya met protesten tegen de vernieling van een moskee, die gebouwd was op een plek die beschouwd werd als de geboorteplaats van de hindoe-god Raam. De schermutselingen liepen uit op anti-islamitische pogroms die door de hele stad raasden, en in maart 1993 ontaardde deze gewelddadige periode in de stadsgeschiedenis in iets wat algemeen beschouwd werd als een 'islamitische reactie' – de bomexplosies op het beursgebouw en op verschillende busstations. Men is bang dat het geweld tussen hindoes en moslims weer de kop op zal steken, maar tot op heden is het meestal rustig in Bombay, en ik ben heel blij dat ik zo ver van het tumult verwijderd ben.

Op de middagen dat ik niet bij ort India ben of oudere leden van de Bene Israël-gemeenschap interview, ga ik naar de David Sassoon Library op Rampart Row. De bibliotheek kijkt uit over het kunstdistrict dat bekendstaat als Kala Ghoda, ofwel het zwarte paard, dat genoemd is naar een standbeeld van koning Edward vii, dat ooit in het centrum van de wijk heeft gestaan. In de lobby van het gebouw houdt een imposant marmeren beeld van David Sassoon de wacht over de balie in de ontvangsthal, waar een slaperige medewerker de boeken met een groot, lawaaiig stempel uitleent. Ik loop de houten wenteltrap op, vervolg klikklakkend mijn weg over de parketvloer van de eerste verdieping, door de leeszaal, waar studenten over hun leerboeken gebogen zitten en gepensioneerde mannen traag door de tijdschriften en periodieken bladeren. Ik woon nu bijna drie maanden in Bombay, en het is prettig om gewoonten te hebben, vaste plaatsen die ik bezoek. In de leeszaal zijn grote, open deuren die uitkomen op de veranda, een ruimte die gevuld is met oversized houten loungestoelen die eruitzien alsof ze in een landhuis of op het dek van een cruiseschip thuishoren. Hier bouw ik voor de rest van de middag mijn nest, met boeken over de geschiedenis van de Bene Israël en Bombay op schoot. Verscheidene leden hebben ontdekt dat de stoelen een uitstekende plaats bieden voor een dutje en ze liggen ongegeneerd te rusten met hun boeken vervaarlijk hoog op hun buik geplaatst.

De bibliotheek ligt tegenover een laag, modern gebouw waarin de Jehangir Art Gallery is gehuisvest, waar ik naartoe ga om schilderijen te bekijken als ik een kleine dosis lucht uit de airconditioning nodig heb, en even een stop maak in Café Samovar voor thee met *parathas*. Op een dag zie ik plotseling een bekend gebaar als ik naar binnen loop. Ik kijk naar rechts en zie Rekhev op de trap van het gebouw zitten, met in zijn linkerhand een groot schrift met een hard kaft, het haar uit zijn gezicht vegend met de vlakke palm van zijn rechterhand. Het is een paar maanden geleden, sinds ik eind december naar Poona ben vertrokken, dat ik hem heb gezien. In een flits realiseer ik me dat ik hem heb gemist, en dat gevoel laat me niet los. Om redenen waarover ik me later zal verbazen, lijkt het niet verrassend om hem hier in Bombay te zien. Als ik naar hem toe ga kijkt hij op alsof hij me al had verwacht, en we beginnen te praten alsof we daar slechts een paar minuten eerder mee zijn opgehouden.

'Spreek je nu Hindi?' vraagt hij langs zijn neus weg.

'Nauwelijks,' zeg ik, en ga zitten. 'Ik heb lessen genomen, maar het schiet nog niet erg op.'

'Waar lees je over in de bibliotheek?' vraagt hij.

'Over de geschiedenis van de Bene Israël, grotendeels materiaal over de christelijke missionarissen die de Bene Israël Hebreeuws leerden en probeerden ze tot het christendom te bekeren.'

'Jullie god is wel een heel strenge god,' zegt Rekhev langzaam.

'Hoe bedoel je?' vraag ik.

'Ik heb de Bijbel gelezen. Ik heb geen les gehad in het christendom en kan de stof alleen als een vertelling bekijken. Maar op deze manier lees ik ook mijn eigen heilige boeken, de purana's. Dat zijn ook verhalen. De Bijbel staat vol verhalen.'

'Dat klopt.'

'In onze traditie bezoeken goden ons op aarde, en vaak eten en drinken ze. Jullie god stuurt sprinkhanen. Ik vind hem behoorlijk gewelddadig.'

Het valt me op dat Rekhev de 'v' in 'vind' als een 'w' uitspreekt.

'Waarom lees je de Bijbel?' vraag ik.

'De westerse canon – jouw hele opvoeding, in feite – is volledig gebaseerd op de Bijbel. Maar ik begrijp de verwijzingen niet. Ik zal je nooit leren begrijpen als ik de Bijbel niet heb gelezen.'

Ik voel me ontzettend gevleid dat Rekhev me wil 'leren begrijpen'. Om te verbergen hoe blij ik ervan word, kijk ik naar beneden, naar mijn sandalen.

'En, heb je de joden gevonden die schipbreuk hebben geleden?'

'Een paar nazaten. Maar ik wil binnenkort een reis buiten Bombay maken, naar een stadje aan de kust. Ik heb gehoord dat daar nog één Bene Israël-gezin is dat nog steeds op de originele manier olie maakt van plaatselijk geteelde zaden – ik wil ze graag ontmoeten.'

'Denk je dat ze daar nog steeds wonen?'

Ik sla een van mijn boeken open en laat hem een zwartwitfoto zien van twee vrouwen die, lijkt het, in een hut met een rieten dak op een oude oliepers zitten, met een os op de achtergrond.

'Ze woonden er toen deze foto werd gemaakt, negen jaar geleden.'

Rekhev wacht even, kijkt naar de foto.

'Negen jaar is een lange tijd. Hoe wil je daarnaartoe gaan?'

'Per boot, riksja en auto, denk ik.'

'Ga je alleen?'

'Ik denk het wel. Ik heb er nog niet over nagedacht.'

'Dit is Amerika niet,' zegt Rekhev. 'Ik ga met je mee.' Hij kijkt ernstig, alsof hij deze kwestie al een tijd met zichzelf heeft overlegd.

'Echt?' zeg ik.

'Als je hebt beslist wanneer je wilt gaan, bel me dan op dit nummer. Ik ben een tijdje in Bombay om aan een film te werken.'

Rekhev scheurt een hoek van een van de bladzijden in zijn schrift en schrijft er een telefoonnummer op.

'Dat zou ik fijn vinden,' zeg ik. 'Dank je, een beetje gezelschap kan ik goed gebruiken.'

'Dat weet ik,' zegt hij, en verdiept zich weer in zijn boek.

Ik ga naast Rekhev op de trap zitten en zie hoe een man probeert handgemaakte trommeltjes aan toeristen te verkopen. Hij beweegt een tweezijdige trommel methodisch heen en weer, waarbij beide kanten om de beurt door een klein balletje dat aan het eind van een lang touw zit worden geraakt, en hij haast zich achter een stel aan dat bij elkaar passende kakikleurige korte broeken draagt.

'Heel mooi, heel mooi, heel mooi,' zegt hij, achter hen aan lopend, terwijl zij hem wegwuiven.

'Bombay past bij jou,' zegt Rekhev, terwijl hij een bladzijde omslaat.

'Dank je,' zeg ik.

'Misschien gaan we volgende week.'

'Volgende week.'

Ik maak een afspraak voor een bezoek aan de American Jewish Joint Distribution Committee om meer te weten te komen over de familie die olie maakt. Het AJJDC is een organisatie voor maatschappelijk welzijn die al sinds het begin van de jaren zestig actief is in Bombay. Binnen zijn de kantoren behangen met posters van religieuze plaatsen in Israël en prikborden hangen vol met foto's van verschillende jeugdkampen en -activiteiten. Onder elke foto staat een in schuin-schrift, met een Magic Marker geschreven bijschrift. 'Danslessen', 'Toneelstuk voor Poerim', 'Israël leren kennen'.

Ik heb een afspraak met Nandini, een maatschappelijk werk-ster die geregeld een bezoek brengt aan de driehonderd overgeble-ven joden van de Bene Israël die nog steeds in dorpen aan de Kust van Konkan leven. In Bombay is Nandini supervisor van het Cash Assistance Program van het AJJDC, waarmee Bene Israël-gezinnen worden geholpen die onder de armoedegrens leven om hun maan-delijkse kosten te betalen. Op de dag van mijn bezoek zitten er ver-scheidene oudere mannen en vrouwen geduldig in de wachtruimte te wachten op een kosteloze medische controle van een arts-vrij-williger. Ze hebben allemaal een mapje met erop de dorpsfamilie-naam en erin de medische gegevens. Als ik zit te wachten op mijn afspraak met Nandini, buigt een oudere dame in een roze sari zich naar me toe en glimlacht.

'Kom je uit Israël?' zegt ze.

'Ik kom uit de vs,' antwoord ik. 'Maar mijn grootmoeder kwam van hier. Bhorupkar was haar Bene Israël-achternaam totdat haar vader die in Jacobs veranderde.'

'Bhorupkar!' roept ze verrukt uit.

'Ja, Bhorupkar, was mijn grootmoeders vaderskant en Chordekar was mijn grootmoeders moederskant.'

'Bhorupkar! Chordekar!' zegt ze, en keert zich naar de andere vrouwen, waarbij ze hartelijk een arm om me heen slaat. De vrou-wen uiten hun verbazing, verzamelen zich rondom mijn stoel en stellen de eerste vrouw in het Marathi vragen over mij.

'Woont je grootmoeder in Bombay?' vraagt ze me, vertalend.

'Mijn grootmoeder is niet meer,' zeg ik, en gebruik daarvoor de Indiaas-Engelse uitdrukking. 'Maar ze kwam uit Bombay, ja.'

De dame knijpt in mijn hand en kijkt me met grote, vriendelijke ogen aan voordat ze deze informatie aan de nieuwsgierige omstan-ders meedeelt.

'U doet me wel wat aan haar denken,' zeg ik. Ik zie een zekere gelijkenis in teint en manieren.

Een vrouw links van me spreekt me aan in het Marathi en trekt aan mijn mouw. Ze heeft een probleem en zij denkt dat ik haar daar-mee kan helpen. Als haar hachelijke situatie in grote lijnen voor me is vertaald, begrijp ik dat ze zich rond haar huwelijk tot het judaïsme heeft bekeerd, maar niet over het bekeringscertificaat beschikt dat ze nodig heeft om de procedure te beginnen om de *alijah* naar Israël te maken.

De dame in het roze stelt voor dat ze het best naar de synagoge kan gaan waar ze is getrouwd en daar naar de documenten vraagt. 'Val dit meisje niet lastig,' zegt ze beschermend, voor zover ik het kan begrijpen. 'Zij weet echt niet hoe ze jou zou moeten helpen.'

Een jonge vrouw leidt me naar een bureau waar ik tegenover Nandini kom te zitten – een lange, krachtig uitziende vrouw met golvend zwart haar en een streng witte bloemen aan haar paardenstaart. Ik zeg tegen haar dat ik heb gelezen dat er aan het eind van de jaren tachtig, begin jaren negentig nog verscheidene gezinnen in de Konkan woonden die het vak van oliepersers uitoefenden, en vraag haar of er daar nog een paar van over zijn?

'Er zijn maar heel weinig Bene Israël over,' zegt ze, en schudt haar hoofd. 'De meesten zijn lang geleden naar Israël vertrokken.'

'Wonen er nog wel Bene Israël? Ik heb gehoord dat er nog maar één gezin woont dat nog olie maakt op de oorspronkelijke manier.'

'Misschien nog één, ja.'

'Waar woont dat gezin?'

Ze opent het dossier en een paar minuten lang bestudeert ze een database met namen en data, en schudt vervolgens haar hoofd. Dan vindt ze een bijdrage die interessant is en leest die hardop voor.

'David Waskar, uit een dorp dicht bij Revdanda. Enige eigenaar van oliepers. Vader van Benjamin Waskar, *chazan*, ofwel voorzanger, en huisbewaarder van de Magen David Synagoge, en Ellis Waskar, enige eigenaar van riksja. Laatste bezoek van een maatschappelijk werker in december 1998. Omschreef meneer Waskar als "lastig". Maatschappelijk werker eruit gegooid. Einde rapport.'

Nandini kijkt op van haar dossier en kijkt me aan.

'Waarom fotografeert u de synagoges hier in Bombay niet? Heel veel bezoekers uit Israël hebben die bezocht en er foto's van genomen.'

Ik maak Nandini duidelijk dat ik heel graag een bezoek wil brengen aan Revdanda.

Ze glimlacht vriendelijk naar me en slaat het dossier dicht.

'Zoals u wilt, juffrouw Shepard.'

Rekhev en ik vertrekken met zonsopgang naar Revdanda, als het daglicht nog steeds nevelig is. In een taxi rijden we met grote snelheid over de Marine Drive, en ik zie een scherp contrast tussen de ochtendrituelen die de inwoners van Bombay naar het strand brengen. Langs de uitgestrekte armen van een groep chic geklede gepensioneerden die tai chi beoefenen zie ik mannen terugkeren van hun ceremoniële ochtendwassing. We kopen onze boottickets aan de voet van de Gateway of India, de majestueuze boog gebouwd voor de komst van koning George v en koningin Mary, die aan de ene kant tegen de achterzijde van het Taj Mahal Hotel aan kijkt en aan de andere kant over de oceaan uitkijkt. Eeuwenlang werden de bezoekers die per schip in deze stad aankwamen door de Gateway verwelkomd.

We rijden in een uur via de haven naar de havenstad Mandwa. Het is een fantastische reis, het licht weerkaatst vanaf het water en de ochtend is nog steeds koel. Ik voel me dankbaar en ben rustig door het vooruitzicht van een doel en ik zie hoe de gebouwen van Zuid-Bombay vervagen en vervangen worden door een waterige horizon. Ik ben een beetje nerveus om deze reis samen met Rekhev te maken, we zijn samen nooit verder gereisd dan het centrum van Poona en ik heb hem nooit met anderen dan met zijn medestudenten van de filmacademie zien omgaan.

'Heb je gedroomd dat je water zou oversteken?' vraagt Rekhev me plotseling. 'Onlangs nog, bedoel ik.'

'Ja, hoezo?' vraag ik.

'Dat is een goed voorteken. Ik heb over voortekenen in de Konkan gelezen,' zegt hij.

'Wat zijn dan goede voortekenen?' vraag ik, verlangend naar meer voorbeelden.

'Dromen over een koe, een os, een olifant, een paleis, een berg, een vrouw gekleed in wit, het doorslikken van de schijf van de zon of de maan, een lamp, fruit, een beker wijn oppakken... zo veel dingen.'

Ik vind het wel grappig, de wetenschappelijke manier waarop Rekhev deze lijst opsomt.

'Heb je die uit je hoofd geleerd?'

'Nee, ik heb ze opgeschreven in mijn schrift.'

Rekhev slaat zijn schrift open en bladert door talloze bladzijden vol aantekeningen en tekeningen. Nauwkeurige letters, geschreven met een vulpen – sommige in het Devanagari schrift, sommige in het Engels. Ik vraag me af of Rekhev überhaupt in die dingen gelooft, of dat hij alleen de klank van de woorden mooi vindt.

'Nog slechte voortekenen?'

'Katoen, as, beenderen, zingen, lachen, studeren, een vrouw gekleed in rood, een rode stip op het voorhoofd, een kat, een doornstruik, strijd tussen twee planeten – die worden als slechte voortekenen beschouwd.' Rekhev kijkt even naar het water en dan weer naar mij. 'Zeg eens, Sadia. Droom je wel eens van je Nana?'

'Sinds haar dood heb ik nog maar drie keer van haar gedroomd, en tijdens mijn eerste nacht in Poona heb ik ook van haar gedroomd.'

'Misschien paste ze op je.'

'Het is vreemd, maar dat gevoel had ik wel.'

'Dat is helemaal niet vreemd. In de Konkan denken ze dat voorouders die begaan zijn met het welzijn van hun nakomelingen in hun dromen verschijnen. Soms voorspellen ze toekomstige gebeurtenissen, zodat de dromende persoon voorzorgsmaatregelen kan nemen. Ik vind dat een heel aangenaam idee.'

Vanaf Mandwa nemen we een bus die ons via boerderijen en kleine woonwijkjes naar Alibag brengt, waar Cassim en ik onze reis zijn begonnen. De bus laat ons in het centrum van het stadje achter. We weten niet precies hoe we vanaf hier naar Revdanda moeten komen. We gaan naar een riksjarijder, die richting een theestalletje aan de overkant van de straat wijst, waar passagiers voor verschillende richtingen zich in zespersoonsriksja's persen.

De reis van Alibag naar Revdanda duurt ongeveer een uur en midden op de ochtend neemt de hitte toe, als voorbode op het aanstaande ongemak van de middag. De weg is bochtig en er verschijnen steeds meer bomen en wijngaarden. Het valt me op hoe groen het hier is, veel groener dan welke plaats ook die ik tot dusver in India heb gezien. Af en toe zie je door een gat in de begroeiing een bungalow met een grote veranda staan, soms een glimp van een oude boerderij. Op de weg liggen her en der kokosnoten verspreid. Drie jonge jongens lopen met hun armen om elkaars middel naar een kleine, stoffige tempel. Van tijd tot tijd zie ik geïmproviseerde stalletjes langs de kant van de weg: een stuk jute dat met lange stokken omhoog wordt gehouden en bescherming biedt aan een geld-kist en de bediende, en twee of drie karkassen van dieren die aan het dak hangen.

De stilte tussen Rekhev en mij wordt steeds meer ontspannen naarmate we verder van Bombay verwijderd raken. Ik kijk toe hoe hij rustig en snel de omgeving van elke nieuwe plaats in zich opneemt en af en toe iets in zijn schrift opschrijft. Er is een zekere ongedwongenheid tussen ons die ik niet eerder bij hem heb gevoeld – hij is me dierbaar en ik ben blij met zijn gezelschap. Het zou lastig zijn geweest om deze reis alleen te maken, dat besef ik nu ook. Als zijn haar voor zijn ogen valt, bedwing ik de aandrang om dat achter zijn oor te stoppen.

De overblijfselen van grote muren van een fort markeren de toegang tot Revdanda, waar de rijder ons uit laat stappen.

Ik zie een kleine platte steen ingebed in de met mos overdekte ruïne, waarop staat geschreven: 'Op deze plaats bevond zich een klooster dat door de Portugezen is gesticht in 1510.'

'Rekhev, misschien is dit ooit wel een ommuurde stad geweest,' zeg ik opgewonden, 'een soort fort. Kijk maar naar de ronde vorm waarin de stenen liggen.'

'We zijn dicht bij de zee, bij de haven van Chaul,' zegt Rekhev, de muur bekijkend. 'Dit moet ooit een belangrijke plaats zijn geweest...'

De Portugese geschiedenis van Revdanda is verder onzichtbaar. Het belangrijkste commerciële centrum van het stadje heeft zich geconcentreerd rond de lange hoofdstraat, met aan de ene kant een groentemarkt en kleine winkeltjes, allemaal bestaand uit een klein hokje, die beide kanten van de weg beslaan. De winkeltjes hebben dubbele deuren die op straat uitkomen en de koopwaar prachtig tonen. Als we erlangs lopen, gluur ik bij een kleermaker naar binnen, een kruidenier met zakken rijst, thee en koude dranken, een monteur en zelfs een klein restaurantje. Om redenen die mij niet duidelijk zijn, voel ik me hier op slag tevreden. Rekhev en ik stoppen bij een klein stalletje om thee te drinken. Een oude man in een katoenen *dhoti* zit gehurkt bij de ingang in een groot, ondiep vat met olie uien-*bhujias* te bakken. Hij kijkt ons aan en knikt, en we gaan aan een van de twee tafels zitten.

'Er is iets met deze plaats,' zegt Rekhev, naar de straat kijkend.

'Ik ben het met je eens, maar ik kan er geen vinger achter krijgen.'

'Ik heb een goed gevoel,' zegt hij.

Rekhev glimlacht en dat overvalt me. Ik ben gewend geraakt aan zijn stuurse blik.

'Waarom lach je?' vraag ik.

'Er kwam net een ezel van rechts al balkend aanlopen – hoorde je dat?'

'Ik geloof het wel. Ik lette er niet op.'

'Het is een heel goed voorteken aan het begin van een reis,' zegt hij lachend. 'Neem het me alsjeblieft niet kwalijk, ik heb veel te veel volksverhalen gelezen.'

Ik besef dat ik hem nooit eerder heb horen lachen. Het is een vrolijk, warm geluid dat aanstekelijk werkt.

Na de thee wandelen we naar een groep riksjarijders die onze nadering met interesse en nieuwsgierigheid volgt. Rekhev vraagt of ze David Waskar kennen.

'Da-veed?' zeggen ze. 'Da-veed Waskar?'

We knikken instemmend. Een van hen biedt aan om ons te brengen en vertelt dat de Waskars in een naburig dorp wonen. Het kost ons twintig roepies om er te komen, willen we dat ervoor betalen? We knikken en stappen in zijn riksja.

De weg naar Waskars dorp is aan beide zijden bedekt met dik groen gebladerte: hoge grassen, lage braamstruiken en kokosbomen. Na een paar minuten over een smal weggetje komen we aan in wat het centrum van het dorp moet zijn, en in vergelijking hiermee wekt Revdanda de indruk van een bruisende wereldstad. Er is een klein stalletje waar de eigenaar net genoeg ruimte heeft om over een taillehoge afscheiding heen snoepjes van een cent en zelfgemaakte koekjes te verkopen aan kinderen die net uit school zijn. De meeste mensen zitten in de deuropening, kijken naar de activiteiten op straat en praten met degenen die langslopen op weg naar huis. Af en toe passeert er een fietser, die belt om de mensen die in de weg lopen te waarschuwen. Een verveeld uitziende vrouw haalt water uit een put, gooit de emmer erin en wacht totdat ze hoort dat de emmer het water raakt voordat ze hem weer omhoog haalt.

We stoppen voor een huis waar een vrouw op haar hielen zit met een arm op elke knie. Ik oefen mijn basis-Hindi en probeer neutraal te klinken.

'*David Waskar khidar hai?*' Waar is David Waskar? 'Hier natuurlijk,' zegt ze. 'Waar zou hij anders moeten zijn?' Ze gebaart dat we moeten doorrijden. Nadat we nog een paar honderd meter hebben gereden, passeren we twee mannen op een scooter. Rekhev leunt naar buiten en vraagt of ze David Waskar kennen. 'Hem kennen?' zegt de man voor op de scooter. 'Iedereen kent hem. Rij tot het eind van de laan.' Zijn vriend gebaart naar een punt voor zich. 'Het is een groot huis, je ziet het wel.'

De weg wordt steeds smaller en bij een bocht bijna aan het eind van de weg zien we een groepje gebouwen, waaronder een blauw huis met twee aangrenzende panden. Boven op elk gebouw staat de davidsster, zorgvuldig uitgesneden en geverfd. Er is geen vergissing mogelijk. 'Dit is het, Rekhev,' zeg ik.

We stappen uit de riksja en lopen behoedzaam het erf op. Er klinkt een vreemd geluid, een op en neer gaand deuntje, dat van achter het gebouw rechts van ons komt. Er komt een oude man met een donkerblauwe stoffen pet, een mouwloos hemd en korte broek tevoorschijn. Hij lijkt in de zeventig, maar loopt met kwieke stappen. Zijn ogen stralen onmiskenbaar, alsof hij voortdurend plezier heeft. Hij kijkt naar ons en houdt op met zingen. Ik krijg het vreemde gevoel dat ik dit allemaal al eerder heb gezien.

'Sjalom!' roep ik. '*Aap David Waskar hain?*' Bent u David Waskar? Zijn gezicht plooit zich in een grote, brede glimlach.

'*Haan*,' zegt hij, en legt zijn hand op zijn hart. 'Ik ben David Waskar. Sjalom.'

Ik stel Rekhev voor, en die legt het doel van ons bezoek uit, dat we hier zijn om erachter te komen of er in deze regio nog Bene Israël zijn die nog steeds olie maken en verkopen. Ik ben verrast en ook een beetje blij om te zien hoe bedreven Rekhev onmiddellijk contact maakt met de man. Ik zie hoe hij met respect, zelfs met warmte, tegen de oude man praat, en hoe de man reageert. 'Zijn jullie helemaal uit Bombay gekomen op zoek naar óns?' vraagt hij lachend, en wij beamen dat.

'Kom, kom mee,' zegt hij, en legt zijn hand op Rekhevs rug. 'Jullie zijn mijn gasten, kom en ga zitten. Ze hebben vanmiddag de elektriciteit afgesloten, maar na een tijdje komt die wel weer terug. Rust maar even uit en drink iets.'

Hij zet voor ons twee plastic stoelen onder een grote boom waar we op kunnen gaan zitten, gaat zelf gehurkt dicht bij ons op de grond zitten, pakt een machete en snijdt een kokosnoot open. Hij haalt binnen twee glazen en giet de kokosmelk in de glazen. We bedanken hem voor zijn vriendelijkheid en drinken het zoete sap, ondertussen het groepje gebouwen bekijkend. Rondom een groot erf waarop een diepe trog staat waarin bruine zaden liggen te drogen, staan drie gebouwen en een houten schuur. Achter ons in de stal staan twee ossen vreedzaam van het hoge gras te kauwen. Om onze benen scharrelen een heel stel kippen, die kleine stukjes oppikken en af en toe kakelen. Twee timmermannen zitten op de grond van de houten schuur boomstammen te schaven. Centraal op het erf hangt een grote, met de hand gemaakte houten schommel die met ijzeren haken in een knoestige boom is bevestigd. Het is een vredige plek; het enige verkeer dat langskomt bestaat uit twee meisjes in schooluniform die dezelfde fietsen hebben.

'Ik vind dit een fantastisch huis,' zegt Rekhev tegen mij.

Een sterk uitziende jongeman met een snor komt uit een van de gebouwen tevoorschijn, gaat op de schommel zitten en bekijkt ons met een vriendelijke nieuwsgierigheid.

'Mijn zoon,' zegt David. 'Benja. Benjamin.'

We zeggen gedag en geven elkaar een hand, en verontschuldigen ons dat we onaangekondigd zijn gekomen.

'Dat geeft niets,' zegt Benjamin glimlachend. 'Jullie zijn van harte welkom.'

Drie kleine kinderen – twee iele, donkerharige jongetjes die waarschijnlijk een jaar of vijf zijn en een meisje van een jaar of zeven – komen het huis uit rennen en staren ons aan.

'Zeg eens hoe jullie heten,' zegt David, en de kleine jongetjes glimlachen en verstoppen zich achter het oudere meisje. 'Wie ben jij?' vraagt hij. De kinderen weten uit verlegenheid niet waar ze moeten blijven, bang iets hardop te zeggen.

Uiteindelijk richt een van de jochies zijn hoofd op en zing-zegt met een hoog stemmetje een versje op over zijn naam, dorp en district, dat hij duidelijk op school heeft geleerd.

'Mijn naam is Siyon Ellis Waskar, ik woon in Revdanda, Bazaar Pada, Ustancha Ustan, Alibag, Jillah Raigad.'

'Heel goed,' zegt David Waskar. 'Dat was heel goed. En jullie twee?'

'Mijn naam is Eleizabeth Benjamin Waskar, ik woon in Revdan-da, Bazaar Pada, Ustancha Ustan, Alibag, Jillah Raigad,' zegt het meisje. Ze heeft een hese stem, die klinkt alsof haar leeftijd haar echte persoonlijkheid verloochent. 'Elan?' zegt hij, en probeert de aandacht te trekken van het klein-ste jongetje. 'Elan?'

Maar Elan zegt niets. Om zijn taak te ontlopen rent hij vanachter zijn zus naar de dichtstbijzijnde boom en gaat daarachter staan, en wij beginnen te lachen.

'Gekkigheid,' zegt David, en richt zich weer tot ons. 'Mijn klein-kinderen Siyon, Eleiza en Elan.' Een klein jongetje, misschien een jaar oud, komt het huis uit stommelen en steekt het erf over naar zijn grootvader. Het is duidelijk dat hij pas heeft leren lopen en hij lijkt verbaasd dat hij zichzelf van het ene punt naar het andere kan verplaatsen.

'Aha!' zegt David geamuseerd. 'Israël!' Hij trekt het kind op schoot en de peuter gaat handig op Davids knie zitten, met zijn korte dikke beentjes bungelend aan weerskanten, en kijkt naar ons.

'Heet hij Israël?' vraag ik.

'Zijn naam is Israël,' zegt David. 'We hebben hem Israël genoemd.'

'Uit hoeveel mensen bestaat je familie?' vraag ik, en Rekhev vertaalt.

'Ik had twee vrouwen, maar eentje is niet meer,' zegt David. 'Twee zonen zijn hier, Benjamin en Ellis, met hun beider vrouwen en kinderen. Twee van mijn zonen zijn hier en twee in Israël. En ik. David Waskar. Hindoes noemen me Da-veed, moslims noemen me Da-wood. Da-veed, Da-wood.' David Waskar glimlacht bij de gedachte. 'Wat wil je, ik ben een Israëlische jood. Maar ik heb hier in elk geval geen problemen. Ik ben bevriend met iedereen. De mensen hebben veel respect voor mij. Dat is ook terecht. We wonen hier al heel lang.'

David spreekt Hindi gelardeerd met Marathi, de taal van zijn provincie, en hij praat heel snel. Rekhev spreekt geen Marathi en fluistert dat hij Davids accent moeilijk kan volgen. 'Maar hij is beslist fascinerend, vind je niet?' vraagt hij zachtjes, en ik merk dat hij onder de indruk is van hun gesprek.

'Sinds wanneer wonen er joden in uw dorp?' vraag ik.

'O, dat is een oud verhaal. Al vele, vele jaren. Er was een schip. Dat kwam van Israël en het duurde een maand om daarmee hiernaartoe te komen. Nu duurt het maar vijf of zes uur per vliegtuig. Mijn vrouw kan erover meepraten – ze is net terug van een bezoek aan Israël. Maar in die tijd duurde het een maand. Meer dan een maand. En toen leden ze schipbreuk. We kwamen hier aan land, gingen olie maken en verkochten dat vanuit boerenkarren waarmee we van dorp naar dorp trokken. De mensen noemden ons *teli*, oliepersers. Ze dachten dat we tot een lage kaste behoorden; ze wisten niet dat we joden waren. Maar toch konden we met iedereen goed opschieten. De problemen van hindoes en moslims zijn niet de onze.

'Maakt u nog steeds olie?'

'We maken het hele jaar door olie, en daarna gaan mijn vrouw en ik het verkopen. Dat valt nu niet mee, want de mensen kopen hun olie nu in een winkel en ze zijn er niet meer aangewend om onze olie te kopen, maar ik doe het nog steeds. Ik ga naar hele kleine dorpjes waar ze het nog kunnen gebruiken. Ik geniet ervan – het reizen op de ossenwagen, de verschillende plaatsen bezoeken. Ik hou veel van die reizen. Maar daarna vind ik het ook fijn om weer thuis te komen. God heeft het goed met me voor. Ik heb een fijne familie, een hardwerkende familie. Wat we ook maar verbouwen, of verkopen, daar eten we van. Niet meer dan dat. God heeft me genoeg gegeven, ik ben dankbaar.'

'Ik wil u iets laten zien,' zeg ik, en haal een boek over de geschiedenis van de Bene Israël uit mijn tas. 'Kent u deze mensen?' Ik laat hem een foto zien van twee vrouwen die op een oude oliepers zitten, met op de achtergrond twee ossen.

'*Mustt*!' zegt David. Wauw! Hij schudt zijn hoofd in verwondering. 'Dat is onze nicht. Ze is naar Israël vertrokken. Die ook, die is ook naar Israël gegaan. We hebben hen zo lang niet gezien, en nu staan ze in een boek? Mustt. Waar komt dat boek vandaan? Bombay?'

'Nee, uit Amerika,' zeg ik.

'*Am-reeka se?*' zegt hij verrast. 'Mustt.'

David roept zijn vrouw en zegt dat ze moet komen kijken naar de foto. Ze komt traag aanlopen uit een van de gebouwen; ze krabt op haar hoofd en kijkt geërgerd. Haar haar ziet er een beetje onverzorgd uit, alsof ze net wakker is na haar middagdutje. David legt snel uit wie we zijn en dat we helemaal uit Amerika zijn gekomen en een boek over de Bene Israël hebben meegebracht, een boek waar hun nicht in staat.

Mevrouw Waskar kijkt eerst naar de foto en dan vol verbazing naar ons. Ze draait het boek om en kijkt vol verwondering naar de rug, en gaat steeds sneller praten op steeds hogere toon. De jongere vrouwen van het huis, de vrouwen van de twee Waskar-zonen, komen de binnenplaats op lopen om te zien wat de oorzaak van al die drukte is. De twee vrouwen lijken ongeveer van dezelfde leeftijd te zijn, midden twintig, en zijn gekleed in gebloemde huisjurken. Een van de vrouwen is slank en heeft een knap, vriendelijk gezicht. De andere is kleiner, met rondere, zachtere trekken en glimlacht gemakkelijk.

'Wat is er aan de hand?' vraagt de kleinere, en neemt baby Israël onder haar arm.

Mevrouw Waskar geeft hun het boek en ze kijken allebei naar de foto, ze wijzen naar de bladzijde en praten waarschijnlijk over de twee vrouwen op de foto. Ellis, Davids andere zoon, komt het pad op kuieren en ziet het groepje rondom het boek staan. Hij is gedrongener dan zijn broer Benjamin en iets minder geïnteresseerd in het boek, maar hij kijkt plichtsgetrouw naar de foto en knikt naar ons ter begroeting.

'Perst u nog steeds op dezelfde manier olie?' vraagt Rekhev.

'Dit deel is nog hetzelfde,' zegt David, en wijst naar de onderkant van de pers, een ronde trommel. 'Maar we gebruiken geen ossen meer om de pers te laten draaien.'

'Hoe wordt hij dan nu rondgedraaid?'

David trekt zijn wenkbrauwen op en wiegt met zijn hoofd van de ene naar de andere kant.

'*Yeh* mechanisch *hain*,' zegt hij trots. Dat gebeurt mechanisch.

David neemt ons mee naar binnen in een van de gebouwtjes. Het is een kleine, donkere ruimte met een aangestampte lemen vloer en een strodak. De oliepers staat in een hoek van de ruimte, geflankeerd door een antiek ogende schommelstoel en balen hooi. De pers is een groot, geheimzinnig uitziend ding dat bestaat uit een diepe bak gevuld met zaden en een boomstam die vanuit het midden van de bak uitsteekt, en die door een motor wordt rondgedraaid om de zaden te pletten.

'Hoe werkt het?' vraag ik, en op hetzelfde moment springt een kaal peertje boven ons hoofd aan, blijkbaar uit eigen vrije wil.

'We hebben weer stroom!' roept David plotseling uit. 'Kom mee, dan zal ik jullie laten zien hoe we olie maken.'

David zet een muurschakelaar om en de pers komt met een plotselinge ruk in beweging. De boomstam begint in cirkels rond te draaien en duwt de zaadjes tegen de zijkanten van de bak, waardoor er een bruine pulp ontstaat. David gaat op zijn hurken zitten en steekt herhaaldelijk een stok in een gat onder in de pers om de doorgang vrij van resten te houden en ruimte te maken voor de olie. Als de doorgang eenmaal vrij is, wordt er een dikke, ondoorzichtige beige vloeibare substantie uitgeperst die in een metalen vergaarbak wordt opgevangen. Hij vertelt ons dat de vloeistof later nog gezeefd en geraffineerd zal worden voordat het wordt verkocht.

Ik neem een paar foto's van de oliepers en maak een korte video-opname van David terwijl hij olie maakt.

'Hoe lang maken jullie al olie?' vraag ik.

'Mijn vader en zijn vader en zijn vader voor hem. De joden hebben al olie gemaakt sinds ze in India zijn. *Teli* betekent "olieperser" en *shaniwar* betekent "zaterdag". De lokale bevolking noemde ons altijd "zaterdagse oliepersers" – de oliepersers die niet op zaterdag werken. Dat is een oud verhaal,' zegt hij, en schudt zijn hoofd. 'Ik ben een oude man geworden die naar oude mannen luistert die dit verhaal vertellen... Wij zijn de enigen die nog over zijn die weten hoe ze op deze manier olie moeten maken. Na mijn zonen denk ik niet dat iemand het nog wil doen. Mijn zonen willen hun kinderen niet leren hoe het moet.'

'Waarom niet?' vraagt Rekhev.

'Studeren!' zegt David op buldertoon. 'Ze willen dat hun kinderen gaan studeren zodat ze naar Israël kunnen gaan als ze volwassen zijn.' Hij schudt zijn hoofd van voor naar achter om zijn bewering kracht bij te zetten, en schenkt zijn aandacht vervolgens weer aan de pers, pakt handenvol van de geplette zaden en gooit ze in het midden van de bak zodat ze opnieuw worden geplet.

'Hoeveel boeken heb ik gelezen?' vraagt David aan mij, alsof ik word overhoord. 'Twee boeken,' zegt David glimlachend. 'Ik ben niet belezen, ik had het geld niet om te gaan studeren.' David legt zijn hand op zijn hoofd om een hoed na te bootsen. 'Zet een hoed op en ga studeren. Maar waar was het geld om een hoed te kopen?' Hij lacht. 'Maar ondanks dat: kijk eens wat een leven ik heb gehad. Ik heb hier gewerkt, ik heb in Bombay gewerkt. Wat ik allemaal niet heb meegemaakt! Ik heb fijne kinderen. Ze werken hard – wat we maken, eten we. We zorgen voor de masjid, en Benjamin heeft een beetje Hebreeuws geleerd. God is goed voor me geweest. Kom, we gaan theedrinken, dan zal ik je nog meer vertellen.'

David staat lenig op, loopt naar buiten en gaat zitten op een *charpoy*, een plat bed met een houten rand en een gevlochten touw als matras, waarop een stapel oude kleren ligt. Hij laat zich erop vallen en neemt baby Israël op schoot. Hij vraagt zijn vrouw thee te maken.

'Hoe lang bent u in Bombay geweest?' vraagt Rekhev, terwijl we twee plastic stoelen bijtrekken.

'Ik heb er negen jaar gewerkt. Ik was toen een jonge man. Ik verdiende zeven roepies per maand, daarna vijftien roepies per maand en die stuurde ik dan naar mijn ouders. Dat zijn de tijden die ik nog heb meegemaakt...'

'Waren dát goede tijden of zijn dít goede tijden?' vraagt Rekhev.
'Dít zijn goede tijden,' zegt David hartstochtelijk. 'Geleidelijk
aan verdiende ik meer geld. Toen ben ik met mijn eerste vrouw
getrouwd. We kregen geen kinderen, dus heb ik een tweede vrouw
getrouwd. En toen kregen beide vrouwen kinderen. Wat kon ik
doen? Ik was al met beiden getrouwd.' David moet lachen bij de
herinnering. 'Toen zijn we allemaal bij elkaar gaan wonen. Twee
zonen zijn naar Israël vertrokken, twee zijn hier gebleven en mijn
dochter woont in Bombay. De meeste joden zijn naar Israël vertrokken, er wonen er nog maar vier of vijf in deze regio. In mijn dorp
wonen vijf joden. In Chaul woont nog een man en acht kilometer
verderop woont ook nog een man. We ontmoeten elkaar met het
Suikerfeest.'

'Rekhev, zei hij Suikerfeest?' vraag ik, verrast dat hij een islamitische benaming gebruikt voor een feestdag die aan het eind van de
ramadan, de vastenmaand, wordt gevierd. Rekhev vraagt hem wat
hij bedoelt en maakt duidelijk dat David de term als verzamelnaam
gebruikt voor alle hoogtijdagen. Daarna brandt hij los in een lange
monoloog over moslims, die ik niet begrijp.

'Wilt u hier blijven of naar Israël vertrekken, nu hier nog maar zo
weinig joden over zijn?' vraagt Rekhev.

'Op de een of andere manier heb ik het gevoel dat we hier moeten blijven,' zegt David, en kijkt naar het groepje gebouwen. 'Als wij
weggaan, wie moet er dan voor de masjid en de begraafplaats zorgen? Het graf van mijn eerste vrouw is daar ook. Ik wil haar niet achterlaten. Israël is mijn vaderland, maar India is mijn moederland.'

'Hoe zit dat met de kleinkinderen?' vraag ik en kijk naar Israël.
'Blijft Israël in India of gaat Israël op den duur naar Israël?'

David kijkt naar Israël, die naar hem omhoog staart.

'Als hij wil gaan, mag hij gaan,' zegt David zacht. 'Als hij wil blijven, mag hij blijven.'

Israël knort als antwoord, en David lacht en laat hem paardjerijden op zijn knie.

'Goed? Laat de mensen die willen gaan maar gaan! Jij kunt hier
wel bij mij blijven.'

Mevrouw Waskar brengt thee in gloeiend hete geschilferde kopjes van email en geeft David een bord met daarop verschillende
tabletten, en ze zegt hem die in te nemen.

Hij werpt haar een onwillige blik toe en knipoogt naar ons. 'Mijn vrouw probeert me met medicijnen te vermoorden,' zegt hij, haar plagend. 'Ze klaagt over me, maar ze zou verdrietig zijn als ik voor haar zou gaan, nietwaar?' Voordat mevrouw Waskar teruggaat naar de keuken vuurt ze een schel weerwoord af in het Marathi. David werpt ons samenzweerderig een knipoog toe.

'Ik vind dit een leuk reisje,' zegt Rekhev tegen me, als we aan het eind van de dag in de zespersoons riksja zitten op de terugweg naar Alibag. 'Het is hier zo anders dan waar ik ben opgegroeid, voor mij is het net zo vreemd als voor jou. Je bent trouwens uitgenodigd om in september weer te komen. Voor een of ander feest. David praatte honderduit over een soort hut die ze dan maken, waarbij veel wordt gedanst en fruit wordt geplet.'

'Het Loofhuttenfeest, Soekot en Simchat Thora!' zeg ik. 'Dat moet het wel zijn. Het is dan oogsttijd. Joden bouwen dan een soeka, een tijdelijk onderkomen buiten de huizen en de synagoges, ter herdenking van de veertig jaar dat het joodse volk heeft rondgezworven, en daar brengen ze dan zeven dagen in door. Dan, op Simchat Thora, is er een viering in de synagoge voor de voltooiing van de jaarlijkse cyclus van Thoralezingen...' Plotseling lijkt het noodzakelijk dat Rekhev met me meegaat als ik weer terugga naar Revdanda. Ik kan me niet voorstellen dat ik zonder hem zou gaan. 'Wil je met me mee?'

Rekhev kijkt strak voor zich uit, alsof hij nadenkt over wat ik heb gezegd.

'Ik denk het niet,' zegt hij. Ik voel een steek, een steek van teleurstelling.

'Wat zei hij over de moslims?' vraag ik, om van onderwerp te veranderen.

'O ja, dat is heel interessant. Het had niets te maken met het conflict tussen Israëliërs en Palestijnen – jij dacht misschien van wel.'

'Ik vroeg het me af.'

'Hij leek zich er eigenlijk nauwelijks van bewust. Nee, zijn theorie dat moslims de kinderen van hun broers trouwen, vormt het probleem. Volgens hem mag een Bene Israël-man wel de kinderen van zijn vaders zussen trouwen, maar niet de kinderen van zijn vaders broers. Daar raakte hij behoorlijk door van streek. Ik heb een beetje antropologie gelezen – patronen van familiebetrekkingen en dat soort dingen. Daar doet het me aan denken.'

'Maar is dat dan de reden dat hij moslims niet mag?' vraag ik.

'Daar moet toch meer achter zitten.'

'Natuurlijk zit er meer achter,' zegt Rekhev. 'Sadia, de verhoudingen tussen de verschillende gemeenschappen in India zijn niet zo eenvoudig als je familie die heeft voorgesteld toen je jong was. Jouw geschiedenis bevalt me wel: opgroeien met drie religies en je die verschillende wegen eigen maken. Het is een heel Amerikaans idee. Maar eigenlijk begrijp ik David Waskar beter, hoewel hij uit een gebied komt en een geloof aanhangt die ik niet ken...' Rekhev gebaart naar het landschap waar de riksja door rijdt. 'Ik weet niets van Revdanda. Maar zo'n vooroordeel, van opgroeien met angst voor de man die naast je zit, dat begrijp ik wel. Als kind mag ik dan islamitische vriendjes hebben gehad, ik ben dan wel opgegroeid met mensen van allerlei kasten en gemeenschappen, maar als ik 's avonds van school thuiskwam werd mijn moeder boos als ze hoorde dat ik bij een vriendje uit mijn klas had gegeten.'

'Waarom dan?'

'Omdat we Brahmanen waren. Zo zijn we opgevoed. We moesten ons afzijdig houden. Zelfs nu heb ik dat oude vooroordeel nog bij me. Ik geloof er niet in, maar ergens zit dat diep in me verankerd. Ik vind het heel erg moeilijk om bij een vriend thuis te eten. Jij en ik, ik weet niet of we ooit vrienden kunnen zijn, niet op de manier die jij graag zou willen.'

'Waarom niet?'

'Jij hebt een bepaald idee over India, je wilt hier graag iets vinden dat je nog completer kan maken. Op de een of andere manier heb je besloten dat ik deel uitmaak van dat plan, dat ik je dingen kan leren. Jij hebt een geïdealiseerd beeld van vriendschap. Ik heb dergelijke illusies niet. De hele notie van je werk hier is gebaseerd op het idee van een zoektocht. Ik geloof er eigenlijk niet zo in dat je op zoek bent.'

'Natuurlijk ben ik...'

'Ik denk dat je in je jeugd ook niet heel erg in de war was over wie je eigenlijk was. Maar verwarring is een natuurlijke drijfveer voor een reis, en je hebt nu dus een bepaalde staat van verwarring bereikt. Jij bent in feite niet op zoek naar meer duidelijkheid, maar naar grotere wanorde.'

Ik kijk uit het raam naar de hoge grassen die tegen de riksja slaan en probeer een reactie te bedenken.

'Als ik me geroepen voel deze reis te maken – op zoek naar wanorde, zoals jij het noemt –, denk je dan niet dat verwarring een noodzakelijke fase is? Als ik hier niet op zoek ben naar iets, naar een groter begrip, waarom denk je dan dat ik hier ben?'

'Dat is oppervlakkig begrip, dat wat jij wilt, en dat zul je ook wel vinden. Je zult hard werken en de mensen hier zullen je accepteren, je gaat ze fotograferen en hun verhaal vertellen, en dan ga je terug naar de wereld waar je vandaan komt en ben je trots op jezelf.'

'Hoe kun je dat nou zeggen?' vraag ik, en voel een steek van woede. 'Je weet helemaal niets over mij of over de wereld waar ik vandaan kom.'

'Misschien niet. Maar ik weet wel dat je je maanden en jaren gaat bezighouden met het ontrafelen van de vragen waar je hier zo mee zit te worstelen. Een aantal van die vragen heb je nog niet eens geformuleerd, die kun je je nog niet eens voorstellen. Er komt een tijd dat je eenvoudiger werk wilt doen. Die behoefte steekt heel vaak ineens de kop op.'

'Je zegt me dat ik niet moet opgeven.'

'Ik zeg je dat er iets is in je verhaal, over je grootmoeder, dat me treft, en dat is de reden dat ik je help, tegen beter weten in. Je bent ambitieus en je wilt goed werk doen. Ik waardeer dat.'

'Je gaat dus met me mee naar het oogstfeest?' vraag ik dapper.

Rekhev doet even zijn ogen dicht.

'Dat is een reden dat ik geen vrienden wil maken,' zegt Rekhev.

'Hoezo?' vraag ik.

'Mensen gaan altijd weer weg. Boeken zijn veel betrouwbaarder.'

17

Joden en Indiërs

Bombay, april 2002

De Magen David Synagoge van Byculla staat er als een relikwie: een grootse, vaalgele oude dame aan de kant van de Sir J.J. Road. Het gebedshuis werd in 1861 gebouwd door David Sassoon, de leider van de joodse gemeenschap en afkomstig uit Bagdad, en werd vergroot en gerenoveerd om destijds plaats te bieden aan de leden van de bloeiende joodse gemeenschap uit Bagdad, die in het midden van de negentiende eeuw in groten getale naar Bombay waren verhuisd. Ik heb over de moeizame relatie tussen de Bagdad-gemeenschap en de Bene Israël gelezen. Tijdens hun eerste jaren in India voelden de Bagdadi's, lichter van huidskleur en qua manieren veel Europeser, zich in cultureel opzicht vooral verwant met de Britten en distantieerden ze zich van de Bene Israël. Maar in de afgelopen decennia, waarin het ledental van beide gemeenschappen is teruggelopen, is de kloof tussen hen kleiner geworden en de twee groepen delen nu synagoges en vieringen.

Ik loop door de poort en kijk omhoog naar het gotische bouwwerk – aan de voorkant houden vier pilaren het bouwsel in de lucht door het ondersteunen van een lange, grote spindel. Het is imposant en indrukwekkend. Binnen in de synagoge zijn donkere kleuren gebruikt, de banken zijn bedekt met beschermhoezen en de lichten zijn uit. Ik vraag me af of er iemand is.

'Wie is daar?' klinkt een vrouwenstem links van mij, vanuit een zijkamer van de synagoge.

Ik ga een deur door en tref een oudere vrouw aan die zichzelf koelte toewuift met een krant, haar wangen zijn klam van het zweet. Ze heeft een fletsroze huidskleur en is gekleed in een gebloemde huisjurk die als een gordijn om haar figuur opbolt, en haar weinige witte haren zijn in een strakke knot getrokken. Ze is omringd door voorwerpen die aan een zittend leven gebonden zijn dat al vele jaren duurt: stapels boeken, klapstoelen, oude kranten. Op de achtergrond is haar bed zichtbaar en ik besef dat deze kamer misschien wel haar thuis is. Misschien stoor ik wel.

'Bent u hier de huisbewaarster?'

'Dat ben ik, bij de gratie Gods,' zegt ze. 'Flora. Ga zitten. Ik kan je niet zien.'

Ik pak een klapstoel en zet die dicht bij haar neer. Ze kijkt me geconcentreerd aan. 'Ben je hier om de synagoge te bekijken?'

'Ik zou graag een paar foto's willen maken.'

'Kom je uit Israël? Amerika?'

'Amerika,' zeg ik tegen haar. 'Maar mijn grootmoeder was een Bene Israël uit Bombay.'

'Aha, dus jij bent teruggekomen. Hoe heette je grootmoeder?'

'Rachel Jacobs. Ze is opgegroeid in Thane, Poona, en later hier.'

'En, m'n kind, wanneer was dat?'

'Dat was in de jaren dertig en veertig, voor de afscheiding.'

'Ik heb een Flossie Jacobs gekend. Was ze familie van Flossie?'

'Dat weet ik niet. Ze had een zus die Lizzie heette...'

'Ik kende ene Flossie. Dat was een heel knap meisje, ze trouwde en vertrok naar Israël. Ik heb haar in geen dertig jaar gezien. Maar goed, ik heb mijn eigen kinderen al bijna tien jaar niet gezien. Hoe heet jij dan?'

'Ik heet Sadia.'

'Islamitische naam.'

'Mijn grootmoeder is destijds met een moslim getrouwd.'

Ze wacht even, denkt na over haar antwoord.

'Ik ben een jodin uit Bagdad. Tweehonderd jaar geleden zijn we uit Irak hiernaartoe gekomen. De Bagdadi's hebben Bombay gebouwd. De Gateway of India, de Flora Fountain – ze zijn gebouwd door Bagdadi's. De Britten waren heel goed voor ons, in die tijd werkte alles nog zoals het hoorde. Er zijn er nog maar heel weinig over van mijn gemeenschap...'

'Woont uw familie bij u?'

'Hier? Nee. Mijn kinderen wonen in Israël. De mensen zijn hier goed voor me, geven me een plaats om te wonen. Ze komen de synagoge bezoeken en dan geven ze me vijftig roepies zodat ik suiker kan kopen voor in m'n thee. Verder zijn Mohammed en ik hier alleen. Wil je dat het licht aan is als je foto's gaat maken? Mohammed, ben je daar?'

Er verschijnt een man in een gekreukt geelbruin uniform met een Nehru-pet die op zijn hoofd wiebelt als een leeggelopen ballon. Op het zakje op zijn overhemd staat een geborduurde 'M'. Hij kijkt naar de grond en doet snel zijn pet af.

'Laat het meisje de synagoge zien, doe het licht voor haar aan, het hele verhaal,' zegt ze.

Ik loop de hal in en kijk met verwondering naar de afmetingen. Deze synagoge moet ooit gebouwd zijn om een grote congregatie in te kunnen huisvesten. Ik maak een paar foto's van de lege ruimte, maar ik ben veel meer geïnteresseerd in Flora en Mohammed. Ik ga de zijbeuk weer in, waar Flora zich met een oude kalender koelte toewuift.

'Verdomde hitte,' zegt Flora, als ik tegenover haar ga zitten.

Een paar minuten later verschijnt Mohammed met drie hoge, kleine glaasjes hete thee. Hij zet een bijzettafeltje bij Flora en legt daar een stukje oud krantenpapier op. Uit een theeblik vist hij vier koekjes op, legt die op de krant en gebaart naar mij dat ik er eentje moet pakken. Flora kijkt blij en accepteert vlot haar glas thee. Ze blaast in de kleine opening, kantelt het glas en zuigt de vloeistof langzaam tussen haar tanden naar binnen.

Mohammed drinkt zijn thee staande aan de rand van het vertrek, waar hij uitkijkt over de binnenplaats, zowel van binnenuit als buiten. Ik vraag me af hoe vaak ze dit ritueel dagelijks herhalen, en hoe lang ze al op deze manier leven – onzichtbare mensen, zij aan zij.

'Hoeveel Bagdadi's zijn er nog in Bombay, tante? Worden hier in de synagoge nog diensten gehouden?'

'Zowat iedereen is weg. Om een minjan te hebben doen de geestelijken een beroep op de mannen van de Bene Israël. Sommige leden van mijn congregatie wilden er destijds niet van weten. Maar de mensen kunnen nu goed met elkaar opschieten – er zijn niet veel joden meer over.'

'Hoe is uw verhouding met de islamitische gemeenschap? De synagoge staat midden in een islamitische buurt. Voelt u zich hier wel veilig als er geweld is in Israël?'

De laatste dagen is Operatie Defensieschild van het Israëlische Defensieleger geëscaleerd, en het nieuws staat bol van verslagen over doden en gewonden aan beide zijden. Ik vraag me af in hoeverre de plaatselijke islamitische bevolking zich verbonden voelt met de Palestijnen.

'De problemen in Israël zijn niet onze problemen. Wij joden in India hebben een goede verstandhouding met de moslims, en zij met ons. Weet je dat er tijdens de Zesdaagse Oorlog relletjes waren in straten van Byculla? We waren heel erg bang voor plunderaars. De moslims uit de buurt wilden er zeker van zijn dat niemand onze synagoge zou beschadigen. Ze sloegen de handen letterlijk ineen en vormden een menselijke muur voor de poort van de synagoge, zodat niemand erin kon. "Dit is een huis van God," zeiden ze. Ik zal nooit vergeten hoe vriendelijk de moslims die dag waren.'

'Wat denkt u, hoeveel synagoges hebben islamitische huisbewaarders?' vraag ik. 'In de hele wereld, bedoel ik. Het is vast een zeldzaamheid.'

'Zoiets kan alleen in India. Hier zijn joden en moslims allebei minderheden. We zijn allebei goed in India gesetteld, nietwaar? Joden hebben hier nooit antisemitisme meegemaakt. Niet door de hindoes, niet door de moslims, niet door de Britten. Nee, de Britten waren heel goed voor ons.'

Ik loop de hoge trap van ORT India op en begroet onderwijl leraren en studenten. De school voelt inmiddels vertrouwd aan, als een soort thuisbasis. Mijn leerlingen zijn uit Israël teruggekomen met hoge, opgewonden stemmen – enthousiaste stromen verhalen over waar ze zijn geweest en wat ze hebben gezien.

'Hebben jullie het stuk opgevoerd?'

'Het was een enorm succes, Miss Sadia! Echt eersteklas!'

Ze vertellen me hoe ze hun teksten hebben geleerd in de bus die hen van religieuze plaatsen naar de universiteitscampussen vervoerde waar ze verbleven, hoe ze de tekst voor elkaar opzegden en scholden tegen degenen die stukken vergaten. Ze vertellen me hoe twee regels uit het toneelstuk tijdens de reis een soort yell waren geworden en keer op keer herhaald werden: 'Wie zijn we?' riep dan iemand die voor in de bus zat, en dan reageerde de groep met: 'Wij zijn zowel Indiërs als joden.' En een andere: 'Joden en Indiërs!'

Op de eerste verdieping steek ik mijn hoofd om de deur van Benny Isaacs' kantoor om te kijken of hij even tijd voor me heeft. Ik heb een kopie bij me van de stamboom van mijn grootmoeder; twee aan elkaar geplakte stencils.

'Ach, ja...' zegt hij. Hij buigt zich gretig over het papier en biedt mij een stoel aan. 'De jongens van Jacobs, de broers van je grootmoeder. Zij waren volle neven van mijn moeder en ze was erg dol op hen. Het was een pittig stel, moet je weten. Ze vertelde me vaak verhalen over hen, hoe ze zich verkleedden en elkaar voor de gek hielden... Soms gingen we op bezoek bij Villa Rahat. Ik weet nog dat ik er als klein jongetje op de veranda speelde.'

'En deze tak van de stamboom?' vraag ik. 'Staan daar ook nog bekenden op?'

Benny Isaacs kijkt nog een keer en dan zie ik zijn ogen in herkenning oplichten.

'Zo,' zegt hij. 'Kijk eens aan – hieruit blijkt dat je familie bent van Mhedeker.'

'Wie is Mhedeker?' vraag ik.

'Hij is een heel belangrijk man in de gemeenschap, echt heel belangrijk. Hij is voorzitter van de Magen Hassidim Synagoge, de grootste Bene Israël-synagoge in heel Bombay. Na de afscheiding is zijn familie vanuit Karachi hiernaartoe gekomen. Eigenlijk wel een bijzonder verhaal – van armoede naar rijkdom. Hij is nu een heel geslaagd zakenman en heeft veel aan de gemeenschap gegeven. Je moet hem een keer ontmoeten.'

Op de vierde verdieping zit Sharon, een van de joodse leraren bij ORT die me met het toneelstuk heeft geholpen, met een tienjarig jongetje. Hij krijgt les in Hebreeuws en ik luister naar hun gesprek. De jongen zit met een opengeslagen schrift tegenover Sharon en probeert Hebreeuwse letters te maken en uit te spreken. 'Goed, prima. Nog een keer...' zegt hij. De jongen begint opnieuw en Sharon wendt zich tot mij.

'Wil je bij mij een les komen volgen, Sadia,' vraagt hij glimlachend.

'Natuurlijk,' zeg ik, en ga zitten om hen aan het werk te zien.

Ze hebben me verteld dat Sharon eerder vrij liberaal was, zelfs seculier. Hij studeerde chemie en was niet bijzonder religieus. Maar toen hij begin twintig was, begon hij het judaïsme te bestuderen en werd hij strenger in de leer. Nu is hij een van de meest kritische jonge leden van de Bene Israël-gemeenschap. Hij heeft een lange zwarte baard, draagt altijd een keppeltje en hij doet zijn best om de joodse kennis binnen de gemeenschap te verspreiden, die hij voornamelijk in een jesjiva in Jeruzalem heeft geleerd. Toch is er iets in het relaxte gedrag van Sharon waardoor ik me niet beoordeeld of slecht op mijn gemak voel, iets wat me anders wel eens overkomt in de buurt van vrome mensen. Zijn geloof lijkt een persoonlijke aangelegenheid die hij graag met anderen wil delen als ze daarin geïnteresseerd zijn.

Als de jongen zich weer over zijn schrift buigt, wendt Sharon zich tot mij.

'Sadia, wanneer kom je een keer tijdens de sabbat bij mij thuis eten? Mijn vrouw, Sharona, en ik houden toezicht in het jongenspension van ORT in Byculla. We hebben veel ruimte en er komen vaak mensen voor de sabbat en de feestdagen. Misschien heb je wel vragen, of wil je gewoon praten. Je bent van harte welkom in ons huis.'

'Dank je, Sharon,' zeg ik dankbaar. 'Ik wilde al langer meer over de sabbat leren. Sharon, heet je vrouw Sharona?' vraag ik.

'Ja,' zegt hij glimlachend.

'En jullie zijn allebei joodse docenten?'

'Ja.'

'Wat passen jullie dan prachtig bij elkaar!'

'Ik ben heel gelukkig,' zegt hij, knikkend. 'Weet je, na verloop van tijd hebben we gemerkt dat de sabbat voor ons geen obstakel is, maar een soort cadeautje. Door de week hebben we vaak niet meer dan vijf minuten tijd om samen door te brengen. Op sabbat zijn we samen, we praten, spelen met ons dochtertje. Daar genieten we van. De sabbat kan heel leuk zijn en geeft ons kans om bij elkaar te zijn. Natuurlijk om te bidden, maar ook om te discussiëren en van elkaars gezelschap te genieten.'

'Ik verheug me er al op,' zeg ik, en merk dat ik het meen.

De week erna bevind ik me weer in het verkeer van Bombay, op weg naar de Magen Hassidim Synagoge voor een ontmoeting met meneer Mhedeker. Als ik de dichtbevolkte buurt Agripada heb bereikt, zie ik in een flits gezinnen die boven de rijen winkels in overvolle kamers ter grootte van een cel wonen. In tegenstelling tot de ingetogen wijk waar ik woon, liggen de straten hier bezaaid met papier en is de lucht doortrokken met de geur van geroosterd vlees. Handkarren banen zich slingerend een weg tussen de auto's door en hebben bekers gemalen ijs te koop, dat fel groen en rood gekleurd is door de siroop. Elke rijbaan heeft een specialiteit. Op een ervan zit een rij papierhandelaren stapels oude, met garen bijeengebonden kranten te verkopen. Op een andere rijbaan weegt een glanzende rij goudhandelaren hun waren op weegschaaltjes. Jongens van twaalf en dertien spelen cricket op straat en de ballen rollen onder de geparkeerde auto's. Vrouwen, sommige in kleurige sari's, andere in zwarte burka's, lopen door de straten met plastic tassen vol groente aan hun arm. Mannen kijken hen na als ze passeren, roken sigaretten of kauwen *pan* [een mix van betelbladeren en betelnoten – vert.], dat ze in heldere stroompjes in de smalle volle goot uitspugen, als een rood riviertje dat door de buurt meandert.

Als ik door de poort van de synagoge loop, verrast de ruime, ommuurde binnenplaats me en word ik onmiddellijk omringd door rust. De Magen Hassidim is een groot bouwwerk en beslist heel mooi, met boven een aparte afdeling voor vrouwen waar ze kunnen zitten en beneden een voor mannen. Ze hebben me verteld dat deze synagoge binnen de Bene Israël een van de meest begerenswaardige locaties is voor een huwelijk, en dat op hoogtijdagen de grote hal tot de laatste plaats bezet is, met alleen nog een paar staanplaatsen achterin. Een man die mij geen hand wil geven begroet me en loodst me bij het hoofdgebouw naar binnen – hij zal wel orthodox zijn, realiseer ik me. Binnen in het kantoor zit een heel grote, imposant uitziende heer achter een groot bureau; dat zal meneer Mhedeker wel zijn. Zijn peper-en-zoutkleurige haar is heel kort geknipt en hij heeft een keurig bijgewerkt dun snorretje. Hij knikt tegen me als ik binnenkom, waarmee hij aangeeft dat ik naast zijn bureau moet gaan zitten.

Een jongen komt koekjes, thee en een fles mangosap brengen, die hij voor me neerzet. Meneer Mhedeker biedt me een koekje van het schaaltje aan en ik neem er gretig een hap van om te laten zien hoezeer ik zijn gastvrijheid waardeer.

Hij pakt ook een koekje, sluit zijn ogen en bidt voordat hij een hap neemt.

'Het spijt me,' zeg ik snel, 'ik had moeten wachten op uw gebed.'

Hij schudt zijn hoofd om me duidelijk te maken dat hij het niet erg vindt.

'Goed. Benny Isaacs heeft me verteld dat je onderzoek doet,' zegt hij.

Ik leg mijn familiestamboom voor hem neer en wijs op het gedeelte dat Benny was opgevallen.

'Ik heb begrepen dat u afstamt van de vroegere *jailer* van Karachi? Die ook een Bene Israël was? Ziet u, hier, hij was de broer van mijn overgrootvader...'

'Meen je dat? De jailer was mijn grootvader! Hij diende onder de Britten. Onze familie heeft vele generaties in Karachi gewoond. We hadden daar een goede naam opgebouwd.'

'En bent u daar opgegroeid?' vraag ik. 'Ik bedoel, voordat u het besluit nam om naar Bombay te komen.'

'Dat was geen besluit,' zegt hij heftig, en maant zichzelf dan tot rust. 'Ik zal het je uitleggen.'

Meneer Mhedeker gaat gemakkelijk achterover in zijn stoel zitten en begint te praten. Ik pak mijn pen en schrift.

'Ik ben opgegroeid in Karachi,' begint hij, 'toen dat nog deel uitmaakte van India. Dat was voor de scheiding. In Sindh hadden we een heel grote boerderij – vijfentachtig tot negentig mango-, appel- en limoenbomen – het was big business. We hadden een kamelenkar en we verkochten aan groothandels. We hadden een eigen gebouw in Karachi. Daar waren we heel gelukkig. En toen was er de scheiding. Ik was toen dertien. In 1947 is alles veranderd.'

'Hebben ze u gevraagd Pakistan te verlaten?'

'Dat was geen kwestie van vragen. Er kwamen tweehonderd mensen naar ons huis. Ze waren uit India gekomen. Ze zeiden tegen mijn moeder: "We hebben alles verloren, we hebben alles achter moeten laten. Vertrek nu. Ga naar India. Wat u op uw lichaam draagt is van u. Dit is nu ons huis."'

'Waren het vluchtelingen?'

'Het waren mensen die hun huis kwijt waren geraakt. Mijn moeder zei: "Hoe kan ik weggaan? Dit is mijn huis. Er zijn hier kleine kinderen..." Meneer Mhedeker schudt zijn hoofd bij de herinnering. 'Ze zeiden: "Wij zijn alles kwijtgeraakt, nu is dit van ons." Mijn moeder deed de kast open waarin ze haar geld bewaarde, maar een man hield haar tegen. Hij zei: "Mevrouw, doe alstublieft de deur dicht. We hebben u al eerder gezegd: wat u op uw lichaam draagt is van u. We zullen u geen kwaad doen, maar ga nu. Als u de kast weer openmaakt dan zal hetgeen u op uw lichaam draagt ook ons eigendom worden. Ga nu."'

'En dus ging u...'

'In een paar minuten tijd waren we bedelaars geworden. Mijn moeder bracht ons kinderen bij elkaar en op de een of andere manier kwamen bij een boot terecht – ik weet nog niet hoe ze het heeft gedaan. We zijn per schip naar Bombay gegaan. Daar gingen we naar het huis van mijn tante en we bleven hier bij de joodse gemeenschap. In die tijd stonden hier allemaal gebouwen van joden – dit hele gebied zat vol met leden van de Bene Israël.'

'Wat deed u toen u in Bombay aankwam?'

'We verkeerden in een heel slechte positie. We hadden geen geld. In die tijd moest ik mijn broek en hemd altijd laten vermaken. De man van het naaiatelier zei: "Hoe kan ik de gaten in deze kleren nog stoppen? Ze zijn veel te vaak vermaakt." Toen ik zestien was ging ik van school en begon ik in een tandenborstelfabriek te werken. Ik verdiende twee roepies en acht anna's per dag. Toen ik daar tandenborstels aan het maken was, besloot ik dat ik een belangrijk man wilde worden. Dat had ik in mijn hoofd. Ik wilde zakenman worden. In die tijd was ik niet erg gelovig. Ik dacht: "Wat heeft God ons gegeven? We hadden ons leven in Karachi en dat heeft Hij allemaal afgepakt. Waarom?" Toen vroeg de vrouw van mijn broer me of ik meeging naar de synagoge voor het nieuwjaarsgebed. Ik zei tegen haar: "Waarom? God heeft ons vergeten." Ze zei: "Nee, je moet gaan." Ik zei: "Hoe kan ik daar nu zó naartoe gaan? Ik heb alleen maar oude, versleten kleren – één shirt en één broek." De vrouw van mijn broer was een fantastisch mens. Ze gaf me nieuwe kleren om naar de synagoge te gaan, nieuwe kleren voor het nieuwe jaar, en ik begon naar de gebedsdiensten te gaan. In die tijd was ik twee- of drieëntwintig. God heeft me dag na dag geholpen. Mijn leven veranderde radicaal toen ik naar de synagoge begon te gaan.'

'Hoe is dat gegaan, uw ontwikkeling tot succesvol zakenman?'

'Ik begon op straat vanuit een mand chocolade en zakdoeken te verkopen. Ik verkocht ze voor acht anna's, twaalf anna's. Daarna ben ik met honderd geleende roepies tandenborstels gaan verkopen. Na een tijdje bedacht ik dat ik eigenlijk mijn eigen fabriek zou moeten hebben. Dat was in 1964. Ik nam een kleine ruimte over en daar heb ik een tandenborstelmachine ontwikkeld. Ik had er wel enig idee van hoe het moest, omdat ik in die fabriek had gewerkt. Het duurde twee jaar en toen was het gelukt. Het was de eerste tandenborstelmachine die in India gemaakt was. Daarvoor werden alle tandenborstels altijd geïmporteerd uit Londen en Duitsland. Ik begon ook tandenborstels te exporteren. Naar Rusland, Israël, Dubai. Ik had tweehonderd mensen aan het werk. Er waren verschillende onderdelen in het bedrijf: de tandenborstelafdeling, de plastic gieterij, een afdeling voor afdichten en snijden, de borstelmachine, de modelleermachine, de verpakkingsafdeling. Mijn onderneming heette Menorah Industries. Ik kan je wel zeggen dat die tandenborstels als warme broodjes over de toonbank gingen.'

'Gaat u naar Israël?' vraag ik. 'Hebt u plannen om daarnaartoe te verhuizen?'

'Ik heb een zoon in Toronto en drie dochters in Israël. Ik heb erover gedacht om te gaan, maar mijn leven speelt zich hier af. Achtentwintig jaar geleden werd ik voorzitter van de Magen Hassidim. Als voorzitter is het mijn taak om voor de synagoge, het terrein en de huwelijken te zorgen – zo veel beslissingen. Er vinden hier heel erg veel huwelijken plaats – ik denk dat er wel vijftig huwelijken per jaar in de Magen Hassidim worden gesloten. Over een paar weken hebben we er weer een.'

'Ik denk dat ik de bruid ken, Leah, ze was een van mijn leerlingen bij ORT. Met wie gaat ze trouwen?'

'Een jongeman die in Israël woont. Na haar huwelijk gaat ze daar
ook naartoe. Dat zul je zien.' Meneer Mhedeker wacht even, alsof
hij over een laatste kwestie nadenkt. 'In India zijn we gelukkig. Maar
er zijn nog maar heel weinig joodse bedrijven, dus zijn er minder
kansen op een baan voor onze jongeren. Bij de gratie Gods hebben
we hier nu callcenters gekregen, en daar werken onze jonge mensen
nu. Luchtvaartmaatschappij El Al zit er, daar werken ze ook. Maar
meestal emigreren ze naar Israël. Jonge Bene Israël zeggen: "In den
vreemde verdienen we veel meer." Elke week vertrekt er wel een
gezin naar Israël.'

'Hoe zal de Magen Hassidim er over twintig of dertig jaar uitzien?'

'Als een museum. Dan is het een antiquiteit. Net als in Cochin,
in Kerala. Net als de synagoge daar. De regering zal dan voor bescherming zorgen.'

'Denkt u nog steeds aan Karachi? Herinnert u zich de synagoge
daar nog?'

'Ah, de synagoge was heel mooi. Ik weet nog dat die groter was dan deze. Er kwamen altijd zo veel mensen voor de feestdagen. Na de scheiding zei de leider van Pakistan, generaal Zia-ul-Haq: "Ik ga dat gebouw verwoesten." Hij was anti-Israël. De joodse mensen, de paar die nog over waren, zeiden: "Laten we er een bibliotheek van maken, dan blijft het gebouw tenminste behouden." "Nee," zei hij. Hij wilde niet luisteren. Hij heeft het gebouw vernietigd. En nog geen drie maanden later crashte zijn vliegtuig. Generaal Zia werd aan stukken gereten, net zoals hij met de synagoge had gedaan. Dat kun je aan iedereen vragen, het is de waarheid.'

Meneer Mhedeker schudt spijtig zijn hoofd.

'Ik blijf in India,' zegt hij plotseling, alsof hij midden in een gedachte zit. 'Mijn mensen hebben me hier nodig. Ze zullen me niet laten gaan.'

18

Welke kaste?

Bombay, mei 2002

Zoals gebruikelijk heb ik niet genoeg tijd uitgetrokken om tijdens het spitsuur de stad te doorkruisen. Mijn taxi baant zich zwoegend een weg door Nana Chowk, langs Bhatia Hospital, door Tardeo en verder naar Byculla. We bewegen ons heel langzaam voort door het vastgelopen verkeer en ik kijk nerveus op mijn horloge. Het is tien over zes. Ik ben onderweg naar het huis van Sharon en Sharona voor de sabbatmaaltijd, en de zon gaat om halfzeven onder. Ik ben kwaad op mezelf omdat ik niet eerder ben vertrokken. Ik had beter moeten weten. Buiten worstelt een man om zijn groentekar – een brede plank boven op twee grote houten wielen – in het juiste spoor te houden, en hij probeert te voorkomen dat er al te veel tomaten tussen het tegemoetkomende verkeer rollen.

Ik zie de wijken veranderen. Nog maar een paar maanden geleden zouden ze er in mijn ogen allemaal gewoon vreemd hebben uitgezien, en ik zou ze als één en hetzelfde Bombay hebben beschouwd. Inmiddels beklijven sommige verschillen wel. Onderweg zie ik hoe we door welvarende en minder welvarende wijken komen, van overwegend hindoebuurten tot overwegend islamitische buurten, en hoe de winkels en kledingstijlen navenant veranderen. Het getinkel van de tempelklokken wordt vervangen door de krakende luidspreker van de *azaan*, een geluid dat me altijd doet denken aan de bezoeken die ik als kind aan Pakistan bracht. Een paar dagen eerder hebben drie Pakistaanse nationalisten gekleed in Indiase legeruniformen een aanslag gepleegd op een kampement bij Jammu, waar Rekhev oorspronkelijk vandaan komt. Als gevolg daarvan heeft India zijn strijdkrachten op *high alert* gezet en is de spanning tussen de twee landen opgelopen. Dicht bij het J.J. Hospital passeren we aan de linkerkant de Magen David, de oude Bagdadi synagoge, en ik denk aan Flora en Mohammed die daar binnen zijn.

Ik zie de oriëntatiepunten die Sharons vrouw me via de telefoon heeft doorgegeven om uit te leggen waar hun flat is – de brug, de benzinepomp, de tweede benzinepomp. Hoewel het al tegen de avond loopt is het nog steeds heet, en ik zweet. Ik veeg mijn bovenlip af met mijn dupatta. Het is net halfzeven geweest. Ik vind het vreselijk om te laat te komen. Ik wijs naar het gebouw waar ik wil dat de taxichauffeur me afzet; een groot gebouw van meerdere verdiepingen met winkels op de begane grond. Het is moeilijk om de ingang te vinden. Uiteindelijk vind ik hem, maar het is meer een gat tussen gebouwen dan de weg naar binnen. Ik vraag het aan een paar jongens die op de stoep rondhangen, en ze knikken om aan te geven dat het inderdaad de ingang is. Ik kijk weer op mijn horloge. Ik weet dat Sharon en Sharona de sabbatkaarsen waarschijnlijk al aangestoken hebben en zich afvragen waar ik blijf.

Als ik de taxirit betaal, vraagt de chauffeur of ik niet liever terug wil gaan naar mijn hotel. Ik weet zeker dat hij vreemdelingen meestal op hetzelfde handjevol plekken afzet: het Taj Mahal Hotel, het Ambassador of het Oberoi winkelcentrum.

'Ik wóón in Bombay,' zeg ik in het Hindi, bij wijze van uitleg, tot verrassing van mezelf.

'Wonen daar familieleden?' vraagt hij, met weifelende blik wijzend op het gebouw.

'Ja,' zeg ik, om het eenvoudig te houden.

Ik stap uit, en omdat er jonge mannen in de straat naar me kijken, probeer ik er nonchalant uit te zien. Ze bekijken me met nieuwsgierigheid doortrokken met iets van minachting. Ik kan ernaar raden, maar ik zal de ware oorsprong van hun afkeer nooit te weten komen. Ik voel me daardoor niet helemaal op mijn gemak, maar het komt me niet langer ongewoon voor.

Ik ben gekleed zoals ik me hier al een tijdje kleed: in een ruimvallende katoenen salwar kameez en sandalen. Ik heb het idee dat ik kan opgaan in de bevolking opgegeven. In plaats daarvan probeer ik met mijn kleren duidelijk te maken dat ik mijn best doe en dat ik nog lang niet van plan ben weg te gaan. Veel jonge vrouwen in Bombay dragen westerse kleding, maar in een broek en shirt voel ik me een bezoeker. Ik wil duidelijk maken dat ik iets anders ben.

Ik loop een lange houten trap op, kom langs een smal bankje waar een heel oude man op een stapel dekens ligt te slapen. In versleten gedeelten van de vloer staan poeltjes water en op een van de etages ontsnapt een rokerige geur aan een kleine wierookbrander. Ik vraag me opnieuw af of ik hier wel goed ben.

Na verschillende trappen bereik ik een deur die in diepblauw met dofwit is geverfd. Hier zal het zijn. Het jongenspension van ORT waar Sharon en Sharona toezicht op houden is een grote flat voor jongens die van buiten Bombay komen en een van de beroepsopleidingen van ORT volgen. Nu steeds meer Bene Israël-leden India voor Israël verruilen, zijn er een groot aantal jonge mannen van de Bnei Menashe-gemeenschap, een kleine groepering uit Manipur en Mizoram in het oosten van India, die onlangs nog in het nieuws was omdat ze beweren dat zij ook afstammen van een van de verloren stammen van Israël.

Ik druk op de bel, maar die lijkt geen geluid te maken. Ik bons op de deur en hoop dat iemand me hoort. Het lijkt alsof het belangrijkste woongedeelte iets verder weg ligt van de voordeur, maar inmiddels is het ver na halfzeven en ik vrees dat ze druk bezig zijn met hun gebeden. Ik herinner me dat een van de verboden handelingen 'het gebruiken van stroom' is en dat deurbellen tot de dingen behoren die na zonsondergang worden uitgeschakeld. Maar hoe zit het als iemand anders op de bel heeft gedrukt? Mag je daarop reageren? Of is dat ook verboden?

Ik leg mijn hoofd tegen het melkglas dat in de deur verwerkt is, ik voel me plotseling uitgeput en vraag me af wat ik nu moet doen.

Er komen twee jongens met gebedskapjes in moslimstijl de trap aflopen, gevolgd door een knappe jonge vrouw die hun moeder wel moet zijn. Ze draagt een lange zijden kaftan met een broek en een bijpassende dupatta over haar hoofd, kledij die qua stijl vaag Arabisch is, en die ik meteen als islamitische herken.

'Waarom bel je niet aan?' vraagt ze vriendelijk in het Engels.

'Dat heb ik geprobeerd, maar ze reageren niet,' zeg ik schouderophalend. 'Ik kom van ver en ik ben nogal laat. Ken je mijn vrienden Sharon en Sharona misschien?' vraag ik.

'Ik weet wie ze zijn,' zegt ze knikkend. 'Er zijn wat werkzaamheden uitgevoerd hier in het gebouw, dus zie ik ze wel eens als ze boven water komen halen of als er dingen gerepareerd moeten worden. De flat van mijn oma is boven. Daar woon ik met mijn twee jongens.' Ze wijst op de kinderen.

'Jouw zonen?' vraag ik.

'De ene is vier en de ander twee,' zegt ze, met een zekere trots in haar stem. 'De oudste studeert bij een Koranleraar beneden. Hoe heet je?' vraagt ze.

'Sadia.'

De jonge vrouw kijkt me met een blik van herkenning aan. 'Moslim,' zegt ze, glimlachend.

'Ja,' zeg ik. 'En hoe heet jij?'

'Hajira.'

'Dat is een veelbelovende naam,' zeg ik, en ze kijkt me blij aan. 'Hajira' is de islamitische naam voor Hagar, Abrahams tweede vrouw en de moeder van Ismael.

'Waar kom je vandaan?' vraagt ze.

'Ik kom uit de Verenigde Staten,' zeg ik, 'maar ik heb ook familie in Pakistan.'

Om de een of andere reden wil ik mijn status als moslim bevestigd zien, zodat deze jonge vrouw me aardig vindt.

'Ben je getrouwd?'

'Nee,' zeg ik. 'Mijn familie in Pakistan maakt zich al zorgen...' Ik breng mijn handen naar elkaar als voor een gebed en imiteer daarmee een van mijn bezorgde tantes; ze moet erom lachen.

'Dat komt wel als de tijd er rijp voor is. Misschien moet je nog harder op de deur bonzen, zodat ze je kunnen horen. Ik zal je helpen,' zegt ze. Ze loopt naar de deur en begint hard op het hout te slaan. 'Ze zeggen hun gebeden op vrijdagavond,' zeg ik. 'Misschien kunnen ze me gewoon niet horen.'

'Wij bidden ook op vrijdagavond,' zegt ze. 'Kom op, we gaan nog harder slaan.'

We slaan gezamenlijk op de deur en moeten lachen om onze inspanningen. Ik kijk naar Hajira's gezicht, dat zich slechts een paar centimeter van het mijne bevindt, en voel een steek van nieuwsgierigheid. Ik vraag me af hoe haar leven eruitziet, wanneer ze is getrouwd, hoe vaak ze dit gebouw verlaat.

Aan de andere kant van het glas zie ik een vrouwenfiguur naderen, en een vrouw doet de deur open.

'Ben jij Sadia?' vraagt de vrouw. Ze moet Sharona zijn, Sharons vrouw.

'Het spijt me dat ik zo laat ben.' Ik keer me om naar Hajira. 'Bedankt, Hajira. *Khuda hafiz.*' Moge God je beschermen.

'*Allah hafiz.*' Ze zwaait even naar me en leidt daarna haar zonen de trap af.

Ik ga naar binnen en het is net alsof ik een andere wereld betreed. Net als bij ORT zijn alle muren versierd met foto's en tekeningen van het leven in Israël. Sharona is een knappe vrouw met een hoofddoek om haar hoofd gewikkeld. Haar manier van doen straalt een bepaalde autoriteit uit; ze is iemand met wie ik niet graag van mening zou verschillen.

'We waren al bang dat je iets was overkomen!' zegt Sharona en gaat me door de hal voor naar de woonkamer.

'Het spijt me dat ik te laat ben,' zeg ik. 'Er was veel verkeer en daarna wist ik niet zeker of jullie op sabbat de deur wel open zouden doen...'

'Met wie praatte je daar?' vraagt ze, zich omkerend.

'Een jonge vrouw van boven. Ik heb haar gezegd dat jullie op vrijdag bidden. Ze zei dat zij ook op vrijdag bidden.'

'Ze is moslim,' zegt ze.

'Klopt. We hebben leuk gepraat.'

'Spreekt ze Engels?' vraagt Sharona, en kijkt bedenkelijk.

'Perfect.'

'Vroeg ze zich niet af waarom je niet aanbelde?'

'Ik… ik heb wel aangebeld. Ik wist niet of dat wel mocht. Is dat verboden op sabbat?'

'Wij gebruiken de deurbel niet op sabbat. Maar jij… nou ja, eigenlijk moet je dat zelf weten. Hou je je in Amerika aan de sabbat?'

'Ik begin er net iets van te begrijpen.'

'Ben je joods?' vraagt ze.

'Dat is een lang verhaal.'

'Ik ben gek op lange verhalen,' zegt ze. 'Je kunt het ons onder het eten wel vertellen. Kom, mijn schoonvader begint net met de gebeden.'

Sharons vader, een oudere man met een donkerblauw hoofddeksel van stof, zegt de Hebreeuwse gebeden op. Sharon zegent en drinkt uit een grote beker de kiddoesjwijn, een zelfgemaakte drank van gefermenteerde druiven, en laat kleine glazen de tafel rondgaan. Zijn dochtertje zit bij hem op schoot. Sharona houdt de beker bij de mond van het kleine meisje en zorgt ervoor dat ze geen sap op haar sabbatjurk morst, en ze moet erom lachen hoe gretig het kind van de zoete paarse vloeistof drinkt.

Sharon gaat het kleine meisje voor in het opzeggen van de zegen over een schaal dadels en bananen.

'*Barukh ata Adonai…*' zegt Sharon, en wacht even zodat zijn dochtertje het kan herhalen.

'Barukh ata Adonai…' herhaalt ze.

'*Eloheinu melekh ha'olam…*'

'Eloheinu melekh ha'olam!' zegt ze opgetogen.

Twee challes liggen afgedekt onder een witsatijnen doek met geborduurde Hebreeuwse letters. Sharon, die merkt dat ik de woorden van de sabbatliederen niet ken, geeft me een gebedenboek, gelukkig in het Engels, en ik kan nu met meer zelfvertrouwen zingen.

'Ik zou de hele avond wel kunnen zingen,' zegt Sharona, als we het eerste deel van de gebeden hebben opgezegd en de schalen met eten rondgaan. 'Ik ben gek op sabbatliederen. In Israël zongen we altijd tot heel laat.'

'Heb je in Israël gewoond?' vraag ik.

'Ik heb er een jaar gestudeerd. Sharon ook. En we hopen ooit naar Israël terug te gaan en daar als gezin te wonen.' Ze glimlacht naar Sharon, en hij knijpt haar zachtjes liefdevol in haar arm. 'We willen dat onze dochter naar joodse scholen gaat, samen met andere joodse kinderen.'

'Wanneer zijn jullie van plan te verhuizen?' vraag ik.

'Dat is een interessante vraag,' zegt Sharon lachend. 'Elk jaar, nu al acht jaar lang, hebben we gezegd "volgend jaar". Elk jaar meenden we dat ook, maar het is nog niet gelukt echt te gaan. Een van de dingen die ons hier houden is de gemeenschap. Ik ben een joodse leraar en ik heb het gevoel dat ik moet helpen. In India ben ik verzekerd van een baan, ik ken de taal, ik ken de mensen. Toch voel ik me hier niet thuis. In Israël voel ik me thuis. Maar daar heb ik veel minder zekerheid: ik ken de taal niet goed en ik ken er lang niet zo veel mensen. Maar daar kan ik mijn geloof wel belijden.'

Sharon denkt even na.

'Kijk maar om je heen. Tot nu toe hebben we ons nog niet echt gesetteld – niet wat carrière betreft en niet wat wonen betreft. We hebben nog steeds geen echte meubels voor ons huis gekocht, met de gedachte: wat heeft het voor zin om meubels te kopen als we toch weggaan?'

Het moment is aangebroken om de kinderen te zegenen, en nadat Sharons vader Sharon en Sharona heeft gezegend, legt hij zijn hand op mijn hoofd. 'Hoe heet ze?' vraagt hij.

'Sadia,' zegt Sharon.

'Hoe heet je vader?' vraagt hij aan mij.

'Richard,' zeg ik.

'En zijn achternaam?'

'Shepard.'

'Ri-chard She-pard,' herhaalt hij, en proeft de vreemde lettergrepen. Op het punt waarop dat in het gebed hoort, vult hij de naam van mijn vader in, en hij vraagt God mij net als de vrouwelijke stamhoofden van het joodse volk te maken: Sara, Rebecca, Rachel en Lea.

'Amen,' zegt hij tot slot.

Ik herhaal: 'Amen.'

Na het eten laat Sharon een schaal watermeloen rondgaan en een voor een prikken we de grote rode stukken aan onze vork. Sharons vader gaat op de *charpoy* liggen die dichtbij staat en valt al snel in slaap. Zijn kleindochter gebruikt zijn lichaam als een kussen en ligt heerlijk tegen hem aan terwijl ze met de stukken van een grote plastic puzzel speelt.

'Nou,' zegt Sharon, 'en wat is dat lange verhaal van jou?'

'O,' zeg ik, nogal verlegen, 'dat gaat over waarom ik hier ben, in India.'

'Ben je student? Er zijn een heleboel studenten die hier langskomen.'

'Ik ben student,' zeg ik, 'hoewel ik niet echt op school zit. Ik ben naar India gekomen omdat mijn grootmoeder een Bene Israël uit Bombay was. Maar Sharon kent het hele verhaal al.'

'Maar het is interessant. Ga door,' zegt hij.

'Ze heeft de Bene Israël-gemeenschap verlaten om met mijn grootvader te trouwen, die moslim was.'

'Trouwde ze met een móslim?' vraagt Sharona verrast.

'Ze trouwde met een moslim die al twee andere vrouwen had, en ze verhuisde naar Pakistan, waar ze haar kinderen als moslims opvoedde.'

'Ik kan me niet voorstellen dat er een Bene Israël-meisje bestaat dat met een man met twee andere vrouwen wil trouwen,' zegt Sharona.

'Nou ja, ik denk dat de tijd toen anders was. Hij was een goede vriend van haar vader en hij was behoorlijk rijk... en ze was ook verliefd op hem.'

'Is ze echt naar Pakistan verhuisd?' vraagt Sharon. 'Dat deel van het verhaal was nog niet echt tot me doorgedrongen.'

'Ja, echt.'

'Is je moeder joods of islamitisch?' vraagt Sharona. 'Volgens de joodse wetten is ze natuurlijk joods.'

'Nou, mijn moeder is islamitisch opgevoed en ze is nu een praktiserend moslima. Ze is nieuwsgierig naar het judaïsme, maar ze voelt zich op haar gemak met haar geloof.'

'En je vader?'

'Mijn vader is een christen.'

'En jij?'

'Ik ben hier omdat ik meer te weten wil komen over de gemeenschap van mijn grootmoeder, over wat ze heeft achtergelaten.'

'Weet je, Sadia,' zegt Sharon met een bedachtzame blik, 'jouw situatie is veel ingewikkelder dan ik dacht. Je zult moeten kiezen, of niet?'

'Denk je dat ze moet kiezen, Sharon?' vraagt Sharona, die haar dochter oppakt en haar op haar knie laat paardjerijden.

'Ik denk dat ze absoluut moet kiezen.'

'Vind jíj dat je moet kiezen?' vraagt Sharona aan mij.

'Voordat ik in India was, dacht ik van niet. In Amerika groeien mensen wel vaker op met meer dan één geloof. Niet vaak met drie geloven, maar het is daar veel gewoner om meer dan één traditie te erkennen. Hier ben ik er pas vraagtekens bij gaan zetten. Ik vraag me af of ik moet kiezen.'

'Sadia, mag ik vrijuit spreken, als je vriend?' vraagt Sharon, en ik zeg tegen hem dat ik dat graag wil.

'Ik denk, Sadia, dat als jij niet de diepte in gaat, je heel prettig kunt leven met alle drie religies. Er zijn heel veel overeenkomsten tussen het judaïsme en het christendom, en je zult ook heel veel dezelfde dingen vinden in de islam en het judaïsme. Maar als je alle drie beter bekijkt, zul je zien dat er ook heel erg veel tegenstellingen zijn. Zozeer zelfs dat je, als je in een ervan gelooft, niet meer in de andere kunt geloven.'

'Sharon, geef haar eens een voorbeeld zodat ze begrijpt wat je bedoelt,' zegt Sharona.

'O, maar daar ben ik niet slim genoeg voor,' zegt Sharon bescheiden.

'Dat ben je wel!' zeggen Sharona en ik gelijktijdig, en we vragen of hij door wil gaan.

'Nou, oké, het zit zo. In het christendom heb je de Heilige Drie-eenheid. Als je in de Heilige Drie-eenheid gelooft, dan geloof je dat het goddelijke behalve als God ook in andere heilige vormen kan verschijnen. Dat idee is volgens mij in strijd met de gedachte van het monotheïsme. Als ik afga op wat ik over de islam heb gelezen, was Mohammed de laatste profeet en zullen er na hem geen profeten meer komen. En ze geloven dat Mozes een profeet was, en ze geloven in het Boek van Mozes. Maar als je je aan het Boek van Mozes houdt, dan geloof je dat God heeft gezegd dat hij deze regels heeft bepaald en dat ze niet mogen worden veranderd. Volgens het halalprincipe mag je het bloed van dieren tot je nemen, maar in het Boek van Mozes staat uitdrukkelijk dat je geen bloed van dieren mag nuttigen. Dat is dus een wijziging. Beneden woont een islamitische meneer die Koranlessen geeft. We ontmoeten elkaar heel regelmatig, en hij geeft me boeken over de islam – hij heeft al vaak geprobeerd me te bekeren tot de islam. En we hebben goede gesprekken. Het komt erop neer dat hij me verhalen uit de Koran vertelt en dat ik luister, en als ik alleen ben ontleed ik die verhalen en plaats ik ze in een context die ik begrijp. Ik sla de verschillende stukjes informatie op in verschillende delen van mijn brein, als in een boekenkast. Als je met iemand over deze drie religies spreekt, hebben ze altijd de meeste affiniteit met hun eigen Heilige Schrift. Ik ben een jood, dus ik vind natuurlijk dat de Thora het bij het rechte eind heeft. Maar ik denk dat je van al die drie heilige geschriften een exemplaar moet zien te bemachtigen en ze zelf moet gaan lezen. En leraren – zorg ervoor dat je goede leraren krijgt. Als je een goede christelijke leraar hebt en een slechte joodse, dan word je uiteindelijk christen, of vice versa. Het is belangrijk om goede leraren te vinden en dan zelf te beslissen. Je hebt nog veel werk te verzetten, Sadia.'

'Ik denk dat je gelijk hebt,' beaam ik.

'Met wat voor iemand ga je trouwen?' vraagt Sharona. 'Ga je trouwen met een jood, een christen of een moslim?'

'Dat weet ik nog niet,' zeg ik. 'Ik hoop dat ik iemand zal vinden en dat we dan samen beslissen hoe we onze kinderen gaan opvoeden.'

'Ik weet niet of je daarmee moet wachten tot je getrouwd bent,' zegt Sharon ernstig.

'Dat moet je eigenlijk weten vóórdat je gaat trouwen,' zegt Sharona op nuchtere toon.

'Je moet van alles over religie leren en dan de aanhanger van dat geloof uitkiezen met wie je je het meest betrokken voelt,' zegt Sharon.

'Sharon en ik voeden onze kinderen op in een joodse omgeving. Je zult toch liever niet met iemand willen trouwen om er dan achter te komen dat je geen respect voor zijn geloof kunt opbrengen...'

'O, oké,' zeg ik glimlachend. 'Ik begrijp wat je bedoelt.'

'Je hebt nog veel werk te verzetten,' herhaalt Sharon. 'Ik wil geen spreekbuis zijn voor het judaïsme, maar voor mij staan er in de Thora heel zinnige dingen.'

Laat op de avond, na het tijdstip dat Sharon en Sharona het verstandig vinden dat ik nog alleen reis, hou ik een taxi aan en voel ik weer dat bekende bange voorgevoel opkomen dat ik altijd krijg als ik in het donker in Bombay in een taxi stap. 'Vergeet niet het nummer van de taxi op te schrijven,' zeggen oudere mensen vaak, en inwendig moet ik lachen om de penibele situatie waarin ik terecht kan komen, bang voor roof of nog erger, maar wel met het nummer van de taxi netjes in mijn schrift genoteerd. De grootste angst verdwijnt meestal meteen nadat de rit begint, en dan voel ik me dwaas dat ik me zo'n zorgen heb gemaakt.

'Welk land m'vrouw?' vraagt de taxichauffeur vlak nadat ik ben ingestapt, en ik verwacht dat ons gesprek al snel het afgesleten patroon zal volgen: waar ik vandaan kom, wat ik van India vind en wat zijn indruk is van de Verenigde Staten.

'De vs,' zeg ik, en kijk naar de dichtbevolkte straten van Byculla die langs mijn raampje glijden.

Ik kijk uit naar bekende en favoriete beelden: het raam van het appartement van een oude man, dat behangen is met een enorme collectie herinneringsplaquettes, het geïmproviseerde houten stalletje dat maar ruim een meter groot is, waar vanuit een groot, doods uitziend aquarium vissen als huisdieren worden verkocht, achter een bord met 'Vissenparadijs'.

Ik weet dat Sharon en Sharona liever hadden gezien dat ik was blijven slapen. Het punt is dat ik veel heb om over na te denken. Ons gesprek heeft me met veel onbeantwoorde vragen opgezadeld, en ik wil daar zelf iets steekhoudends van proberen te maken.

'Wat is uw kaste?' vraagt de taxichauffeur.

Natuurlijk, denk ik. Hoe passend dat hij me dat vanavond vraagt.

Ik weet niet goed hoe ik moet antwoorden. Ten eerste houdt zijn vraag mogelijk in dat hij denkt dat ik een Indiase ben, of gedeeltelijk Indiase, en ik voel me gevleid, zelfs geaccepteerd door die veronderstelling. Maar het kan ook dat zijn Engels zijn vaardigheid om zich goed uit te drukken belemmert en hij zijn werkelijke vraag niet goed kan formuleren, en dat hij gewoon nieuwsgierig is naar de reden waarom een jonge vrouw 's avonds zo laat nog alleen op stap is. Hoe het ook zij, het is geen gewone openingszin van een gesprek. Naar iemands kaste informeren is een beladen vraag en in de meeste kringen ronduit onbeschoft.

Ik besluit hem de waarheid te vertellen.

'Mijn moeder is een moslima, mijn vader een christen. Mijn

grootmoeder was van de Bene Israël, een kleine joodse kaste in Maharashtra.'

'*Haan,*' zegt hij knikkend, alsof hij weet waar ik het over heb. Ik vraag het me af.

'En u?' vraagt hij. 'Wat bent u?'

'Ik bestudeer religies.'

'Dat is een goede studie,' antwoordt hij. 'Ik ben een Brahmaan. Wij zijn studiekaste.'

'Ja,' zeg ik, niet wetend wat ik anders moet zeggen.

'Hindoes zijn heel goede mensen, niet drinken, geen slechte taal, niet vechten, geen... geen slechte taal, niet drinken...'

Ik heb die argumenten eerder gehoord. 'Vergeet het vegetarisme niet,' zeg ik, terwijl ik uit het raampje naar de voorbijflitsende straatverlichting kijk.

'*Haan,* geen vlees!'

'Precies.'

'Moslims zijn slechte mensen,' zegt hij, nu op een serieuzere toon. 'Dat zijn allemaal terroristen. Wat willen ze? Ik weet niet wat ze willen. Kunt u me zeggen wat moslims willen?'

'Dat is een gecompliceerde vraag,' zeg ik. 'Ik weet niet hoe ik die moet beantwoorden.'

'Ze vallen uw land aan. Ze hebben mijn land ook aangevallen.'

'Het zit wel iets ingewikkelder in elkaar.'

'Bent u getrouwd?'

'Nog niet.'

'Níet getrouwd?' vraagt hij, en keert zich in zijn stoel om om me aan te kunnen kijken, alsof hij mijn antwoord niet kan geloven.

'Nee, nog niet.'

'Hoe oud bent u?' vraagt hij.

Ik aarzel, heb eigenlijk geen zin hem dat te vertellen.

'Achtentwintig,' zeg ik uiteindelijk.

'Ooooo...' zegt hij spijtig, hij schudt zijn hoofd en slaat met zijn linkerhand tegen zijn slaap, alsof zijn hoofd een stuk hout is. 'Ooooo...'

Ik denk aan Tony en of we inmiddels verloofd zouden zijn geweest als ik niet naar India was gegaan. De chauffeur vermant zich om me op de hoogte te brengen van een paar statistische gegevens.

'In dorp in India trouwen mensen als ze achttien zijn. In stad mensen trouwen als ze vier- of vijfentwintig zijn. Wanneer trouwen mensen in *States*?'

'Dat hang ervan af. Soms met vijfentwintig, soms met dertig, soms nog later. Het hang ervan af.'

'Welke kaste ga je trouwen?'

'Dat weet ik nog niet,' zeg ik. 'Ik wacht af en zie nog wel.'

'Is je moeder Indiase?'

'Ze is hier geboren.'

We stoppen naast mijn huis en ik zeg hem dat hij me bij de poort moet afzetten.

'Is dit het huis van je moeder?'

'Ja,' lieg ik. 'Ze is binnen.'

'Ze wil vast graag dat jij man vindt,' zegt hij, zijn wenkbrauwen optrekkend. 'Nee?'

'Goedenacht,' zeg ik, en tel een heel stel kleine biljetten voor hem uit.

'Jij moet man zoeken uit dezelfde kaste, dat is beter.'

'Goedenacht,' zeg ik, en gooi bij het weggaan het portier dicht.

Ik doe het zwarte ijzeren hek van Bilva Kunj open en sleep me de tien passen de oprit op naar de deur van mijn appartement. Eenmaal binnen laat ik mijn tassen vallen, trap mijn schoenen uit, ga op mijn bed zitten en zet de tv aan. In New York is het nu eind van de ochtend. In de Geboortekerk in Bethlehem is een eind gekomen aan een impasse tussen Palestijnse militanten en Israëlische troepen die achtendertig dagen heeft geduurd; dertien militanten die binnen zitten hebben ermee ingestemd dat ze naar verschillende landen zullen worden gedeporteerd. Ik val in slaap en droom dat ik in Manhattan loop en op een zaterdagmiddag Canal Street probeer over te steken. Onder het lopen hoor ik de kreten van straatventers om me heen, afgewisseld met mijn sandalen die de stoep raken en een constant refrein, als een kloppend hart: 'Welke kaste? Welke kaste? Welke kaste?'

Als ik groente heb gekocht stop ik daarna soms bij B. Merwan, een oud Iraans café achter het Grant Road Station, waar het lijkt alsof het interieur sinds de opening in 1914 nauwelijks is veranderd. De tafelbladen bij B. Merwan zijn van marmer en de houten stoelen zijn donker en behoorlijk versleten door de gestage stroom ouderwets uitziende klanten, vrijwel allemaal mannen, die er trouw elke dag komen. Binnen is het donker en een aantal klanten lijkt permanent aanwezig – ik vraag me af of ze ooit naar huis gaan. Het standaard-menu bestaat uit melkachtige thee, koffie, eieren en brood, allemaal voor minder dan twintig roepies, een fractie van wat het ergens anders zou kosten. Ik ga naar B. Merwan voor zijn befaamde melkcake en om te lezen. Omdat ik weet dat het uiterlijk van het etablissement sinds de opening niet is veranderd, weet ik dat dit café in vrijwel dezelfde hoedanigheid ook al bestond toen Nana hier woonde.

Op een dag zit er een elegant geklede oudere dame in een sari alleen aan een tafeltje naast het mijne thee te drinken. Haar witte haar is naar achteren tot een knot getrokken.

'Pardon, maar waar heb je die armband gekocht?' vraagt ze, wijzend op het zwarte elastische haarbandje dat ik om mijn pols draag. Ik doe het af en laat het haar zien.

'Eigenlijk is het een elastiek voor in het haar,' zeg ik. 'Ik draag het om m'n pols zodat ik het niet verlies.'

'O, ik begrijp het,' zegt ze. 'Ik vroeg het omdat we thuis een winkel hebben en de zwarte mensen vragen altijd naar rubberen armbanden, maar ik kan ze niet vinden. Ze denken dat ze geen elektrische schokken meer krijgen als ze die om hebben. Dat is natuurlijk niet zo, maar zij geloven dat.'

'Waar is uw winkel?'

'Thuis, in Zuid-Afrika.'

'Komt u uit Zuid-Afrika?'

'Ik heb er mijn hele leven gewoond.'

'Bezoekt u hier familie?'

'Mijn familie is weg.'

Het duurt even voordat het tot me doordringt wat ze heeft gezegd.

'Weg?' vraag ik.

De dame wacht even, een vreemde glimlach op haar gezicht. Ik herken de blik, het is de blik van een ouder iemand die besloten heeft dat een jonger iemand deelgenoot mag worden van een geheim.

'Mijn grootouders werden in de tijd van de contractarbeid van Assam naar Zuid-Afrika verscheept. Dat was tussen 1860 en 1870. Ze dachten dat ze een maand op vakantie gingen. De Britten ronselden een aantal mensen en speldden hun dat verhaal op de mouw.

Mijn grootouders namen al hun zes kinderen mee en ze gingen. Ze wisten niet dat ze op de suikerrietplantages moesten werken. Ze werden voor de gek gehouden. Ze tekenden een contract – ze konden niet lezen, ze wisten niet wat ze ondertekenden. De Britten waren heel uitgekookt en heel wreed. Jarenlang onderhielden mijn grootouders en ouders contact met de familie thuis en schreven naar mijn ooms en tantes in Assam. Ze waren van alle familienieuwtjes op de hoogte. Toen hoorden we een tijdlang niets meer van onze ooms. Toen ik voor het eerst naar India ging, zei ik tegen mijn vader: "Waarom geeft u me hun adres niet? Dan ga ik uitzoeken wat er met hen is gebeurd." We kwamen hier in 1963 per schip. Na aankomst in Bombay ging ik naar het plaatselijke toeristenbureau en liet daar het adres van mijn familie zien. Ze zeiden: "Hoe lang is het geleden dat u iets van hen hebt gehoord?" Ik zei dat dat al enige jaren geleden was. "Maar weet u dat dan niet?" zeiden ze. "Dit hele gebied is overstroomd geweest." Daarna was mijn familie dus weg. De rest van mijn familie woont in Zuid-Afrika. We zijn met een heleboel.'

Ik schuif mijn stoel wat dichter naar die van haar en zet mijn ellebogen op haar tafel.

'En toen het tijd werd voor u om te gaan trouwen, kon u toen iemand van uw eigen gemeenschap vinden?'

'Ja hoor, we wilden graag onder ons blijven. Mijn moeder kwam eigenlijk uit Amritsar. De familie van mijn vader kwam uit Assam. Mijn grootmoeder en grootvader hadden allebei spleetogen. Toen we kinderen waren wekte dat de nodige verwarring. We zeiden dan: "Als u Indiaas bent, waarom hebt u dan spleetogen?"

'U hebt prachtige ogen. Hoe komt het denkt u dat u grijze ogen hebt?'

'Ik heb de ogen van een diabeticus! In de loop der tijd zijn mijn ogen van kleur veranderd. Als je mijn paspoort ziet, of foto's van mijn huwelijk… toen had ik zwarte ogen.'

'Echt waar? Dat heb ik nooit eerder gehoord.'

De ober zet een schaaltje met melkcake voor haar neer.

'O, misschien kunt u dat beter niet eten – daar zit zo veel suiker in,' zeg ik met het oog op haar diabetes.

'Waarom niet?' zegt ze, met een meisjesachtig schouderophalen. 'Je leeft maar één keer… en je gaat maar één keer dood.'

'U hebt helemaal gelijk,' zeg ik. 'En u bent nota bene ook nog op vakantie.'

'Precies. Toen ik voor het eerst in India kwam, was dat voor vakantie. Ik was hier nooit eerder geweest, maar op de een of andere manier vond ik het hier fijn. Alles was meteen heel vertrouwd. Ik voelde me helemaal op mijn plaats hier. Ik was toen samen met mijn drie zussen, mijn nichtjes en mijn schoonzus. We dachten: misschien komen we hier wel nooit meer terug, laten we de bloemetjes maar buiten zetten. We zijn toen drie maanden gebleven. We zijn naar Kasjmir geweest, naar Simla, overal naartoe. Nu probeer ik een keer per jaar hiernaartoe te gaan. Ik ga naar Bombay, naar Delhi en andere plaatsen.'

'Wat doet u als u hier bent?'

'O, ik breng een bezoek aan allerlei plaatsen. Ik ga natuurlijk winkelen. Ik ben tenslotte wel een dame!'

'Draagt u altijd een sari?'

'Jazeker. Thuis dragen we ook altijd een sari. Mijn grootmoeder heeft India met zich meegenomen, moet je weten. Ze heeft altijd vastgehouden aan het eten, haar gewoonten, haar *Gita*. Ze heeft ons alles geleerd. Toen het contract was afgelopen heeft mijn grootmoeder de rest van haar leven gespaard om weer naar Assam terug te kunnen gaan. Ze vertelde ons verhalen over de regens en de overstromingen. In die tijd waren er in Assam altijd overstromingen. Tot aan de dag van haar dood heeft ze naar huis verlangd. Maar ze heeft India nooit meer gezien. Mijn grootvader stierf en reizen was lastig...' Ze krijgt een afwezige blik in haar ogen, maar vermant zich en richt zich weer tot mij. 'En wat heeft jou naar India gebracht, jongedame?'

'Eigenlijk ben ik in zekere zin op zoek naar mijn verloren familie. Mijn grootmoeder kwam hier vandaan, uit Bombay. Ze was afkomstig uit een kleine gemeenschap die het judaïsme aanhangt, en ik ben hier om van alles over hen en nog meer over mijn grootmoeder te weten te komen.'

'In mijn familie zijn we daar niet erg ver van verwijderd. Mijn kleindochter is met een joodse man getrouwd, iemand die ze hier in Bombay heeft leren kennen, en ze zijn naar Israël verhuisd.'

'Is ze met een Indiase jood getrouwd?'

'Nee, nee, een Israëlische jood. Hij werkte hier in Bombay. Mijn kleindochter is jurist en ze heeft hem op het werk ontmoet. Wij waren er eigenlijk niet zo blij mee. We waren er allemaal op tegen, vooral mijn man. Het joodse geloof is zo anders dan het onze! Maar mijn kleindochter zei: "Nee, ma." Alle kleinkinderen noemen me ma. Ze zei: "Joden zijn net als hindoes – ze zijn heel sterk op familie gericht." Nu wonen mijn kleindochter en haar man in Israël; ze zijn heel gelukkig en hebben twee kinderen. Als zij gek op elkaar zijn, wie zijn wij dan om het tegendeel te beweren?'

'Excuses,' zeg ik, en steek mijn hand uit, 'ik heb me nog niet eens voorgesteld. Ik ben Sadia.'

'Ik heet Mynavathi.'

'Wat een prachtige naam. Myna, als de vogel *mynah*.' [een beo – vert.]

'Toen ik een kind was, kwetterde ik ook als een vogel,' zegt ze. Ze staat op en werpt me een schitterende glimlach toe.

'Op de een of andere manier kan ik het me voorstellen.'

'Ik hoop dat je vindt waar je naar op zoek bent, Sadia.'

'Dank u,' zeg ik. 'U ook.'

DEEL DRIE

Vertrek

19

Het Volk van het Boek

Karachi, juni 2002

Ik ben nooit eerder als volwassene, en nooit zonder mijn moeder of grootmoeder naar Pakistan gereisd. Dit wordt ook de eerste keer dat ik vanuit India naar Pakistan reis, een replica van de reis die Nana samen met haar twee kinderen, mijn moeder en haar jongere broertje Sibtain, na de afscheiding maakte. De vlucht van Bombay naar Karachi duurt maar een uur en een kwartier, een tijdsspanne die bijna te kort is om het verschil dat de twee scheidt te doorgronden. Beide steden liggen aan zee, beide zijn bruisende metropolen, en als men mij, toen ik nog in Bombay woonde, naar Karachi vroeg, had ik soms de neiging de kloof te overbruggen. 'Het is er net als hier,' heb ik mezelf horen zeggen. 'Karachi is het financiële centrum van het land en de televisie-industrie zit er ook. Het tempo is er hoog en de mensen komen uit andere steden om daar te werken, om zichzelf opnieuw uit te vinden.' Maar ik weet dat de twee steden, hoewel met elkaar verbonden, totaal verschillend zijn. Ze zijn als verre neven met dezelfde familietrekjes maar die afzonderlijk zijn opgegroeid.

In Bombay ga ik voor de veiligheidscontrole in de rij staan, samen met de onontkoombare, van dreadlocks voorziene Australische en Israëlische backpackers, die gekleed zijn in hemdjes, korte rokjes en incidenteel een Indiase sjaal. Ik heb mijn armen en benen bedekt met een lange, ruimzittende salwar kameez. Mijn tassen zitten vol geborduurde Indiase tasjes voor mijn nichtjes en zoetigheid voor mijn ooms en tantes. Ik vraag me af wat ze van mijn cadeautjes zullen denken – wat kan ik nou uit Bombay meebrengen dat ze niet in Pakistan hebben?

Vanaf het moment dat ik in het vliegtuig stap, ben ik me ervan bewust dat ik in een andere cultuur ben beland dan die op het vliegveld. Er zijn minder westers geklede mensen, overal om me heen hoor ik Urdu spreken. Twee jonge vrouwen met dezelfde make-up en hoofddoeken begroeten me met *salaam* als ik naast ze ga zitten. Als we opstijgen buigen ze hun hoofd en hoor ik ze het reizigersgebed mompelen. De islam verandert van een element dat heel ver weg was, en tussen de Bene Israël in India een verborgen aspect van mijn leven was, naar het middelpunt, naar een belangrijke plaats in mijn gedachten. Ik sluit mijn ogen en herhaal instinctief de eerste *kalimah*, het gebed dat ik van mijn moeder als kind moest opzeggen als onze vlucht van en naar Pakistan vertrok.

Ik kijk uit het raampje en stel me mijn grootmoeder op een vlucht als deze voor, haar armen beschermend om haar twee kinderen geslagen terwijl ze naar haar geboorteplaats kijkt – grote koloniale bouwwerken, opeengepakte sloppenwijken, de *Queen's Necklace* die de baai omsluit, die zich steeds verder terugtrekt en onbegrijpelijk klein wordt.

Nana heeft me verteld hoe ze erachter was gekomen dat ze India voor Pakistan zou verruilen. Haar echtgenoot had haar opdracht gegeven een paar kleren en spullen in te pakken voor een veertiendaagse vakantie. 'Het is niet veilig in Bombay,' had hij gezegd. 'Het lijkt me beter om een bezoek te brengen aan mijn zus in Karachi en even de stad uit te gaan totdat het geweld voorbij is.'

Nana had een onheilspellend gevoel; er hing grote onzekerheid in de lucht. Ze ging naar de bank en nam twintigduizend roepies op, meer dan ze ooit in één keer bij zich had gehad. Ze had haastig een hutkoffer gevuld met het familiezilver: bekers, couverts, schilderijlijsten, een ceremonieel zwaard dat Ali had gekregen van de Jam Sahib van Jamnagar, haar grootvaders wandelstok en een set versierde waterkannen in de vorm van een familie pinguïns. Onder haar sari droeg ze alle gouden sieraden die haar man haar ooit had gegeven, kettingen die zwaar om haar nek hingen en ringen en oorbellen die in een zakje om haar middel waren gebonden.

'Je hebt toch geen kostbaarheden meegenomen?' vroeg haar echtgenoot toen ze op het vliegveld van Bombay aankwam. 'Dat is niet veilig. Wat heb je in de hutkoffer gestopt?'

'Gewoon wat kleren voor de kinderen,' loog ze, en haastte zich vooruit om met Aijaz, een van de neven van haar man, te praten. Ze drukte hem stilletjes een stapeltje bankbiljetten in zijn hand.

'Je moet me een plezier doen en die hutkoffer in het vliegtuig zien te krijgen,' zei ze tegen hem. 'Koop zo nodig iedereen om.'

Aan boord ontmoette Nana de andere twee Siddiqi-vrouwen en hun kinderen. In India hadden ze apart van elkaar hun leven geleefd, met afzonderlijke, onafhankelijke huishoudens. Nu reisden ze als één gezin, met drie vrouwen, één echtgenoot en meerdere kinderen.

'Het is maar tijdelijk,' sprak Nana zichzelf geruststellend toe. 'Dit gaat voorbij en dan gaan we allemaal terug naar ons vertrouwde leven in India.'

Toen ze eenmaal in Karachi waren, stonden de kranten en radiouitzendingen bol van het nieuws over de onrusten tussen de bevolkingsgroepen thuis. In deze nieuwe, onzekere realiteit probeerden de Siddiqi's zich aan te passen aan hun leven als logés. Een paar weken nadat ze in Karachi waren gearriveerd, kreeg mijn grootvader het nieuws dat zijn eigendommen, die hij onder de hoede van zijn hindoe zakenpartner had achtergelaten, waren geconfisqueerd en tot *Evacuee Property* waren verklaard. Van de ene op de andere dag was hun financiële situatie veranderd. Ali zat bij zijn zus aan de eettafel met zijn hoofd in zijn handen. Hij zou helemaal opnieuw moeten beginnen.

'Ik heb het zilver,' zei Nana rustig.

'Wat bedoel je?' vroeg haar man.

'Kijk,' zei ze, en maakte de hutkoffer open. 'Hier zit het allemaal in.'

'Hoe heb je dat verdomme voor elkaar gekregen?'

Het is de enige keer, in haar verslag van de scheiding tussen de landen, dat ik Nana het woord 'verdomme' heb horen gebruiken, en ze moest altijd lachen als ze het had gezegd, alsof ze zich nog steeds over haar kunststukje verwonderde. *Hoe heb je dat verdomme voor elkaar gekregen?*

Het is die zin van mijn grootvader, herhaald door mijn grootmoeder, waar ik aan moet denken als ik aan de afscheiding denk. Het zilver was slechts een overblijfsel, een sentimentele herinnering aan hun eerdere leven, maar deze voorwerpen kregen in de loop der jaren een betekenis die de geldelijke waarde ver oversteeg.

Mijn vliegtuig nadert Karachi en ik vraag me af in hoeverre het veranderd is sinds 1948. Ik zie de vage, stoffige randen van de stad, een breed uitgemeten geheel van lage betonnen gebouwen. Bijna alles heeft de kleur van zand, op een incidentele blauwe vlek van een hotelzwembad na. Vanaf hier ziet Karachi eruit als een handvol dobbelstenen, goed geschud en daarna in de woestijn gegooid.

Ik vlieg naar Karachi om het huwelijk van een achterneef en achternicht bij te wonen. Mijn moeder heeft me ook gevraagd of ik een kijkje wil nemen in Nana's flat in Siddiqi House, om er zeker van te zijn dat het allemaal in orde is. Mijn tante Zaitoon, een van de laatste Siddiqi's die nog in het familiehuis woont, ontvangt al vijftien jaar huur voor de flat van dezelfde huurders, en op Nana's rekening bij de Habib Bank stapelt het geld zich op. Maar er zijn andere redenen, redenen die ik voor mezelf hou. Na negen maanden in India en informatie verzamelen over het Indiaas-joodse leven wil ik weten hoe het is om tijd met mijn moslimfamilie in Pakistan door te brengen. Ik wil de plek zien waar Nana naartoe ging toen ze uit Bombay was vertrokken en me proberen voor te stellen hoe het voor haar geweest moet zijn om huis en haard te verlaten, nu ik een thuis heb gevonden in haar stad.

Saira en Asad, een achterneef en achternicht van me, gaan trouwen. Hoewel de twee elkaar als tieners hebben ontmoet en het formeel een liefdesmatch is, wordt algemeen aangenomen dat het een gearrangeerd huwelijk is.

'Hebben zij voor elkaar gekozen of hebben de ouders dat gedaan?' vraag ik aan de telefoon aan een van mijn tantes.

'Het is een gearrangeerd huwelijk annex een huwelijk uit liefde,' zegt ze.

Terwijl ik door de internationale terminal van Karachi loop, ben ik me er scherp van bewust dat ik de enige niet-Pakistaanse ben, de enige buitenlandse en voor zover ik kan zien de enige alleen reizende vrouw. Toen ik kind was, in de jaren tachtig, vlogen alle grote luchtvaartmaatschappijen naar Karachi. Nu vliegen er veel minder hiernaartoe. De belangrijkste vluchten van en naar Karachi worden uitgevoerd door PIA, Emirates en SriLankan Airlines. De luchthaven is opnieuw ingericht met licht, glanzend marmer, en de aanblik van een McDonald's buiten verrast me toch nog weer. Er wacht een rij mannen achter een metalen hek. Ze houden borden omhoog met namen in het Engels en het Urdu. Veel van de mannen hebben lange baarden, gebedskapjes en een witte *kurta* met *pajama* aan, de traditionele Zuid-Aziatische moslimkledij die je bijna nooit ziet buiten de islamitische buurten in Bombay. Ik zie een donkere vlek, als een schaduw op een paar van de voorhoofden, een eeltplek van vroomheid die is ontstaan doordat hun hoofd de grond vijf keer per dag raakt. Ik ben me bewust van een veelheid aan ogen die op me zijn gericht, een flits van nieuwsgierigheid naar waarom ik hier ben. Ik laat mijn blik langs de menigte glijden, op zoek naar een bekend gezicht. Ik weet niet zeker wie me komt afhalen.

'*Asalaam alaikum*, Sadia Apa!' hoor ik een vriendelijke jeugdige stem zeggen. Het is Aliyah, de dochter van mijn nicht Farah. Aliyah is nu zeventien en ziet er veel volwassener uit dan ik me haar herinner. Ik weet zeker dat ze een prachtige vrouw gaat worden. Ik ben overdonderd door haar veel zelfbewustere houding dan eerder, de zelfverzekerde manier waarop ze haar dupatta over haar schouders gooit en de rechtstreekse, onwankelbare blik in haar ogen, maar ze heeft nog steeds dat open, nieuwsgierige gezicht dat ik me nog van eerdere bezoeken herinner, ze spreekt nog steeds op dezelfde opgetogen, gejaagde manier en lacht nog steeds snel. Toen ze dertien was, trok ze me haar kamer in, liet me plaatsnemen op haar bed en toonde me een stel tienertijdschriften die ze veilig onder haar bed bewaarde. Dat is nog maar een paar jaar terug, maar het lijkt al eeuwen geleden.

Achter Aliyah bewegen haar twee jongere broers, Saleem en Naeem, zich met lange, soepele stappen voort. Het zijn knappe, slungelige jongens met spiky haar en een ondeugende uitstraling, alsof ze elk moment een grap kunnen uithalen. Ze schelen niet veel in leeftijd en ik vind het gênant dat ik ze bijna niet uit elkaar kan houden.

'*Walaikum asalaam!*' stamel ik, met een glimlach.

Tijdens deze reis tref ik mijn Pakistaans-Amerikaanse neven en nichten die net als ik voor het huwelijk in de stad zijn, en mijn Pakistaanse neven en nichten die in Karachi geboren en getogen zijn. Eerder streefden ze ernaar om naar de Verenigde Staten te gaan voor studie en werk. Na de verhalen over de vooroordelen waarmee moslims in de vs te kampen hebben na de aanslagen op het World Trade Center, volgen ze nu liever een opleiding in hun eigen land of in het Verenigd Koninkrijk. Tijdens de autorit naar huis praten Aliyah, Naeem en Saleem me bij. Ze vertellen wie op welke school zit, wie voor welke academische graad blokt, wie getrouwd of verloofd is en wie sinds mijn laatste bezoek heeft besloten de *hijab* te gaan dragen.

Terwijl ik me op de achterbank nestel en Karachi door de raampjes voorbij zie trekken, zeg ik dat er meer bomen staan dan ik me kan herinneren.

'Geniet er maar van,' zegt Saleem. 'Dit is het laatste groen dat je in Karachi te zien krijgt.'

Bekende punten, neonlichten. Minder woorden in het Engels, meer in het Urdu. Vanmorgen heb ik mijn outfit met zorg gekozen: een witte salwar kameez met een blauwe rand en een bijpassende blauwe dupatta, maar ik heb al door dat ik hopeloos ouderwets gekleed ben. Ik verwacht dat mijn nichtjes me binnen de kortste keren mee zullen nemen naar boetieks en kleermakers om mijn vreemde garderobe aan te vullen. Zelfs het gevoel dat ik hier anders ben is een oud gevoel uit mijn kindertijd, alsof ik een herinnering binnenga.

Aliyah, Saleem en Naeem zijn de kleinkinderen van mijn moeders halfbroer Waris, de oudste zoon van Bari Amma. Waris en zijn vrouw Mehreen woonden tot een aantal jaren geleden nog in

Siddiqi House, maar inmiddels zijn ze verhuisd naar een nieuwer gedeelte van de stad, naar twee prachtige bungalows – in de ene wonen oom Waris en tante Mehreen en in de andere, ernaast gelegen bungalow, hun dochter Farah en haar gezin. Hun zoon woont met zijn gezin in de Verenigde Staten terwijl hun andere dochter in een ander deel van Karachi woont. Het is de eerste keer dat mijn eerste stop niet zoals altijd in een van de op elkaar gestapelde appartementen van Siddiqi House plaatsvindt, met ingewikkeld overleg over de verschillende in- en uitgangen, laverend in welke volgorde ik de familieoudsten ga bezoeken. Deze keer stop ik op de oprit van oom Waris zodat ik mijn *salaams* eerst tegen hem en tante Mehreen kan uitspreken voordat ik mijn tassen naar het huis van nicht Farah breng, waar ik de komende week ga logeren. De *chowkidar* doet het hek bij het huis open en knikt naar ons. Ik probeer niet naar het grote geweer te staren dat hij losjes om zijn bovenlichaam heeft gegespt.

Het huis van oom Waris en tante Mehreen is lang en wit, met een groot, goed onderhouden grasveld aan de voorkant en een brede veranda. Als ik via de hordeur de salon binnenstap herken ik de rechte meubels uit de jaren zestig onder plastic beschermhoezen die ze ook in Siddiqi House hadden, en ook de schilderijen aan de muur – dezelfde officiële huwelijksportretten die nauwelijks een halve meter onder het plafond zijn opgehangen. Op een bijzettafel staat een enkel zwartwitportret van mijn grootvader, imposant en elegant, dezelfde foto die bij ons in Chestnut Hill op een van de boekenplanken in de bibliotheek stond, die in elk huis van zijn kinderen staat.

Het is al een paar jaar geleden sinds ik mijn oom Waris heb gezien – niet sinds hij een familiehuwelijk in de vs bijwoonde. Hij is nu het oudste mannelijke lid van de familie Siddiqi, en dat is hij met verve. Hij is nog net zo groot als ik me herinner en alles aan hem is helderwit, van zijn baard tot aan zijn kurta salwar.

'Beti!' zegt hij, en biedt me een stoel aan. 'Welkom, kind.'

Hij zegt tegen me dat ik mijn moeder moet bellen om te zeggen dat ik veilig ben aangekomen, want voor het Amerikaanse consulaat in Karachi is een bom ontploft. Ze is vast en zeker bezorgd.

Mijn neef Sartaj, zijn vrouw, Fatima, en hun drie dochters zijn op bezoek vanuit Georgia, waar ze hun kleine kruidenierswinkel bestieren. Ze komen vanuit de keuken de kamer in als ze mij gedag horen zeggen. Sartaj en Fatima zijn in de afgelopen jaren steeds meer betrokken geraakt bij de moslimgemeenschap in hun wijk, en ze dragen hun nieuwe rol met waardigheid. Mijn moeder heeft me verteld dat ze regelmatig lezingen geven over de islam op scholen en in gemeenschapscentra. Fatima is een kleine vrouw met een lichte huid en een open blik, en ze is nadrukkelijk aanwezig. Ik weet nog hoe verlegen ze was toen ik haar voor het eerst ontmoette op het huwelijk van oom Salman. De laatste jaren draagt Fatima een hoofddoek, en daarmee is ze een van de eersten in mijn moeders familie die dat deed. Ze kan de redenen voor haar keuze duidelijk verwoorden, waarbij ze passages uit de Koran citeert.

Ik zeg tegen mezelf dat ik mijn oudere mannelijke familieleden niet moet omhelzen, want vele zijn in de afgelopen jaren steeds conservatiever geworden en vermijden het over het algemeen om de andere sekse aan te raken. Ik zit op de grond tegenover Sartaj en zwaai enthousiast ter begroeting en ik sla mijn armen om Fatima heen als ze naar voren komt om mij te omhelzen. Het is twee jaar geleden sinds Nana is gestorven en dat we elkaar hebben gezien, en ik ben blij hen weer te zien.

'Je moeder vertelde ons dat je in Bombay verblijft,' zegt Sartaj. 'Wat vind je ervan?'

Mijn instinct zegt me dat ik voorzichtig te werk moet gaan als we het over India hebben; ik ben me bewust van de gespannen verhouding tussen de twee landen.

'Ik vind het er heerlijk,' zeg ik. 'Het is een heel opwindende stad, heel afwisselend, met mensen uit alle windstreken van Azië en India, en een groot aantal buitenlanders.'

'Echt waar?' zegt Fatima met een geïnteresseerde blik.

'Heb je daar een beurs voor?' vraagt Sartaj.

'Ik studeer met een Fulbright-beurs aan het nationale Film- en TV-Instituut van India.' Ik vertel ze niet over mijn project. Ik zeg niet dat ik joden bestudeer. Ik wil ze eerst beter leren kennen en ik wil niets zeggen dat ze van mij kan vervreemden, nog niet.

'Waar vind je het fijner, hier of daar?' vraagt Sartaj, en ik weet niet goed wat ik moet zeggen.

'Ik ben heel lang niet hier geweest. Ik kijk ernaar uit om Karachi wat beter te leren kennen.'

'Maar je vindt het prettig in Bombay,' zegt Sartaj.

'Nana kwam er vandaan en ze heeft de stad haar hele leven gemist. Het betekent veel voor me om in haar stad te zijn. Ik voel me met haar verbonden gewoon door daar te zijn.'

'Ah, je mist je grootmoeder,' zegt Fatima, en ze kijkt me vriendelijk aan. Ik weet nog hoe Fatima me na het overlijden van Nana heeft begeleid en me voordeed hoe ik met de andere vrouwelijke familieleden van mijn moeder het moslimgebed moest opzeggen, en ik knik, plotseling bang dat ik moet huilen. Als ik in India met de Bene Israël over Nana praat, doe ik dat om uit te leggen waarom ik in India ben. Daar is Nana een abstractie, een idee. Hier is ze een persoon, een vrouwelijk gezinshoofd dat vertrokken is.

Ik ben vergeten hoe de tijd met mijn moeders familie voorbijglijdt, hoe het ene gesprek in het andere overgaat, de mensen kamers in en uit lopen, thee aanbieden, zetten en inschenken. Naast de centrale woonkamer ligt de slaapkamer van oom Waris en tante Mehreen, die tjokvol donkere meubels staat. Ik ga op zoek naar mijn tante en tref haar liggend op het grote bed met de gordijnen dicht. Mehreen trouwde met mijn oom Waris en werd deel van de familie Siddiqi toen ze nog maar achttien was, en mijn moeder heeft me vaak verteld dat ze toen zo'n prachtige bruid was. In onze familie is ze altijd befaamd geweest om haar lichte huid en lange donkere haar, de regionale kenmerken van vrouwelijke schoonheid, en vanaf het moment dat ze deel uitmaakte van het huishouden was mijn moeder, destijds negen jaar, niet meer bij haar weg te slaan. Het trouwalbum is daar getuige van: de kleine Samina zweeft altijd ergens aan de zijkant van de witomrande zwartwitfoto's.

'Tante Mehreen!' zeg ik. Ik vind haar in het duister en kus haar zachte, ronde wangen. 'Ik ben het, Sadia – ik kom u een bezoek brengen...'

'O, beti!' zegt ze. 'Speciaal voor jou heb ik schone lakens gepakt en mijn kamer schoongemaakt.' Ze zucht diep en legt haar hand op haar voorhoofd. 'Ik ben de hele dag aan het werk geweest en nu ben ik heel erg moe.'

'Ik ben zeer vereerd, tante Mehreen. Dit zijn prachtige lakens,' zeg ik, ze aanrakend. Ik volg het bloemmotief met mijn wijsvinger.

'Rozen!' roept tante Mehreen uit. 'Mijn lievelingsbloemen...

overal rozen. Net als in Mysore… Ik kies altijd voor rozen, mijn favoriete bloem.'

Ik geef tante Mehreen de *mithai* die ik voor haar heb meegebracht.

'Helemaal uit Bombay!' roept ze uit. 'Speciale snoepjes uit Bombay,' zegt ze, en betast het zilveren doosje. 'Tjongejonge!'

'U komt toch uit Bombay, nietwaar tante Mehreen?' vraag ik. 'Ik zou u graag iets over de scheiding van de twee landen willen vragen.'

'Nee, nee, ik kom uit het zuiden van India,' zegt ze. 'Uit Mysore. In die tijd was het een stad van tuinen – er waren zó veel tuinen. Destijds was alles groen om je heen. We hebben er tot 1947 gewoond.'

'Bent u in dat jaar naar Karachi verhuisd?'

'Ik zal je zeggen, er waren toen zo veel problemen in India; ze zaten achter mijn broers aan. Ik had oudere broers en de mensen zeiden dat er een menigte op weg was om hen op te halen, er waren mensenmassa's die huizen van moslims aanvielen. Het waren zelfs hindoevrienden die ons aanraadden te vertrekken. Mijn ouders wilden niet weg, maar zeiden: "Laten we maar gaan, we willen veiligheid." Mijn vader zei dat hij de jongens in Karachi op school wilde doen en dat de anderen dan terug konden gaan naar Hyderabad. We pakten wat spullen en vertrokken. We konden onze oude hond niet eens meenemen. Dat was zo'n lieve hond. Hij paste altijd op onze *haveli* [een herenhuis met binnenplaats – vert.] en als hij iemand niet mocht, bleef hij maar blaffen. We hebben hem achtergelaten bij onze oude kok, Mukhtar Bhai, en toen zijn we naar Karachi gegaan. Ik vond het zo erg om de hond en de tuin achter te laten. In die tijd had je vele dagen nodig om er te komen en de reis was heel zwaar. Ik was toen negen. Vanaf het moment dat we er waren zei mijn vader dat hij terug wilde, maar mijn moeder zei: "Ben je nou helemaal gek geworden? We zijn er net en je hoort alleen maar verhalen over moslims die worden vermoord. Je moet hier bij ons blijven."'

'Hoe zag Karachi er in die tijd uit, tante Mehreen?'

'O, het was toen zo'n verschrikkelijk stoffige stad. Ik dacht: heb ik echt die tuinen achtergelaten voor dít? In wat voor een woestijn ben ik terechtgekomen?' Tante Mehreen lacht, een zacht, rollend geluid, en schudt om het nog te benadrukken haar hoofd van links naar rechts. 'Wat een chaotische familie zijn we toch!' Ze moet weer lachen. 'We weten niet eens wie we zijn en waar we vandaan komen.'

Tante Mehreen knijpt me liefdevol in mijn hand. 'Waarom ben je gekomen, beti?' vraagt ze.

'Ik woon nu in India, tante Mehreen, in Bombay. Daar studeer ik. Ik was zo dichtbij dat ik u en de familie persoonlijk wilde komen bezoeken. En ik mis Nana, ik wil meer te weten komen over haar leven.'

'Ik kan je erover vertellen,' zegt ze. 'Ik was erbij. Ik ben al op jonge leeftijd lid van de familie Siddiqi geworden. De mensen vroegen me wel eens: "Hoe is dat nou om drie schoonmoeders te hebben? Kunnen ze goed met elkaar opschieten?" Ik glimlachte dan maar wat. Familiezaken hou je binnenskamers. Waarom zou je die met anderen bespreken? Je grootmoeder was een goede, aardige vrouw.'

Ik knik en weet dat ze doelt op de gecompliceerde verhoudingen in Siddiqi House. Zelfs tegenover mij wil ze zelfs zo veel jaren later niet op de details ingaan.

'Vertel eens, beti, wanneer horen we goed nieuws over jou?'

'Goed nieuws?' vraag ik, niet begrijpend.

'Over je huwelijk! Heb je al iemand uitgekozen?'

Ik moet lachen, weet niet hoe ik het moet uitleggen en kijk op mijn horloge. 'Ik heb de tijd opgenomen, tante Mehreen. U hebt maar liefst een halfuur gewacht voordat u erover begint. Ik ben onder de indruk!'

Mijn nichtjes in Karachi trouwen eigenlijk altijd met jonge mannen die hun door gezamenlijke vrienden worden voorgesteld. Na een uitwisseling van foto's ontmoeten de twee families elkaar. Soms brengen de jonge man en de jonge vrouw een paar minuten alleen door, praten over wat ze wel en niet leuk vinden en wat ze op het gebied van hun carrière willen. Als de match voor zowel de jongen als het meisje een aantrekkelijke is, stemmen de families in met een verloving en beginnen de voorbereidingen voor het huwelijk. Vanaf het moment dat de twee elkaar hebben ontmoet, gaat de relatie nog maar één kant op: rechtstreeks naar huwelijk en kinderen. Hoe kan ik tante Mehreen uitleggen dat we in het systeem waarvan ik deel uitmaak heel veel verschillende mensen ontmoeten en dat het jaren kan duren voordat je een geschikte partner hebt gevonden om mee te trouwen?

'Ik heb nog geen besluit genomen, tante Mehreen,' is alles wat ik kan uitbrengen. 'Ik ga trouwen als ik de juiste persoon heb gevonden.'

'Maar je moet wel serieus op zoek gaan, beti,' zegt tante Mehreen met een bezorgde blik. 'Ik heb dat ook al tegen je moeder gezegd, maar had nog niet de kans om dat ook aan jou te vertellen. De tijd gaat snel voorbij, en dan wordt het nog veel moeilijker! Je moet echt serieus op zoek gaan naar iemand. Wees niet al te kieskeurig!'

Ik vind het wel grappig om op deze manier naar mijn liefdesleven te kijken, dat ik 'te kieskeurig' zou zijn. Plotseling kijkt tante Mehreen me aan en herinnert zich iets.

'En weet je wat er met onze hond in Hyderabad is gebeurd?'

'Vertel eens, tante Mehreen?'

'Nadat we waren vertrokken weigerde de hond alle voedsel. Hij wou geen hap meer eten. Hij wachtte op ons! Hij heeft een hele maand niet gegeten en toen ging hij dood. Hij stierf aan *mohabbat*, van liefde...'

Vlak naast de hoofdslaapkamer bevindt zich de bibliotheek, die aan een kant een groot raam heeft dat een weids uitzicht biedt over de tuin. In het midden van de ruimte staat een grote kleurentelevisie die permanent op Pakistan Television is afgestemd, en de andere wanden worden gedomineerd door boekenplanken die vol staan met Engelse boeken. Ik ben geïntrigeerd door een serie prachtige, al wat oudere exemplaren met een bewerkte leren rug en sla *The Count of Monte Christo* open. Op het schutblad staat een stempel met mijn grootvaders adres in Rajkot, in Gujarat, waar hij woonde met het gezin dat hij had met zijn eerste vrouw, Bari Amma, en haar twee zonen. Mijn grootvader moet de boeken vanuit India mee hiernaartoe hebben genomen. Als ik door een verre luidspreker de oproep tot gebed hoor galmen, trek ik automatisch de dupatta over mijn hoofd en leg het boek weg. Mijn familieleden bidden allemaal afzonderlijk in hun slaapkamer, en daardoor is er een rustige kalmte over de late namiddag getrokken. Het is heet, te heet om de lust te hebben om buiten een wandeling te gaan maken, als ik al een bestemming had waar ik naartoe zou willen.

Ik herinner me de volgorde van staan, knielen en nederwerping niet goed genoeg om het alleen te kunnen. In plaats daarvan luister ik naar het Arabisch en mompel zachtjes de Engelse vertaling en denk erover na waarom ik hier ben. Het feit dat de klank van het gebed zo bekend is raakt me, en ik denk aan een fragment uit een gebed dat mijn moeder me heeft geleerd. *O Allah, zegen Mohammed en het volk van Mohammed, zoals u Abraham en het volk van Abraham geëerd hebt.* Het volk van Abraham. Het volk van Mohammed. Via een serie historische ongelukjes ben ik nu met beide verbonden, net zoals ik ook met het christendom ben verbonden.

Ik voel weerzin bij het idee om één geloof, één verbintenis, boven de andere te moeten kiezen. Er zit een soort trucje in de manier waarop ik nu leef, als een kameleon, waarbij ik aan verschillende mensen mijn verschillende religieuze kanten laat zien. Maar op deze manier kan ik wel vragen blijven stellen en krijg ik te horen wat er werkelijk achter gesloten deuren wordt gezegd. Ik weet niet zeker of ik dat wil opgeven, nog niet.

'Kom, beti. Thee.'

Oom Waris schuifelt zachtjes door de bibliotheek op weg naar de aangrenzende eetkamer. Anders dan vele andere mannen uit Zuid-Azië is oom Waris groot, ruim een meter tachtig, en als hij zich beweegt zwaait zijn bril als een slinger aan een touwtje om zijn nek. Ik loop achter hem aan en we gaan aan de grote eetkamertafel zitten die bedekt is met een dik plastic tafelkleed. Een bediende brengt het blad met thee binnen en zet het voor ons neer, waarna hij de hete vloeistof uit een gloeiend hete theepot in onze kopjes schenkt. We roeren er lepels vol witte suiker door. Oom Waris doet een trommel open en haalt er een paar koekjes uit die hij in zijn thee doopt, en hij biedt mij er ook een aan.

'Aan de telefoon zei je moeder dat je van alles wilt weten over onze familie.'

'Dat klopt,' zeg ik, en pak een schrift uit mijn tas.

'Waar heb je dát voor nodig?' vraagt hij.

'Gewoon, om het te kunnen onthouden.' Ik haal de dop van mijn pen.

'Wat wil je weten?'

'Ik wil graag meer weten over de Siddiqi's, hoe ze naar India zijn gekomen en waar ze zich hebben gevestigd, en hoe mijn grootmoeder uw vader heeft ontmoet. Nana heeft me verteld dat ze elkaar in Bombay hebben leren kennen. Is dat zo?'

'Helemaal niet. Ze kenden elkaar al veel eerder.'

'Echt waar? Maar ik heb altijd gedacht dat...'

'Mijn grootvader kwam oorspronkelijk uit Arabistan – Saoedi-Arabië – en ging naar India om in het leger van Tipu Sultan in de Mysore-oorlog tegen de Britten mee te vechten. Later werd mijn grootvader sergeant-majoor in het Indiase leger, en na zijn pensionering ging hij naar de rest van zijn familie in Ajmer. In Ajmer had ons gezin een gepensioneerde buurman die ook in het Indiase leger had gezeten. Die man was de grootvader van jouw Nana. Dus Nana's grootvader Jacobs en mijn grootvader waren vrienden. De twee gezinnen ontmoetten elkaar en aten samen.'

'In welk jaar was dat ongeveer?'

'Nou, mijn vader werd geboren aan het begin van 1900, dus dit heeft zich aan het eind van 1800 afgespeeld.'

'Ik vind het opmerkelijk dat een islamitische en een joodse familie in India aan het eind van 1800 een nauwe vriendschapsband zouden hebben gehad...'

'Waarom is dat opmerkelijk? We hadden geen enkel probleem met joden en zij niet met ons. Het probleem dat er nu is ontstaan, gaat om Israël. Als je in de Koran kijkt, vind je alleen een conflict als je alles uit z'n verband rukt. De islam respecteert het judaïsme en het christendom. Mijn vader zei altijd: "En twist met de mensen van het Boek slechts op de goede wijze; doch zeg tegen de onrechtvaardigen: 'Wij geloven in hetgeen ons is geopenbaard en hetgeen u is geopenbaard; en onze God en uw God is Eén; en aan Hem onderwerpen wij ons.'" [Koran 29:46] Het volk van je grootmoeder is altijd goed voor ons geweest. *Ahl al-kitab*, noemden we hen altijd, het Volk van het Boek. We hadden geen problemen met de joden.'

'Oom Waris, waren er mensen binnen de familie die in Siddiqi House opgroeiden, die merkten dat Nana anders was, dat ze geboren was met een ander geloof?'

'Waarom maak je je daar nu zo druk om, lieverd?' vraagt hij, en kijkt me over zijn theekopje aan. 'Die tijd is al lang voorbij.'

'Dat weet ik, oom Waris, maar ik wil het graag weten. Zagen de mensen haar als joodse?'

'De enige keer dat het aan de orde kwam was, voor zover ik me herinner, als iemand overstuur was. "Ze is een *yahudi*," zeiden ze dan, maar dat gebeurde maar zelden. Ze maakte deel uit van de familie. Als kinderen maakten we geen verschil tussen mijn vaders vrouwen. "Ik heb drie moeders," zei ik altijd, en ik behandelde ze allemaal hetzelfde.'

'Was mijn grootmoeder een praktiserend moslima?'

'Als de vrouw behoort tot het Volk van het Boek is het volgens de islam niet verplicht dat ze van geloof verandert als ze met een van ons trouwt. Maar ik geloof inderdaad dat ze als een moslima leefde. Wie zal het zeggen?'

'Zegde ze haar gebeden?'

'Ze was misschien niet zo'n plichtsgetrouwe mohammedaan als ik,' zegt oom Waris, en laat zijn handpalmen zien, 'maar ze zegde wél haar gebeden.'

'Wanneer zijn mijn grootmoeder en uw vader met elkaar getrouwd? Kent u het verhaal van hun huwelijk?'

'Mijn vader,' begint hij, 'had oog voor mooie, jonge vrouwen. Dat is alles wat ik erover wil zeggen.'

Ik knik, verwonderd over het voortdurende mysterie van mijn grootouders' verhouding.

Oom Waris kijkt bedachtzaam.

'Ik heb missionarissen aan de deur gehad, beti. En ik heb ze thee gegeven en tegen ze gezegd: "Dank u wel. Ik neem deze Bijbel aan en zal hem lezen."' Oom Waris doet alsof hij een boek aanneemt en dat op zijn schoot legt. 'Ik geloof in alle drie de boeken Gods.'

'O, daar ben je, Sadia Apa! We vroegen ons al af waar je was,' zegt mijn nicht Aliyah, en komt de woonkamer binnenstormen, waar ik oude fotoalbums zit te bekijken.

'Kom je zo voor het eten?' vraagt ze. 'Ik moet eerst bidden, maar daarna gaan we het eten voorbereiden.'

'Waar ga je bidden?' vraag ik.

'Waar, Sadia Apa? Nou, ik denk gewoon in mijn kamer. Hoezo?'

'Ik vroeg me af of ik samen met jou zou kunnen bidden.'

Ik ben verbaasd over mezelf. Ik had me niet voorgenomen haar dat te vragen.

'Ik kan het me niet goed genoeg herinneren om het alleen te doen. Als je het niet erg vindt tenminste,' voeg ik eraan toe.

'Erg? Sadia Apa, natuurlijk vind ik het niet erg. Het zou voor mij ook een zegen zijn om samen met jou te bidden. *Allah mian* zou heel blij met me zijn als ik je laat zien hoe dat moet. Zullen we dan maar gaan?'

Ik knik en volg Aliyah het kleine stukje naar haar huis dat ernaast staat. We lopen de centrale trap op die naar haar helder gekleurde slaapkamer leidt op de eerste verdieping van haar ouders' grote, mooi ingerichte huis. Bij elk van mijn bezoeken aan Pakistan overtreffen Aliyahs huidige interesses – muziek, kledingstijl, favoriete onderwerpen – de interesses die ze had toen ik haar de laatste keer zag, en ik moet de regels van haar snel verschuivende universum telkens opnieuw leren. In haar kamer zie ik ingelijste foto's staan van Aliyah en haar schoolvriendinnen en cassettebandjes van eigentijdse, islamitische zangers van gewijde liederen. Het lijkt erop dat ze in religieus opzicht de regels meer is gaan naleven. Haar gesprekken zijn doorspekt met '*al-hamdulillah*' (God zij geloofd) en '*insjallah*' (zo God wil) en ze vertelt me dat ze erover denkt om binnenkort de hijab te gaan dragen, misschien al na de volgende examens.

'Dat is een belangrijk besluit,' legt ze uit, als we op haar bed zijn gaan zitten. 'Je moet er klaar voor zijn want het is een opoffering. Dat is het echt.' Aliyah wacht en ziet er even nogal verdrietig uit. 'Ik ben gek op oorbellen.' Ze zucht diep, maar klaart dan zichtbaar op. 'Maar, al-hamdulillah, ik ben een soort rolmodel op mijn school, Sadia Apa, dus ik denk er echt serieus over na.'

Ik knik en denk na over Aliyahs keuze. Ik heb passages in de Koran gelezen die handelden over vrouwen en over de manier waarop ze zich zouden moeten bedekken. In de interpretatie van mijn moeder verlangt de islam van zijn vrouwelijke volgelingen dat ze zich onopvallend kleden, maar schrijft niet voor dat vrouwen een sluier moeten dragen. Mama is het met haar familieleden eens dat de beslissing om een sluier te dragen een uiterst persoonlijke is, maar de discussie tussen hen vol voors en tegens duurt voort. Mijn moeder heeft het gevoel dat de hijab onnodig veel aandacht trekt, maar een aantal familieleden beweert dat het bescherming biedt, discussies uitlokt en wezenlijk deel uitmaakt van het leven als gelovige moslima.

Volgens de geldende gebruiken bedekt mijn moeder haar hoofd wel als ze gaat bidden, en ik mis haar plotseling als Aliyah me voordoet hoe ik mijn dupatta zodanig om mijn hoofd moet wikkelen dat er geen haar meer te zien is, waarbij de ene kant langer moet zijn dan de andere kant, die om mijn hoofd moet worden gedraaid en daarbij ook nog bij mijn voorhoofd onder de stof moet worden gestopt.

'Zo moet dat, Sadia Apa,' zegt ze, maar ik blijf het fout doen. 'Nee, zó.' Ze heeft geduld met me, leidt mijn handen naar de juiste plaats.

'Zo,' zegt ze trots. 'Nu zie je eruit als een echte moslima.'

We leggen twee gebedskleedjes op de grond en kijken in de richting van Mekka. Onze twee rechthoekige kleedjes liggen naast elkaar.

Aliyah reciteert haar gebeden in prachtig Arabisch.

'*Allah hu Akbar*,' zegt ze, en heft haar handen op aan beide zijden van haar lichaam.

'Allah hu Akbar.'

Ik doe haar bewegingen na: buigen, knielen en het hoofd buigen, net als zij, en Nana's sleutel aan de ketting om mijn nek raakt mijn voorhoofd als ik diep vooroverbuig om de grond te raken. Het is een heel troostgevend ritme en ik ben verbaasd dat dit ritueel zo veel aantrekkingskracht op me heeft. Maar zou ik dit vijf keer per dag doen, zoals deze tak van mijn moeders familie dat doet? Elke ochtend om halfzes opstaan en tot God bidden? Ik vraag me af of mijn leven er een bepaalde richting door zou krijgen, iets wat, zoals ik heb gelezen, wel door islam-bekeerlingen wordt beweerd. Ik vraag me af of ik één geloof boven alle andere moet verkiezen. Ik vraag me af wat mijn Pakistaanse familie van me zou denken als ze zouden weten dat het werkelijke doel van mijn werk in India eruit bestaat om een band met de joodse gemeenschap daar te smeden.

Na het voltooien van het gebed rollen we de kleedjes zorgvuldig op en dank ik Allah voor het feit dat hij mij heeft willen leiden.

'Sadia Apa?' vraagt Aliyah. 'Wat heb je om je nek hangen?' Ze pakt Nana's sleutel vast, bekijkt hem en draait hem om in haar hand.

'Dat is iets wat van mijn grootmoeder is geweest,' zeg ik. 'Ik draag het als een soort herinnering aan haar.'

Aliyah knikt, kijkt serieus. 'Mag ik je iets vragen? Is het waar dat ze vlak voor haar dood het islamitische geloof heeft aangenomen?'

De vraag overrompelt me. Ik was er niet op voorbereid om met Aliyah over Nana te praten, en ik had me niet gerealiseerd dat de jongere generatie van mijn familie anders over Nana denkt dan de rest van de Siddiqi's.

'Ze was al moslim geworden toen ze trouwde,' zeg ik, bijna verdedigend. 'Ze heeft zich bekeerd toen ze met mijn grootvader is getrouwd.'

'Echt?' zegt Aliyah, en kijkt verrast. 'Nou, dat is geweldig. Dat wist ik echt niet. Ik dacht dat ze... was ze niet... joods?'

'Dat was ze oorspronkelijk wel,' zeg ik. 'Totdat ze ging trouwen.'

Op weg naar de keuken stop ik even halverwege de trap, leg mijn hand op de leuning en denk na over de woorden van oom Waris over bekering. Ik heb altijd gedacht dat Nana zich tot de islam had bekeerd, maar ik denk dat het ook heel goed mogelijk is dat ze dat niet officieel heeft gedaan, net zoals ik altijd het vermoeden heb gehad dat de huwelijksceremonie met mijn grootvader nooit officieel is gemaakt. Ik heb werkelijk geen idee tot welk geloof Nana zichzelf rekende. Maar als het haar grootste wens was dat ik de Bene Israël ging bestuderen, dan zal ze zichzelf uiteindelijk toch als joodse hebben beschouwd?

Ik veeg deze heel eigen gedachten in een hoekje van mijn geest en voeg me bij mijn familie in de keuken, waar Aliyah haar moeder helpt met de voorbereidingen voor het diner.

De volgende dag verzamelen al mijn neven en nichten, afkomstig uit Karachi, maar ook een heel stel Pakistaans-Amerikaanse neven en nichten uit Michigan, Los Angeles en Staten Island, zich in het huis van mijn oom voor een gezamenlijke *mehndi*- of hennaceremonie, om de bruid en bruidegom te zegenen. Hoewel de bruid en bruidegom allebei in New York zijn opgegroeid, hebben ze ervoor gekozen hun huwelijk in Karachi te vieren, en ze gebruiken hun veertiendaagse vakantie – de bruid van haar rechtenstudie, de bruidegom van zijn baan als financieel analist – om in Karachi te trouwen. De mehndi is georganiseerd door de moeders van de bruid en bruidegom, in dit geval zussen die hun taak uitvoeren als twee met juwelen behangen goudhaantjes, beide even trots en schitterend. Voor deze gelegenheid hebben vrienden van de familie hun voortuin beschikbaar gesteld en versierd met slingers van goudsbloemen en rozen. Tegenover een versierde, vergulde *love seat* waar het paar straks zal gaan zitten om de goede wensen van familie en vrienden in ontvangst te nemen staan rijen klapstoelen opgesteld. De gasten zitten op de stoelen, nippen van hun Fanta, Sprite en Pakola, een lichtgroene frisdrank, praten onderling over wat de andere gasten dragen en vergelijken de gesteven en met zwaar gouddraad geborduurde outfits. Oorspronkelijk hielden families van de bruid en bruidegom altijd een eigen mehndi-ceremonie. In de afgelopen jaren zijn de huwelijksplechtigheden wat gestroomlijnder en iets westerser geworden, en het is nu mode om een gezamenlijke mehndi-ceremonie voor de aanstaande huwelijkspartners te organiseren. In een huwelijk als dit, waarbij de twee kanten familie van elkaar zijn, is een gezamenlijke ceremonie wel logisch, maar Aliyah vertelt dat haar kant van onze familie nog steeds de voorkeur geeft aan een mehndi-viering met één en dezelfde sekse, want haar vader en moeder vinden dat mannen en vrouwen die geen familie van elkaar zijn niet met elkaar mogen omgaan. Dat is *haram*, verboden. Ik probeer niet geschokt te kijken als ze me dat vertelt. De choreografische dansen, die op de mehndi altijd door zussen, vriendinnen en vrouwelijke familieleden van de bruid werden uitgevoerd, bestaan ook niet meer.

'Ik vond het heerlijk om die te organiseren,' zegt Aliyah als we nippend van onze frisdrank op de klapstoeltjes zitten. 'Maar toen maakte mijn moeder me duidelijk dat het misschien niet zo'n goed idee was.'

'Waarom niet?' vraag ik, en krijg een bekend wee gevoel in mijn maag.

'Nou, doordat ik jonge meisjes dansen leerde, gaan andere mensen misschien naar die meisjes kijken en leren die meisjes de dansen misschien weer aan andere meisjes... Hoe meer ik erover nadacht, hoe meer ik besefte dat het niet islamitisch was om danslessen te geven. Het is gewoon beter dat ik het niet doe.'

'Maar er is in de familie altijd gedanst op bruiloften,' zeg ik, en herinner me dat ik de dag ervoor nog voor de grap had gezegd dat ik, als ik in de vs zou trouwen, Aliyah zou laten overkomen om mijn Amerikaanse vriendinnen de pasjes te leren.

'Ik weet het, Sadia Apa. Maar het is beter zo. Echt waar.'

Ik hou mezelf voor dat tradities als deze in feite nooit deel hebben uitgemaakt van de islam. Het dansen op bruiloftsfeesten, het dragen van rood en goud op je *nikaah*-ceremonie, het decoreren van je handen en voeten met henna, het trouwen met een volle neef – het waren allemaal tradities die bij Zuid-Azië hoorden, ongeacht je geloof. Maar het zijn de culturele tradities die bij het geloof horen en niet het geloof zelf waar ik me het sterkst mee verbonden voel, en het verlies daarvan doet pijn. Mijn gesprekken met de Bene Israël in Bombay schieten me weer te binnen. Ik bewonder hun vastbeslotenheid om vromere joden te worden in Israël, maar het zijn de gebruiken van de Bene Israël in India die me naar India hebben gelokt. Hoe meer tijd er verstrijkt, hoe vaker ik denk dat Nana wilde dat ik juist die tradities zou leren kennen en me er verbonden mee zou voelen.

'Maak je geen zorgen, Sadia Apa,' voegt Aliyah er opgewekt aan toe. 'Ik word choreografe in de hemel.'

'In de hemel?' herhaal ik in verwarring. 'Waarom word je dat in de hemel?'

'Omdat, Sadia Apa, alles wat hier op aarde verboden is, in de hemel mogelijk is. *Allah mian* heeft beloofd dat al onze dromen waarheid worden.'

Ik zie een groepje mensen van midden tot eind twintig staan, vier of vijf jonge mannen in pakken en een handjevol jonge vrouwen in salwar kameezes. Ze staan een beetje achteraf, ze praten en lachen en ik loop naar hen toe. Als ik bijna bij hen ben, hoor ik het geruststellende geluid van hun Amerikaanse accenten.

'Sadia!' zegt een van hen, en ik herken mijn nicht Rehana.

Rehana en haar zus, Ameena, zijn net buiten San Francisco opgegroeid. Ik heb ze maar een paar keer ontmoet op ander huwelijken in de familie, maar ik vind hen boeiend. In plaats van dezelfde weg te volgen als de meeste Pakistaanse Amerikanen – medicijnen, rechten of het geldwezen – werkt Rehana voor een grafisch ontwerpbureau en Ameena als projectontwikkelaar. Ze zijn allebei modieus en altijd naar de laatste Pakistaanse huwelijksmode gekleed, en ze lijken zich volledig op hun gemak te voelen in zowel de vs als

Pakistan. Rehena maakt op mij een bedachtzame indruk, Ameena komt veel pittiger over. Ze is de enige Pakistaanse Amerikaanse die ik ooit heb gezien die haar haar in een kort jongenskopje heeft laten knippen, maar het staat haar goed. Hier wordt haar beschouwd als een van de meest verfijnde vrouwelijke attributen, en als ik haar een compliment maak over haar nieuwe uiterlijk, grapt ze dat alle Pakistaanse tantes naar haar hoofd staren en zich afvragen hoe ze toch zoiets heeft kunnen doen.

Als ik me in het gesprek meng, plagen ze, voor zover ik kan nagaan, een van de jonge mannen, Asif, die interesse heeft getoond voor een jonge vrouw die aan de andere kant zit.

'Als we in Amerika waren geweest, was ik wel naar haar toe gegaan om met haar te praten. Maar hier? Jeetje, het is alsof iedereen naar je kijkt, en als je met een meisje gaat praten, dan ben je pats boem, zomaar getrouwd!'

De hele groep lacht en een oudere jongen slaat hem op zijn rug.

'O, doe nou niet alsof je niet naar een vrouw op zoek bent, Asif,' zegt hij begrijpend. 'Doe nou niet alsof je vader niet op ditzelfde moment een rondje maakt om alles te weten te komen over de ongetrouwde meisjes op dit feest.'

Ik kijk naar de tafel met het buffet en zie Asifs vader een bord vol scheppen met samosa's. Alsof het afgesproken is komt hij naar de groep toe lopen en houdt ons het bord voor.

'Zo,' zegt hij in de richting van Asif, 'al iemand gezien die je leuk vindt?' De groep begint weer te lachen.

'Daar gaan we weer,' zegt Ameena met rollende ogen. 'Een volgend huwelijk, een volgende HV.'

'Een HV?' zeg ik vragend.

'Een Halal Vleesmarkt,' zegt Ameena met een glimlach.

'Dat is vaste prik,' voegt Rehana eraan toe.

Ik kijk naar de groep en ik herinner me mijn puberale weerzin tegen mijn moeder omdat wij niet in een Pakistaans-Amerikaanse gemeenschap woonden. Veel van mijn neven en nichten gingen in de plaatselijke moskee naar de zondagsschool, vastten elk jaar tijdens de ramadan de volledige dertig dagen en gingen wekelijks of soms zelfs dagelijks met andere Pakistaanse families om. De een is religieuzer dan de ander. Een neef, Aadam, is een soort officieuze jeugdleider geworden in islamitische gemeenschappen langs de Amerikaanse oostkust. Ik vraag me af of hij als bankier in Boston overdag tijd heeft om te bidden. Ik vraag me af of de jaren als tieners en studenten van mijn neven en nichten anders zijn geweest dan die van mij en waarom. Ik voel me aangetrokken tot dat gevoel van erbij horen dat over me komt als ik bij hen ben. Heel even maak ik deel uit van de club – Pakistaans-Amerikaans, islamitisch-Amerikaans, en niets anders –, maar alleen zolang ik hier bij hen sta.

Ik breng de avond grappend en grollend met mijn nichten en neven door, maar Aliyah doet niet met me mee.

'Waarom ga je niet even mee om ze te ontmoeten?' vraag ik haar tegen het eind van de avond, en ze loopt ernaartoe en zegt een aantal van hen gedag. Ik kan niet uitmaken of ze te verlegen is of dat ze om andere redenen geen zin heeft om zich in het gesprek te mengen.

'Het zijn ook jouw neven en nichten,' zeg ik.

Ik vertel mijn moeder via de telefoon dat haar familie in Pakistan niet langer prijs stelt op omgang tussen mannen en vrouwen die geen familie van elkaar zijn. Het beeld dat ik schets levert een cultuur op die ze niet herkent en is ver verwijderd van het pluralisme dat Karachi in 1969 kenmerkte, toen zij een tiener was. Mijn verhaal ergert haar.

'Mijn vader reciteerde altijd een Hadith van de profeet Mohammed: "Verschil van mening is een zegen voor de gemeenschap." Met die opvatting zijn wij grootgebracht. Hij stuurde zijn kinderen naar verschillende scholen – katholieke scholen, Britse scholen – zodat we verschillende meningen konden vormen. Zodat we konden debatteren! Zo ben ik opgevoed. Dat is het geloof dat ik ken en dat mijn vader beleed...'

'Ik weet het, mama,' zeg ik. 'Maar het is nu anders. Het is hier anders geworden.'

'Ben je al naar Siddiqi House geweest?' vraagt ze. 'Heb je Nana's appartement al gezien?'

'Nog niet,' zeg ik. 'Daar ga ik morgen naartoe.'

'Vergeet niet dat je Bibi eerst moet bezoeken – zij is de oudste, dat moet volgens de traditie. En dan Zaitoon.'

'Doe ik. Bedankt.'

Bath Island, eens een begerenswaardige woonwijk voor Britse officieren, werd aan het eind van de jaren veertig door rijke families van wie er vele vanuit India naar Karachi waren gekomen als het puikje van de vastgoedmarkt beschouwd. De huizen van de Parsi-vrienden van mijn grootvader zijn er nog, als geïsoleerde oases achter hoge hekken, maar veel van de luisterrijke villa's die landverhuizers als mijn grootvader lieten bouwen als surrogaat voor de huizen die ze in India hadden achtergelaten, zijn inmiddels weg. Siddiqi House is nu een relikwie, een anachronisme, en de mensen zeggen dat het slechts een kwestie van tijd is voordat dit huis ook wordt verkocht en gesloopt, waarna er een hoge, winstgevende torenflat voor in de plaats komt. Mijn moeder hoopt dat haar familie het huis zal houden, maar ze weet dat het niet praktisch is. Hoewel er in Siddiqi House nog steeds een appartement op Nana's naam staat, is het slechts een zesde deel van het onroerend goed en een aandeel met maar nauwelijks stemrecht. De mensen zeggen dat het huis door zijn gunstige ligging misschien wel twee miljoen pond sterling kan opbrengen.

Ik vraag de ingehuurde chauffeur om me bij een van de twee hoofdingangen af te zetten en kijk omhoog naar het huis, met een hand mijn ogen beschermend tegen de zon. Ik had gedacht dat Siddiqi House er kleiner uit zou zien, dat het geheel in tegenstelling zou zijn met de enorme omvang die het destijds in mijn kinderogen had. Tot mijn verrassing ziet het er net zo groot en ondoordringbaar uit als altijd en net zo hoog en breed als het in mijn herinnering was. Maar als ik dichterbij kom zie ik waar iemand onlangs met verven is begonnen en vervolgens weer is gestopt, waar de twee tinten crèmegeel niet bij elkaar passen. Scheuren in de buitenmuren zijn opgevuld met pleisterkalk maar zijn nog niet goed afgestreken. Ik denk aan alle mensen die hier hebben gewoond en al heel lang geleden naar andere huizen en andere landen zijn vertrokken. Er klinkt geen muziek meer uit de ramen, er zijn geen blaffende en spelende honden in de tuin van mijn tante Farida. Er groeien hier geen kinderen meer op. Aan de poorten van Siddiqi House moesten in navolging van de permanente instructies van mijn grootvader altijd grote aardewerken urnen gevuld met vers drinkwater staan, zodat iedere dorstige reiziger een verfrissing kon pakken. Instinctief gluur ik in de potten en verwacht een diepe weerspiegelende plas, maar ik zie niets anders dan opgedroogde modder.

Alle zes appartementen hebben eigen deuren op afzonderlijke verdiepingen – grote, imposante blokken hout met koperen kloppers en koperen plaatjes met daarop de namen van de eigenaar van de flat. Welke deur je als de hoofdingang van Siddiqi House beschouwt is volledig afhankelijk van de vraag wiens kind je bent of bij wie je op bezoek gaat. De centrale communicatielijn wordt gevormd door twee open trappenhuizen waar bedienden op en neer rennen tussen de verschillende appartementen – dat wil zeggen: tussen de bewoners van Siddiqi House die met elkaar praten. Er lijkt altijd wel enige spanning te bestaan tussen de verschillende groepen binnen de familie, en deze onenigheden hangen als ongelijke draden aan mijn grootvaders kinderen, zelfs nu nog, meer dan veertig jaar later. Ik heb de verhalen gehoord. Tijdens mijn grootvaders leven woonden de verschillende takken van de familie vredig en in harmonie bij elkaar. In de jaren na zijn dood werd het steeds moeilijker om je te herinneren wanneer de Siddiqi's één saamhorige familie waren.

'Dit is samengevoegd eigendom,' hoor ik Nana bij wijze van uitleg in mijn gedachten zeggen. 'Van een samengevoegde familie.'

Als kind dacht ik altijd dat de fout in het woord zelf besloten lag: ik dacht dat het 'samengevoegd' waar Nana op doelde de verkeerde samenvoeging van meerdere delen betekende. Nu begrijp ik dat Nana voor zichzelf probeerde te verklaren hoe ze daar was terechtgekomen – de jonge weduwe met vijf kleine kinderen, gevangen in een overbevolkt huis vol jaloezie, zonder eigen middelen.

Toen mijn grootvader nog leefde, was Nana zijn favoriete vrouw. In Karachi kreeg ze nóg drie kinderen en in het huis had ze een speciale status. Het was Nana die met haar man een slaapkamer deelde, die hem naar officiële evenementen begeleidde, die toezicht hield op de bouw van zijn onroerend goed. Nana droeg de sleutels van zijn eigendommen aan een ketting om haar middel. Mijn moeder weet nog dat ze aan dat onmiskenbare geluid hoorde dat haar moeder eraan kwam. Nana bezocht de bezittingen elke dag en zorgde ervoor dat bouwwerkzaamheden volgens plan verliepen. Als vervanging van het huis dat ze in Bombay had achtergelaten bouwde haar man dicht bij Siddiqi House speciaal voor haar Rahat

Villa. Dit grote betonnen bouwwerk leek in niets op het origineel. Het was bedoeld als onroerend goed waar geld mee verdiend moest worden, als iets wat op haar naam zou blijven staan en ze aan haar kinderen zou doorgeven. Hij bouwde er nog meer: hij had een stuk bouwland in Housing Society en een groot dubbel huis aan Tipu Sultan Road. Hij investeerde voortdurend in nieuwe projecten en nieuwe ondernemingen. En toen kreeg hij een hartaanval.

In het ziekenhuis legde hij de handen van zijn drie vrouwen op zijn borst.

'Ik heb voor jullie alle drie eigendommen van gelijke waarde op jullie naam laten zetten. Beloof me dat jullie de bezittingen eerlijk zullen verdelen. Beloof me dat jullie als één gezamenlijke familie verder zullen leven en zullen handelen in het algemeen belang van de familie en van al onze kinderen.' De vrouwen knikten, zachtjes snikkend, en Ali wilde met ieder van hen even alleen zijn. Toen Nana bij hem moest komen, raakte hij kort haar wang aan.

'Het is altijd mijn plan geweest om jou twee appartementen in Siddiqi House te geven, voor je kinderen...'

'Geeft niets, geeft niets,' zei Nana.

'Nee, schat, luister even. Het huis blijft op naam staan van Choti Amma. Maar de nieuwe Rahat Villa is van jou, en dat is een gebouw van dezelfde waarde. Ik heb je niet het leven gegeven dat je graag had gewild,' zei hij rustig. 'En ik heb niet voor je kunnen zorgen zoals ik had gehoopt.'

'Ssst, ssst,' zei Nana.

'Beloof me dat je zult helpen om de familie bij elkaar te houden, bij elkaar te blijven. Ze zullen jouw kracht nodig hebben.'

'Dat doe ik. Ik beloof het je.'

Wat pluspunten waren geweest toen hij nog leefde – haar jeugd, haar schoonheid en haar vijf slimme kinderen – waren minpunten voor Nana toen hij eenmaal dood was. Plotseling was de financiële situatie van de familie veranderd, en daarmee de regels. Alles wat Nana bezat kwam nu uit een gemeenschappelijke pot, en die werd beheerd door Bari Amma, mijn grootvaders eerste vrouw. De huishoudelijke taken werden verdeeld onder de drie vrouwen: Choti Amma zorgde voor de inkoop van levensmiddelen en de bereiding van het eten, Bari Amma hield toezicht op de gelden en het huishoudelijk personeel, en Nana had als taak alle kinderen voor school klaar te maken en alles in goede banen te leiden als ze terugkwamen. Maar zonder kostwinner was er geen auto met chauffeur om haar familie aan de andere kant van Karachi te bezoeken, en er was geen extra geld meer voor muzieklessen of nieuwe kleren. Na Ali's dood werd al snel duidelijk dat de familie schulden had. Als ze Siddiqi House wilden behouden en als de familie bij elkaar wilde blijven moest er iets worden verkocht. De beslissing werd genomen dat het echt het verstandigste was om de nieuwe Rahat Villa te verkopen, en daar ging het eerste van Nana's eigendommen. Hoewel de andere vrouwen hun bezittingen behielden, gaf Nana het hare bereidwillig op, waarmee ze in het algemeen belang handelde zoals ze haar echtgenoot had beloofd. Ter compensatie voor Rahat Villa zette Choti Amma één appartement van Siddiqi House op haar naam, en Nana verhuurde die aan de Mehtas, een Parsi-familie, en bewaarde zorgvuldig de huuropbrengst. Elke maand zette ze een klein geldbedrag opzij. Een keer per week liep ze naar de markt aan het eind van de laan om fruit, eieren en geïmporteerde luxe goederen te kopen. Ze bewaarde die dingen veilig in haar slaapkamer als haar geheime voorraad. Als haar vijf kinderen thuis kwamen uit school, sneed ze appels voor hen in plakjes, gaf ze hun koude melk met Bournvita chocoladedrank, geroosterde boterhammen met Kraft-kaas uit blik, en dan deden ze een paar uur lang alsof er niets was veranderd. Ze droomde ervan om alleen met haar eigen kinderen in de flat te wonen en zag dat als een bescheiden benadering van het leven dat ze in Bombay had gehad, voor de scheiding van India en Pakistan. Maar nu haar andere bezittingen verkocht of gemeenschappelijk bezit waren geworden, was ze voor enige mate van financiële onafhankelijkheid aangewezen op dat kleine beetje huur.

Jaren later had ze de flat nog steeds niet. Toen Nana de familie Mehtas uiteindelijk zover had dat ze vertrokken, slechts twee jaar voor haar dood, droomde ze ervan het appartement – eindelijk – grondig op te knappen en weer een plaats voor zichzelf te hebben. Ze liet airconditioning en nieuwe elektriciteit aanleggen, liet gordijnen ophangen en installeerde Bibi, de weduwe van wijlen haar zwager en behorend tot de laatste van de Siddiqi-vrouwen van Nana's generatie, als een soort huisbewaarster. Bibi had een huis nodig en Nana beschouwde haar als een soort plaatsvervangster totdat ze de reis zelf zou kunnen maken. Toen ze heen en weer reisde tussen de huizen van haar kinderen in Europa en de Verenigde Staten begon Nana regelmatig de uitverkoop te bezoeken om handdoekensets, fotolijsten en andere willekeurige spulletjes voor het huis in Karachi te verzamelen. Aan de telefoon beschreef ze me haar aankopen en verbeteringen aan het huis tot in het kleinste detail, en in Californië, waar ik een masteropleiding volgde, luisterde ik nieuwsgierig naar haar verhalen. Destijds begreep ik niet waarom ze het deed.

'Maar Nana, wat heeft het voor zin om dat nú op te knappen?'

'Het is ook van mij,' zei ze dan rustig. 'Het was het huis van mijn man.'

Toen het voor Bibi – in afwachting van de komst van Nana – tijd werd om te vertrekken, liet ze de flat met grote tegenzin achter. Bibi kon zich niet voorstellen dat Nana nu naar Karachi terug wilde keren, nadat ze zo veel jaren in de Verenigde Staten had doorgebracht, en Bibi beschuldigde Nana ervan dat ze haar slecht behandelde. De maanden gingen voorbij en de onenigheid hield aan. Nana stierf zonder dat ze het appartement helemaal af had gezien.

Het volgende uur breng ik door met het huis vanuit alle hoeken te fotograferen, en probeer zijn vorm en uitstraling te begrijpen. Ik neem het huis van beide kanten, vanaf de gazons, en vanaf de balkons naar boven en beneden kijkend. Ik stel me de verhalen voor die ik heb gehoord en speel ze voor mezelf na, bedenk me waar ze kunnen hebben plaatsgevonden. Daar is het hek waar mijn moeder doorheen liep als ze van de nonnenschool kwam, daar de oprit waar oom Salman op het witte paard reed toen hij ging trouwen. Maar mijn camera kan die onzichtbare momenten niet vastleggen. Door mijn zoeker ziet het huis er te groot uit om de uitstraling te pakken en te gewoon in vergelijking met wat het werkelijk is.

'Jij daar, wat doe je daar?'

De scherpe stem komt vanuit een bovenraam, en als ik naar boven kijk zie ik mijn tante Zaitoon, een klein vrouwtje met een angstaanjagend voorkomen; ik ben altijd een beetje bang voor haar geweest. Zij is degene die ik volgens de familiehiërarchie als tweede zou moeten bezoeken, maar dat kan nu dus niet meer.

'*Asalaam alaikum*, tante Zaitoon,' roep ik. 'Ik ben het, Sadia.'

'*Kaun hai?*' roept ze terug. 'Wie ben je?'

'Sadia,' zeg ik. *'Samina ki beti.'* Samina's dochter.

'Accha,' zegt ze. Juist ja. Ze trekt zich terug van het raam.

Ik loop de trap op en klop op haar deur. Zaitoon doet de deur op een heel klein kiertje open, zo klein dat ze zichzelf tussen deurpost en deur kan inklemmen, maar niet groot genoeg om mij erlangs te laten. Het herinnert me aan de indruk die ik als kind van Zaitoon had. Haar almaar dunner wordende haar en de grote moedervlek die zo ongelukkig midden op haar wang zit, deden me altijd aan een heks denken.

'Asalaam alaikum, tante Zaitoon,' herhaal ik. 'Ik ben het, Sadia.' Maar ze verzet geen stap.

Zaitoon was getrouwd met mijn moeders halfbroer Irfan. Toen ze kind was, was haar vader chef van mijn grootvaders landbouwgronden buiten Karachi, en zij speelde met de kinderen Siddiqi toen die allemaal nog klein waren. Mijn moeder herinnert zich haar als een klein, iel grietje, slim noch mooi, en de meeste familieleden waren dan ook verrast toen Choti Amma een huwelijk met haar zoon Irfan voor haar regelde. Hij stierf jong en liet haar een aanzienlijke erfenis na. Zaitoon kreeg vervolgens de leiding over Siddiqi House en de laatste jaren leek ze vastbesloten om het grootste deel van haar eigen naaste familie in huis te halen. Toen mijn moeders halfzus Farida stierf zonder testament, was Zaitoon de naaste bloedverwant, waarna ze twee van de zes appartementen in Siddiqi House op haar naam kreeg. Ze begon discreet navraag te doen of het mogelijk was de andere familieleden uit te kopen. Als het pand ooit verkocht zou worden, zou zij er het meeste aan overhouden.

'Ik had je niet herkend,' zegt ze, en ik glimlach in de verwachting dat ik binnen zal worden gevraagd. 'Ik heb gehoord dat je in Karachi was.' Ze stelt niet de gebruikelijke vragen over de gezondheid van mijn ouders.

'Hoe gaat het met uw zonen, tante?' vraag ik.

Er is een tijd geweest dat haar zonen en Cassim en ik urenlang met elkaar in de tuin speelden, toen we allemaal nog vrienden waren. Ik heb ze in jaren niet gezien en ik weet alleen maar via geruchten waar ze nu zijn.

'Het gaat hen prima,' zegt ze.

Het lijkt erop dat ik geen thee aangeboden krijg en dus verleg ik mijn aandacht maar naar het doel van mijn bezoek.

'Hebt u een sleutel van het appartement van mijn grootmoeder?' vraag ik. 'Mijn moeder wil dat ik er een kijkje neem.'

'Daar is niets te zien.'

'Dat weet ik, maar ik wil toch graag even naar binnen...'

'Doe geen moeite.'

'Ik zou toch heel graag even een kijkje willen nemen. Hebt u de sleutel?'

Zaitoon doet de deur dicht en gaat weer naar binnen. Een paar minuten later keert ze terug met een ouderwetse, lange metalen sleutel, die ze me met tegenzin geeft.

'Ik weet er helemaal niets van,' zegt ze, als ik de trap op loop. 'Ik was er niet verantwoordelijk voor.'

Als ik bij de deur van het appartement kom, steek ik mijn handen uit om de gegraveerde letters van de naam van mijn grootmoeder te voelen. Ik draai de sleutel om, probeer beweging te krijgen in het starre slot. Na verschillende pogingen springt hij met een zachte klik open.

Later zal ik mezelf afvragen wat ik verwacht had aan te treffen en dan zal ik toegeven dat ik, heel irrationeel, had gehoopt op een gelijkenis met thuis, een zweem van Nana's aanwezigheid, alsof de dozen met roze theedoeken en afgeprijsde zeep die ik na haar dood in haar slaapkamer in Miami had zien staan, op de een of andere manier hun weg hiernaartoe hadden gevonden. Ik ben niet voorbereid op wat ik aantref als ik binnenkom: een lege, verwaarloosde ruimte die bedekt is met een dikke laag duivenpoep. De airconditioningapparaten die ze heeft laten plaatsen zijn verdwenen. Op de plaatsen waar ze ooit hingen, zitten nu gapende gaten en de nieuwe bedrading waarover ze me per telefoon zo trots vertelde is uit de muur gerukt. Het lijkt erop dat iemand met een hamer gaten in de muur heeft geslagen en er de draden daarna met zijn blote handen heeft uitgetrokken. Verspreid op de vloer liggen een paar gordijnringen en ik vraag me af in wiens huis de gordijnen nu hangen.

Nana's appartement heeft dezelfde afmetingen als de andere appartementen in Siddiqi House – het is een indrukwekkend en helder appartement, met hoge plafonds, open haarden met marmeren mantels en openslaande deuren aan beide kanten van de centrale woonkamer, die uitkomen op een lange, koele veranda. Ik weet nog hoe Nana de binnentuinen beschreef die ze wilde gaan aanleggen.

Ik loop ongelovig door de grote open ruimte. Geen wonder dat Zaitoon geen zin had om me het appartement te laten zien. Nana's flat is ontdaan van alle meubilair, met uitzondering van twee donkere stukken in art-decostijl die te zwaar waren om weg te halen – een grote kast en een lage tafel met lades. Ik voel een steek van herkenning, het is hetzelfde gevoel dat ik in de oorspronkelijke Rahat Villa in Bombay had. Dit is de andere helft van haar meubilair – de stukken die na de scheiding van de landen per schip naar Karachi werden vervoerd. Ik voel dezelfde aandrang om mijn handen erop te leggen. Na al die jaren zijn die blokken hout op beide plaatsen als ankers.

Wie heeft dit gedaan? vraag ik me af en voel een felle woede in me opkomen. Waarom zou iemand gordijnen en airconditioningapparaten stelen? Waarom zou iemand de bedrading uit de muur trekken?

Als ik mijn moeder die avond aan de telefoon heb, klinkt ze berustend.

'Dat is een oud verhaal,' zegt ze. 'Waarschijnlijk was het niet één persoon maar een heleboel mensen, en mensen die voor deze mensen werken. Iedereen weet dat Nana's kinderen niet terug zullen komen om hier te gaan wonen, dus denken ze: waarom zullen we het zelf dan niet pakken?'

'Bent u niet boos?' vraag ik haar en probeer mijn verontwaardiging in bedwang te houden.

'Ik ben verdrietig. Ik ben blij dat mijn vader en moeder dit niet hoeven mee te maken.'

De volgende dag ga ik terug naar Siddiqi House om bij Bibi, mijn oudtante die nu midden zeventig is, op bezoek te gaan. Als Bibi de deur opendoet, glimlach ik, zeg wie ik ben, omhels haar en kus haar op beide wangen. Zelfs nu is duidelijk dat Bibi ooit een prachtige vrouw is geweest. Ze draagt haar bruine haar nog steeds lang, en als ze net uit bad komt, zoals nu, hangt er een vlecht op haar rug als bij een jong meisje.

'Beti, beti,' zegt ze met een brede glimlach en ze klemt me aan haar borst. Ik ben ruim dertig centimeter langer dan zij en daarom duik ik in elkaar en geef me over aan haar hartelijke omhelzing.

Ze neemt me mee naar binnen en staat erop dat ik blijf lunchen. Voor zover ik het kan begrijpen zegt ze dat ze graag van mijn komst had willen weten, want dan had ze iets speciaals voor mij kunnen klaarmaken. Wat is mijn lievelingseten?

Ik maak haar moeizaam duidelijk dat ik alles lekker vind, *sab kuchh*, maar ze staat erop dat ik een speciaal gerecht noem.

'*Murghi*,' zeg ik ten slotte, met het idee dat kip een veilige keuze is.

Ze zegt dat ik in dat geval een keer terug moet komen om haar kip-curry te proeven. Ik zeg tegen haar dat ze niet te veel moeite moet doen, maar diep vanbinnen vind ik het heerlijk dat ik zo overdreven veel aandacht krijg, alsof ik een geliefd kleinkind ben. Het doet me heel sterk aan Nana denken, aan wat zij zou doen.

Bibi woont hier nu als een soort huisbewaarster voor de flat van oom Salik en tante Sheynaz, die vanuit hun vaste verblijf in Londen een of twee keer per jaar op bezoek komen. Bibi heeft op enig moment in vrijwel alle appartementen van Siddiqi House gewoond. Ze is de verpersoonlijking van 'de dankbare begunstigde' in onze uitgebreide familie, en in de loop der jaren heeft ze geleerd hoe ze het systeem van gunsten en de complexe hiërarchie in haar voordeel kan laten werken.

Ik wil Bibi vragen stellen over Nana's flat, want zij heeft er gewoond nadat de herstelwerkzaamheden twee jaar geleden waren voltooid. Zij moet er meer van weten dan wie ook. Maar met mijn gebrekkige Urdu kom ik niet zover. Mijn taalvaardigheid is vrijwel nutteloos, behalve als het over eten en het weer gaat.

Als Bibi druk heen en weer loopt tussen de eetkamer en de keuken om borden te halen en kliekjes op te warmen, volg ik haar en probeer haar te helpen. Er is zo veel dat ik haar graag zou willen vragen.

Waarom voelde Nana zich bij Bibi zo slecht op haar gemak, vraag ik me af. 'Vertrouw nooit een dochter van de melkboer,' hoor ik Nana zeggen – de enige onvriendelijke woorden die ik ooit over haar lippen heb horen komen. Die avond bel ik mijn moeder en vraag haar ernaar.

'Dat is een lang verhaal,' zegt ze, en dan vertelt ze me een verhaal dat ik nooit eerder heb gehoord.

Mijn moeder zegt: 'Ik was zeven jaar en ik had een nachtmerrie.

Ik weet niet meer waar die over ging, maar ik weet nog wel hoe bang ik was. Ik rende mijn moeders slaapkamer in, op zoek naar haar – in die tijd sliepen mijn vader en moeder apart. Ze zat aan haar kaptafel; die had een hoge, smalle spiegel in het midden en twee lades aan beide kanten waarin ze haar medicijnen bewaarde. Ze huilde onbedaarlijk, en in haar hand hield ze een geopende fles. Ik weet nog dat die van donkerblauw glas was en een etiket had met daarop een doodskop met gekruiste beenderen. Later hoorde ik dat het jodiumtinctuur was, standaard bij eerste hulp, maar dodelijk bij inname. Ik rende zo snel ik kon naar de kamer waar mijn vader sliep, maakte hem wakker en zorgde ervoor dat hij met mij meeging naar mijn moeders kamer. Hij nam haar in zijn armen en zei keer op keer: "Wat heb je gedaan? Wat heb je gedaan?" Hij wist zeker dat ze de fles had leeggedronken. En toen keek ze hem aan en ze zei: "Ik heb niets gedaan. De fles was leeg."

'Waardoor was Nana zo ongelukkig?'

'Ik denk dat ik te jong was om het destijds te begrijpen, maar ik werd me er wel van bewust dat mijn vader mijn moeder op de een of andere manier heel verdrietig maakte, en dat ging verder dan het feit dat ze hem met andere vrouwen en kinderen moest delen. Later, toen ik een jaar of twaalf was, ging ik een keer Bibi's kamer binnen en daar was Bibi druk bezig mijn vaders onderkleding te strijken. Hij droeg altijd witte onderkleding, gemaakt van zuiver witte katoen, en hij was de enige in het huis die dat droeg. Ik werd heel erg boos. Ik greep een onderbroek van hem en stormde de kamer van mijn moeder binnen, waar ze alleen was. "Dat is úw taak!" zei ik, en gooide het kledingstuk naar haar toe. "Waarom laat u Bibi dit doen?"'

'En wat zei Nana toen?' vraag ik.

'Ze keek me aan en zei: "Denk je dat ik dat niet wíl doen?" en toen begreep ik voor het eerst dat mijn vader mijn moeder niet trouw was, hoewel ik wist dat hij van haar hield. Ik weet nog dat ik haar vroeg: "Hoe houdt u dat vol?" Ze vertelde me dat ze zich vaak terugtrok in zichzelf en zich voorstelde dat ze op het balkon van Rahat Villa stond en over de oceaan uitkeek. Ik geloof dat ik mijn moeder ook beter begreep toen ik dat eenmaal van haar wist. Om in dat huis te kunnen leven, moest ze doen alsof ze ergens anders was.'

Mijn moeder zucht een keer diep, alsof er lucht uit een ballon ontsnapt en alsof ze er heel lang niet meer aan heeft gedacht. 'Als je kans ziet, wil je dan morgen voor mij naar de bank gaan?' zegt ze. 'Vraag naar Tariq Ali, zeg dat je mijn dochter bent en dat je bent gekomen om de rekening van je grootmoeder op te heffen. Bel me dan morgenavond om me te vertellen hoe het is gegaan.'

Achteraf lijkt het logisch dat Nana's bankrekening meer dan een jaar voor mijn bezoek al was opgeheven en leeggehaald. Tariq Ali, haar accountmanager, kijkt me verontschuldigend aan, maar hij lijkt er niet echt door geraakt. Ik sta met mijn grootmoeders ouderwetse langwerpige kasboek in mijn hand waarin ze elke maand de ver- wachte huurinkomsten van haar appartement berekende. In India heb ik er heel goed op gepast en eraan gedacht het altijd in mijn handtas mee te nemen en niet in de rest van mijn bagage. Het is nu een betekenisloos document. Ik sta in het bankgebouw en kijk naar de snor van Tariq Ali die op en neer beweegt terwijl hij praat. Ik heb het absurde gevoel dat ik me in een tunnel bevind: ik zie hem praten maar ik begrijp niet wat hij zegt. Ik probeer me te concentreren. De melkachtige, bijna oranjekleurige thee die voor me staat krijgt een dik vel door de krachtige ventilator die boven me ronddraait. Ik hoor Tariq Ali beweren dat mijn grootmoeder die actie zelf heeft goedgekeurd.

'Kijk maar, haar handtekening.' Hij wijst naar een onbekende krabbel op papieren die ik niet kan lezen. 'Ik ken uw familie al vele jaren,' zegt hij rustig. Ik zie de stugge schoudervullingen van zijn jas kromtrekken en dubbelvouwen als hij zijn schouders ophaalt. 'Het was een rekening die al heel lang bestond,' zegt hij, 'en toen werd die opgeheven. Daar is eigenlijk niet veel meer aan te doen.'

Ik loop naar buiten, de hete felle zon van de vroege middag in en ik voel dat ik vol schiet. Het geld lijkt onbelangrijk. Maar ik raak heel erg van streek door de wetenschap dat Nana keer op keer is bestolen. Ik voel me onnozel als ik eraan denk dat ik naar de bank ben gegaan met de intentie om mijn erfenis te redden, Nana's geld op te nemen en dat trots aan mijn moeder terug te geven. Wat stom van me dat ik er niet aan heb gedacht dat iemand anders me voor kon zijn geweest.

Ik bel mijn moeder wakker. 'Mama, Nana's geld is weg.'

'Weg?' zegt ze, slaperig. 'Hoe bedoel je, weg?'

'De bankier zei dat iemand, een familielid, de rekening meer dan een jaar geleden heeft opgeheven.'

'Aan de andere kant van de lijn is het stil.

'Meer dan een jáár geleden. Mama, bent u daar?'

'De rekening opgeheven...' herhaalt ze, en probeert de betekenis van de woorden te doorgronden.

'Geplunderd. Ze hebben de rekening geplunderd.'

'Weet je waar dat geld voor bedoeld was? Ze had me gevraagd een sieraad voor elk van haar kleinkinderen te laten maken, voor hun huwelijk. Het was de bedoeling dat ik ze zou ontwerpen en dat ze in Karachi gemaakt zouden worden. Daar was het geld voor bedoeld.'

'Wie heeft het gestolen, mama?'

'Daar komen verschillende mensen voor in aanmerking. Ik geloof niet dat ik dat wil uitzoeken.'

'Maar wil je dat dan niet weten?'

'Ik moet dit achter me laten,' zegt ze. 'Ik heb er niets aan. Ik moet alleen telkens aan mijn vader denken, hoe verdrietig hij zou zijn geweest als hij zijn kinderen elkaar zou zien bestelen. Ik word er echt heel erg verdrietig van.'

Oom Waris geeft me een lesje geschiedenis.

'Het probleem tussen joden en moslims heeft niets te maken met de joden of de moslims, liefje,' begint hij. 'Het is allemaal de schuld van de christenen...'

Ik weet niet hoe ik de feiten in al die verhalen op een rijtje moet houden. Ik schrijf 'christenen?' in mijn schrift.

'Sadia Apa, heb je werkelijk nóg meer vragen voor mijn grootvader?' vraagt Aliyah als ze de kamer binnen komt stormen en mij met mijn hoofd in beide handen aantreft. 'Want we gaan naar Paradise Stores, en mijn moeder zei dat je elke snack mag eten die je maar wilt, als je meegaat.'

'Nee, dank je, Aliyah. Ik blijf hier,' zeg ik. 'Ik wil er zeker van zijn dat ik voor mijn vertrek persoonlijk afscheid kan nemen van Sartaj en Fatima.'

'Maar het is je laatste dag!' zegt Aliyah met een frons. 'Ik kan werkelijk niet geloven dat je nu al weer weggaat.'

'Ik weet het, maar ik kom straks naar jouw huis. Ik kom er zo aan.'

'Je moet de bewaker wel met je mee laten lopen,' zegt ze streng.

Haar huis staat hiernaast, gescheiden door een muur en een korte oprit, en ik kan echt niet bevatten dat ik voor die paar meter een escorte nodig heb. Maar ik hou mezelf voor dat ik de regels hier nog steeds niet goed ken. Dit is Bombay niet.

Fatima komt de woonkamer in, gekleed in een gestreken zwarte salwar kameez en een bijpassende zwarte hoofddoek.

'Ga je ergens naartoe?' vraag ik.

'We gaan bij de imam op bezoek,' zegt Fatima. 'We hebben hem in de vs leren kennen. Hij is hier op bezoek.'

'Hij is een heel belangrijk man,' zegt oom Waris, op weg naar zijn slaapkamer om even te gaan liggen. 'Ze gaan hem een formeel bezoek brengen.'

'O, ik begrijp het,' zeg ik.

'Ik vind het jammer dat ik niet meer tijd met je heb kunnen doorbrengen tijdens dit bezoek,' zegt Fatima, en legt haar hand op de mijne.

'Ik ook,' zeg ik, en plotseling overvalt me een nostalgisch gevoel, wat me vaak overkomt aan het eind van een reis. 'Ik had graag wat meer met jullie beiden gepraat.'

'Waarover?' vraagt Sartaj, die de kamer in komt lopen.

'Eigenlijk over Nana. Mijn moeder heeft me verteld...' begin ik. Ik weet niet goed hoe ik hetgeen ik wil vragen moet verwoorden. In deze kant van de familie wordt over zo veel dingen níet gepraat, maar ik ben niet gewend om in raadselen te spreken.

'Mijn moeder heeft verteld dat Nana jou apart wilde spreken op de dag dat ze stierf.'

'Dat klopt,' zegt Sartaj.

'Ik wil graag weten of ze zich heeft bekeerd, of ze met jouw hulp op die dag voordat ze stierf de islam heeft aanvaard.'

'Ah,' zegt hij, 'gaat het daar over.' Hij knikt naar Fatima om duidelijk te maken dat ze over een paar minuten vertrekken, en gaat zitten. 'De familie was bijeen in haar ziekenhuiskamer, en toen zei je grootmoeder dat ze wilde rusten, en dus zeiden we haar allemaal gedag. Fatima en ik waren er niet zeker van dat we haar ooit weer zouden zien – het is een heel eind rijden van Atlanta naar Miami –, we wisten niet zeker hoe lang ze nog bij ons zou blijven. Maar juist toen we de parkeerplaats hadden bereikt, riep je moeder ons en zei: "Sartaj, ze wil je nog een keer zien. Alleen." Dus ging ik weer de trap op, haar kamer binnen en zei: "Wat kan ik voor u doen?"'

'Had ze je nog wat te vragen?'

'Ze had... ze maakte zich zorgen, zoals je weet. Ze was voornamelijk bezorgd om haar ouders – hoe ze hen onder ogen moest komen als zij hun geloof niet meer deelde. Maar ze maakte zich ook heel veel zorgen om God, of God haar wel zou accepteren. "Sartaj," zei ze, "ik ben als joodse geboren, maar ik ken geen joodse gebeden. Ik ken alleen islamitische gebeden. Ik kan alleen in het Arabisch bidden."'

'Wat heb je tegen haar gezegd?'

'Sommige dingen die we die dag hebben besproken zijn in vertrouwen gezegd en die kan ik je niet vertellen.'

'Dat begrijp ik.'

'En een gedeelte ervan speelt zich af tussen je grootmoeder en God alleen.'

'Dat begrijp ik.'

'Er zijn dingen die jij en ik nooit zullen weten.'

Ik knik en hoop dat hij doorgaat.

'Maar je grootmoeder heeft inderdaad haar *kalimah* gezegd, het moslimgebed.'

Sartaj staat op en strijkt zijn kurta met zijn handen glad. 'Ik geloof dat ze als moslima is gestorven.'

Ik sta op, leg mijn handen op tafel, onzeker over wat ik moet zeggen en me ervan bewust dat ik met vaste stem wil proberen te praten.

'Bedankt,' zeg ik, 'dat je me dit hebt verteld.'

Sartaj steekt een hand op ten afscheid en loopt de deur uit naar de auto. Fatima treuzelt nog wat, merkt dat ik op het punt sta om te gaan huilen en slaat haar arm om me heen.

'Sadia, ik moet je iets vertellen,' zegt ze. Ze glimlacht aarzelend. 'Ik heb van jouw Nana gedroomd nadat ze was overleden.'

'Heb je een droom over haar gehad?'

'Het is heel vreemd. Ik heb nooit dergelijke dromen, maar in mijn droom droeg je grootmoeder een witte sari en stond op een gewelfd balkon dat uitkeek over de oceaan. Ze stond daar met haar handen op de reling tegen me te praten. Ze zei: "Ik ben zo gelukkig, Fatima. Ik ben hier zo gelukkig. Ik ben thuis. Ik ben in mijn eigen huis." En op de een of andere manier wist ik dat ze in haar oude huis was, haar oorspronkelijke thuis.'

'Bedoel je in India?'

'In India. De oceaan lag vóór haar en er waren andere mensen bij haar in huis... Die kende ik niet...'

'Haar familie...'

'Ik weet niet wie ze waren, maar ze vertelden me dat ze heel gelukkig was, en dat kon ik ook zien.'

'Fatima, dat is haar huis in Bombay, dat is Rahat Villa.'

'Ik weet helemaal niets van dat huis – we hebben het er nooit over gehad – het is zo vreemd dat ik daarover heb gedroomd. Maar weet je wat ze zeggen? Dat het feit dat je over mensen droomt nadat ze zijn gestorven, en als diegenen er goed uitzien, dat wil zeggen dat hun geesten op een goede plaats zijn, dat ze rust hebben gevonden. Ik denk dat jouw Nana rust heeft gevonden.'

'Ze is in Bombay,' zeg ik. 'Nana is in Bombay.'

Voordat ik naar het vliegveld moet vertrekken, breng ik nog een laatste bezoek aan Nana's appartement. Dat bezoek geeft me een gevoel van onvermijdelijkheid, van nooit vergeten – het is net als toen ik het huis uit mijn jeugd in Massachusetts voor het laatst zag voordat mijn ouders naar Miami verhuisden. Ik loop door de poort. Het lijkt waarschijnlijk dat dit de laatste keer is dat ik dat doe. Ik weet niet wanneer ik weer naar Karachi kan terugkeren, hoe ik dan veranderd zal zijn, hoe dit huis en zijn bewoners veranderd zullen zijn. Ik wil me geen voorstelling maken van hoogbouw die hier komt te staan in plaats van dit huis – het laatste restje van mijn grootvaders droom van een verenigde familie aan gruzelementen. Maar dat vooruitzicht lijkt heel waarschijnlijk, zodat ik die scherpomlijnde en uitgekristalliseerde gedachte met moeite uit mijn hoofd zet.

Ik draai de sleutel om van Nana's flat en ga naar binnen, nu voorbereid op de aanblik van nestelende duiven. Ik leg mijn handen weer op de kast en herken het gevoel van mijn handen op dit hout alsof ik hier al duizenden keren heb gestaan. Ik heb het gevoel dat ik door iemands herinneringen wandel, Nana's herinneringen. En alsof ik dit ook al duizenden keren heb gedaan, haal ik de ketting van mijn nek en maak de sleutel los. Ik begrijp niet dat ik het niet eerder heb begrepen. Plotseling weet ik zeker dat ik met deze sleutel de kast open kan maken en dat alles waarnaar ik op zoek ben daar verborgen ligt.

Het verbaast me niet dat de sleutel precies past. Ik heb het gevoel dat Nana me begeleidt, dat ze op de een of andere manier altijd heeft geweten dat ik zou komen. De deur klemt en ik voel een lichte paniek opkomen. Stel dat ik hem niet open krijg? Ik sla een arm om de kast en trek, met een plof gaat de deur open en springt het veerslot los. Binnenin zitten drie planken. Op de bovenste plank liggen tafellakens. Ik vouw ze enthousiast open, en er komen wolken stof vrij waardoor ik ga niezen. De middelste plank is leeg. De onderste plank is leeg. Ik krijg een wee gevoel van teleurstelling.

Dan zie ik een klein laatje, net onder de middelste plank, en aan het kleine koperen handvat trek ik het open. Er liggen stapels papier en twee halfvergane boeken in. Mijn hart slaat een slag over, struikelt over zichzelf. Al die tijd, denk ik. Het lag gewoon hier.

Ik ga aan een kant van de kast zitten en spreid de inhoud van het laatje voor me uit. Een eigendomsakte voor Rahat Villa op haar oorspronkelijke naam, Rachel Jacobs. Er liggen drie schuldbekentenissen van Choti Amma aan Nana, gestempeld en gedateerd, allemaal uit de jaren vijftig. Een Engelse vertaling van de Talmoed. Een stapel brieven, zowel in het Engels als in het Devanagari. Het voelt vreemd om de overblijfselen van mijn grootmoeders leven vast te houden. Het is net alsof ze tekens voor me heeft achtergelaten, een spoor dat ik moet volgen.

Ik vouw deze kostbare voorwerpen voorzichtig in mijn dupatta, pak ze goed in om ze tegen vragen te beschermen. Ik leg de sleutel in de kast en doe de deur dicht.

Deze keer duurt de reis naar Bombay ergerlijk lang.

Matar.
Dist.Kaira.
13.mei 33.

Mijn waarde Rachel,

Het is vreemd dat je me in
al die dagen niet hebt geschreven. Ik kijk met
spanning uit naar je brief. Ik vertrouw erop
dat alles naar wens is. Laat het me alsjeblieft
weten als je iets nodig hebt. Ik ben nogal
druk dezer dagen. Als ik bericht van je heb
ontvangen, zal ik je in elk geval een kort
bezoek brengen.

Geef me alle bijzonderheden van je werk en de
tijd dat het jou uitkomt om mij te ontvangen.

Met de beste wensen,

met de allerhartelijkste groeten,

ali

P.S.

Ik kreeg een brief van Papa. Hij klaagde ook dat hij
geen brief van je had gehad. Ik heb hem je nieuws
gegeven. Schrijf snel.

Adres.   Inspecteur van Douane.
Matar. Dist.Kaira.

20

Nana's papieren

Bombay, juni 2002

Op mijn eerste avond thuis in Bombay begin ik met de Talmoed. Het is een teer, in leer gebonden exemplaar met een versierde omslag en reliëfletters, en ik sla het behoedzaam open. Het schutblad ligt los en valt bijna in mijn schoot. Ik hou het voorzichtig vast tussen duim en wijsvinger en zie dat er een stempel op staat met in verbleekte paarse letters: 'Eigendom van Ralph Jacobs'. Dit was dus het boek van Nana's vader. Ik heb nog nooit eerder iets in handen gehad dat van hem is geweest. Onder zijn naam staat: 'Voor mijn kinderen en hun kinderen na hen.'

Het boek is een Engelse vertaling van gedeelten van de Talmoed en de meeste zijn gerangschikt op basis van thema's – liefde, gezin, geloof. Ik kan me voorstellen dat Ralph dit boek hardop aan zijn kinderen heeft voorgelezen. Dit voorwerp heeft, net als haar vijzel en stamper, met Nana de reis van India naar Pakistan gemaakt, van jeugd naar volwassenheid. Nu reizen deze papieren met mij terug naar Bombay.

Ik open het bundeltje met brieven, die met een half vergaan touwtje aan elkaar zijn gebonden. Ze verschillen nogal in afmeting en gewicht, van een krabbel in sepia op perkament tot aan lompenpapier dat bijna geperforeerd wordt door drukletters. Stukjes broos papier, die misschien wel decennialang onaangeroerd zijn gebleven, breken onder mijn handen af. Voorzichtig rangschik ik ze in de juiste volgorde en leg ze voorzichtig op de ronde glazen tafel. Ik zie een tijdsperiode van 1933 tot 1940 en maak ruwe aantekeningen en berekeningen in mijn schrift, terwijl ik moeizaam mijn weg zoek door het onbekende handschrift. De brieven in de eerste map zijn afkomstig van Nana's vader, Ralph, en zijn gericht aan zijn vijfentwintigjarige vriend Ali, de man die Nana's echtgenoot zou worden. De tweede map bevat een serie brieven van Ali aan Nana. Er zijn geen brieven van Nana aan haar vader of haar man, dus probeer ik me voor te stellen wat haar reactie kan zijn geweest.

Ik herinner me dat Nana's vader en haar echtgenoot zakenpartners waren in een mijnonderneming in het afgelegen Castle Rock, het stadje waar Nana en haar broertjes en zusjes zo'n groot deel van hun jeugd doorbrachten. Oom Waris vertelde me al dat de voorgaande generatie van de twee families elkaar hadden gekend, maar de correspondentie verrast me toch. Ali schrijft hoezeer hij de tijd mist die hij bij de familie Jacobs in Castle Rock heeft doorgebracht, waar 'onze twee gezinnen als één leefden', en wijdt uit over de verschillende afgelegen posten die hij als Inspecteur van Zout en Douane in Gujarat kreeg toegewezen. Ralph informeert naar Ali's twee vrouwen die in verschillende delen van de staat een afzonderlijk huishouden draaiende houden. Ali vraagt Ralph zijn 'salaams aan iedereen thuis' over te brengen. Het belangrijkste deel van de briefwisseling gaat over Ali's hulp om Nana ingeschreven te krijgen op de verpleegstersopleiding op een paar uur afstand van zijn overheidsposten in Gujarat. Ali vertelt Ralph welke brieven en certificaten Nana nodig heeft, en in een van de brieven stelt hij voor dat ze een brief moet zien te bemachtigen waarin haar leeftijd als 'ongeveer achttien jaar oud' wordt omschreven. Maar aan het poststempel kan ik zien dat ze rond die tijd nog maar vijftien was.

De brieven van Ali aan Nana zitten in een tweede map. De eerste brieven zijn getypt, terughoudend. Ze zijn gericht aan 'Mijn waarde Rachel'. Hij informeert naar haar familie en verzekert haar dat ze gelukkig zal worden in het vrouwenziekenhuis in Ahmedabad, waar 'je heel dicht bij ons zult zijn. [...] Ik zal je er in mijn brieven alles over vertellen. Blijf ondertussen hard studeren. [...]' Hij sluit zijn brieven af met: 'Antwoord snel, wil je? Met de allerhartelijkste groeten, A. Siddiqi.'

Als Nana eenmaal in Ahmedabad is aangekomen en zich bij de verpleegstersopleiding van het ziekenhuis heeft gevestigd, lijkt Ali steeds bezorgder te worden dat zij zijn brieven niet zal beantwoorden.

Mijn waarde Rachel,

Het is vreemd dat je me in al die dagen niet hebt geschreven. Ik kijk met spanning uit naar je brief. Ik vertrouw erop dat alles naar wens is. Laat het me alsjeblieft weten als je iets nodig hebt. Ik ben nogal druk dezer dagen. Als ik bericht van je heb ontvangen, zal ik je in elk geval een kort bezoek brengen.

Geef me alle bijzonderheden van je werk en de tijd dat het jou uitkomt om mij te ontvangen.

Met de beste wensen,

met de allerhartelijkste groeten,
Ali

In zijn brieven verwijst Ali soms naar dingen die hij voor Nana heeft meegenomen omdat zij die mist van thuis – geconserveerde mango's, een vulpen, een doosje zoete limoenen. Hij geeft haar advies over de manier waarop ze haar verblijf tijdens de opleiding in het ziekenhuis het beste kan regelen, en maakt zich er zorgen om of haar deken in het koele weer wel warm genoeg is. Dan, drie maanden nadat Nana in Ahmedabad is aangekomen, verandert de toon van de brieven.

Mijn waarde Rachel,

Schat, je was een dag te laat met je brief. Ik had gedacht dat je op de 12ᵉ zou schrijven. Hoe komt dat? Deze brief moet je op de 16ᵉ bereiken, en als jij dan dezelfde dag terugschrijft, krijg ik je antwoord op de 17ᵉ. Ik hoop dat je dat ook werkelijk doet.

Ik begin de dagen te tellen. Binnen acht dagen ben ik bij je.

Mijn schat, ik eindig met een X.

De jouwe als altijd
Ali

Ali lijkt met elke brief vasthoudender te worden. De aanhef is nu 'lieveling' of 'allerliefste' en in de brieven maakt Ali zich zorgen over Rachels gevoelens voor hem.

Ik vind je tegenwoordig nogal onverschillig tegenover mij. Hoe komt dat, mijn liefste? Moet ik daaruit opmaken dat jij niet meer om mij geeft of ben je zo druk dat je geen tijd hebt om aan iets anders te denken? Niettemin hoop ik dat alles naar wens is en dat je gelukkig bent. Heb je al de hand kunnen leggen op een bed met een klamboe? Je moet onder een klamboe slapen. [...]
Ik voel me heel erg alleen. Ik weet niet wat ik moet doen.

Omdat ik Nana's inbreng van de correspondentie mis, heb ik er geen flauw idee van wat haar gevoelens voor deze man waren – haar beschermer, haar hoeder, misschien haar geliefde en binnen afzienbare tijd haar echtgenoot. Op basis van zijn reacties op haar antwoorden lijkt Nana dan weer onwillig, dan weer welwillend te zijn geweest. Maar afgaand op de toon van de brieven nadat Nana zestien was geworden, ben ik ervan overtuigd dat Ali haar heeft verleid.

Mijn liefste Rachel,

Wanneer denk je dat je verlof kunt opnemen en hier kunt komen? Informeer daarnaar en laat het me weten. Je moet een verlof van ten minste zeven dagen opnemen. [...] Ik kan er niets aan doen, maar ik denk de hele tijd aan jou. Zozeer dat ik 's nachts altijd van je droom, mijn jonge lieveling. [...]

In de daaropvolgende vijf jaar blijft Ali brieven schrijven die almaar gepassioneerder worden, terwijl hij ook geld en cadeautjes blijft sturen en blijft klagen dat ze hem niet vaak genoeg schrijft. Als Nana eenmaal is teruggekeerd naar Bombay om daar de verpleegstersopleiding te volgen, smeekt hij haar om niet zonder begeleiding de trein te nemen, of 's avonds naar de film te gaan, waar ze 'misschien wel gevolgd wordt, of nog erger'. Ik herinner me Nana's verhaal over haar vriendschap met de Sikh-dokter, meneer Singh, die zich in die tijd moet hebben afgespeeld. Maar in 1938, als Nana ongeveer eenentwintig is, nemen de brieven abrupt een andere wending.

Mijn schat, mijn liefste,

Ik weet dat mijn familie veel te vertellen heeft. Datzelfde zal gelden voor jouw familie. Maar tot op heden is je moeder de vriendelijkheid zelve geweest. Ze heeft je als het ware aan mij gegeven. En ik mag mezelf gelukkig prijzen. Lieveling, wil je zeggen dat je ons beiden van verlangen zult laten wegkwijnen om anderen ter wille te zijn? Als je echt van me houdt zul je dat alles opgewekt moeten dragen. [...] Als ik niet glimlachend naar je mooie ogen kan kijken, is niets meer de moeite waard. Ik wil jou. Aan jou de keus.

Ik wil niet dat je me liefhebt omdat je me één keer hebt liefgehad en je het gevoel hebt dat je dat nu verplicht bent. Wat je ook beslist, mijn liefste, doe het uit eigen vrije wil. Geen van ons tweeën heeft onze familie in zijn macht, dus wat men niet kan verhelpen moet men verdragen. Ben je dat met me eens? Schatje?

Wees lief en schrijf me snel terug.

Xxx
Hubby

Deze brief schokt me het meest. Het lijkt erop dat Nana heeft overwogen om haar man te verlaten uit angst voor de mening van hun
familie en gemeenschap. Op dat moment hadden Rachel en Ali nog
geen kinderen. Als ze hem in 1938 had verlaten, had de rest van haar
leven er waarschijnlijk heel anders uitgezien. Maar hij moet haar
hebben overgehaald om toch te blijven.

Als ik klaar ben met de map ben ik doodmoe. Ik kijk naar buiten
en zie dat ik me het grootste deel van de dag in Ali's petieterige
handschrift heb verdiept. Julie komt binnen en is bezorgd om me in
het donker te zien zitten.

'Je verpest je ogen, dat denk ik,' zegt ze. Ze doet de ramen met
de gesloten luiken open, waardoor het middaglicht naar binnen
stroomt.

Er ligt nog één brief met als datum 11 januari 1940. Ik maak een
ruwe berekening. In 1940 woonde Nana in Bombay en moet ze ongeveer drieëntwintig zijn geweest. Ali woonde toen telkens ergens anders in Gujarat en bezocht haar elke paar maanden. Van wat ik uit de
brief kan opmaken, hebben ze tijdens zijn laatste bezoek ruzie gehad.

Mijn allerliefste vrouw,

Het spijt me oprecht wat er aan de vooravond van mijn vertrek is gebeurd. Je bent een wijze jonge vrouw, je beseft goed hoe diep mijn gevoelens voor jou zijn. Toen de wolkenlucht was opgeklaard zag ik de maan schijnen en, grote goden, wat zag de wereld er toen weer mooi uit. Totdat wij elkaar weer zien zal ik je lieve kussen onafgebroken missen. Ik heb iets ontdekt. Mijn liefste, waarom heb je me in al die jaren niet op deze manier gekust? Heb jij ook, net als ik, de zwakte dat je graag gekust wilt worden? X. Hier, een kus van mij.

Mijn innige liefde en vele oprechte kussen op je zoete lippen
Je Hubby

Ik sla de map dicht en alle indrukken die ik al sinds ik kind was van hem heb – de grote, onbaatzuchtige voorziener, de excentriekeling, de hartenbreker –, raken overspoeld door zijn woorden. Ik ga op mijn smalle bed liggen, doe mijn ogen dicht en probeer me voor te stellen hoe het zou voelen om brieven als deze van een man te ontvangen. Ik denk erover na hoe Nana zich misschien gevoeld moet hebben toen ze deze brieven voor het eerst las. Dergelijke uitersten samengebald in één relatie. De hiaten en stiltes waar hij over klaagt doen me heel sterk aan haar denken – hoe stil ze kon zijn en hoe ze weigerde ook maar een woord te zeggen als we haar aanspoorden om te praten. Ik voel de bekende steek van gemis.

De volgende ochtend word ik vroeg wakker en lees de laatste brieven nog een keer. Als ik het pakketje brieven omkeer zie ik iets nieuws: een dun stapeltje papieren dat in een apart vakje van de map zit verstopt.
De bladzijden zijn in Nana's handschrift en lijken uit een dagboek te zijn gescheurd. Ik laat mijn vingertoppen lichtjes over de diepe afdrukken, bijna als braille, van mijn grootmoeders vulpen glijden, en vraag me af wat de onbekende karakters in Marathi betekenen. Talloze bladzijden vol tekst, geschreven in een afgedankte agenda. 'Vrijdag 28 januari 1949.' 'Zaterdag 29 januari 1949.' Ik moet iemand zien te vinden die dit voor me kan ontcijferen en ik denk meteen aan tante Shoshanna. Tante Shoshanna is de chef-kok van

ORT India en beheerster van het meisjespension. Ze heeft een zacht, rond uiterlijk en een zachtaardige manier van doen, en ik vind het fijn om thee met haar te drinken op de middagen dat ik wacht op een ontmoeting met mijn neef Benny Isaacs.

Die middag is Shoshanna bezig met de bereiding van de lunch voor het personeel van de school. Mijn vraag brengt haar in verwarring.

'Dus je wilt dat ik een stukje in het Marathi aan je voorlees?' vraagt ze. 'Maar dan weet je toch helemaal niet wat ik zeg!'

'Dat is waar,' zeg ik tegen haar, 'maar u kunt me dan vertellen wat het betekent, wat mijn grootmoeder in dat boek heeft geschreven.' Ik ben een beetje bang en tegelijkertijd hoop ik dat Nana haar geheimen in dit dagboek heeft prijsgegeven, en mijn gedachten maken een sprong naar de allervertrouwelijkste vragen die ik over haar leven heb: of ze ooit officieel met mijn grootvader getrouwd is geweest, of ze haar keuze om haar geloof vaarwel te zeggen heeft betreurd en hoe het was om als derde vrouw in een gezamenlijk huishouden in Pakistan te leven. Shoshanna haalt haar schouders op en zegt opgewekt: 'Zoals je wilt.' Ze wast haar handen, veegt ze af aan haar schort, gaat dan aan een van de eettafels zitten en zet haar leesbril op. Ze kijkt ettelijke minuten naar de vellen papier, keert ze om, bestudeert ze zorgvuldig. Ze lijkt moeite te hebben de letters te ontcijferen; sommige zijn in de loop der jaren overgevloeid in andere. Ik word steeds gespannener en zit boven op mijn handen, als een kind. Uiteindelijk kijkt ze op met een glimlach van herkenning.

'Dit zijn recepten,' zegt ze. 'Dit zijn heel erg oude recepten van *lady* van de Bene Israël. Zoete *ladhus* om de vrouwen na een geboorte te eten te geven en *halva* om het joodse Nieuwjaar mee te vieren. Ik heb dat soort eten al jarenlang niet meer gezien – mijn grootmoeder, nee, mijn grootmoeders grootmoeder bereidde deze zoetigheden altijd, maar niemand maakt die nog.'

Ik ben er kapot van dat de bladzijden geen aantekeningen uit een dagboek zijn. Ik had zo verschrikkelijk graag een paar woorden gewild die door Nana persoonlijk waren geschreven. Maar dan begint tante Shoshanna de recepten hardop voor te lezen en beginnen we met de vertaling.

Een traktatie voor een kokosdag

Kokos Halva
Neem 2 kokosnoten, 2 kopjes suiker, 1½ kopje mava*, 4 geblancheerde en fijngesneden amandelen.
½ theelepel geraspte nootmuskaat en kardemompoeder, ghee**.

Rasp de kokosnoten. Maak er samen met de suiker een dikke siroop van, voeg alle andere ingrediënten toe en meng goed. Haal van het vuur als de massa vrij dik is geworden en verspreid gelijkmatig in een diepe schaal die met ghee is ingesmeerd. Laat de massa koud worden en opstijven. Snijd in vierkantjes en serveer.

Kokos Blancmange
Neem 2 kokosnoten, 4 eetlepels maïsmeel, 4 eetlepels suiker, rozenessence.

Rasp de kokosnoten. Laat de helft in 1 liter kokend water weken en wring er na tien minuten de melk uit. Houd een half kopje van deze melk apart. Verwarm de rest totdat die kookt, los dan het maïsmeel op in de koude melk en voeg dat toe aan de kom met de suiker. Voeg onder voortdurend roeren de geraspte kokos toe totdat het mengsel dikker wordt. Voeg de essence toe, meng goed en giet in natte vormpjes als de massa iets is afgekoeld. Koel serveren.

* *mava – gedroogde melkkorrels*
** *ghee – vloeibare boter van buffelmelk*

In Shoshanna's manier van voordragen hoor ik iets van Nana's ritme. In die litanie aan ingrediënten hoor ik een lied van erfdelen, een lied dat met Nana, van haar moeder en haar moeder vóór haar, mij nu gevonden heeft. Ik herinner me iets dat Nana zo vaak heeft gezegd, dat recepten niet alleen voor eten zorgen, maar ook voor geduld en zorgvuldigheid. Er zitten recepten bij die ze heeft gemaakt toen ze gelukkig was, om iets te vieren – mijn lievelingsrecept is een dessert dat *sheer khurma* heet, en gemaakt is van vermicelli, kardemom en room. Er zijn ook recepten bij die ze heeft gemaakt toen ze verdrietig was. Ik weet nog dat ik naar haar heb staan kijken toen ze bij het fornuis in een pan stond te roeren met stukjes wortel, amandelen en suiker om wortel-halva te maken. Pas op, zei ze toen, dat je eten dat je maakt als je verdrietig bent niet aan anderen geeft.

Op mijn twee gasbrandertjes probeer ik tevergeefs kokos-halva te maken, en ik stel me voor hoe Nana me een standje zou geven omdat ik het kokosmengsel boven een veel te grote vlam probeer te bereiden. Ik moet lachen als ik haar met haar zachte stem in gedachten tekeer hoor gaan. Ik zeg een dankgebedje voor het luikje in mijn hoofd dat Nana's papieren op een kiertje hebben gezet.

Elke ochtend word ik als op commando om vier uur wakker, zwaar ademend en hoestend, alsof de uitputting van de dag ervoor in mijn longen gegrift staat. De laatste tijd voel ik in de stilte van dit vroege uur iets anders: mijn hart dat als een trommel in mijn keel klopt. Ik leg twee vingers onder mijn kaak en tel. *Een... twee... drie-vier... vijf... zes... zeven... acht-negen.* Soms lijkt het alsof mijn hart een slag overslaat. Ik ben nu bijna tien maanden in India en weet dat mijn jaar in het buitenland ten einde komt. Het is wel een ordelijke gedachte: een jaartje weg en dan terugkeren met levendige verhalen. Maar het is nog te vroeg om terug te gaan, dat weet ik inmiddels ook. Ik ben er nog niet klaar voor om naar huis te gaan. De waarheid is dat ik nog maar nauwelijks begonnen ben aan wat ik eigenlijk wilde doen. Ik heb bladzijden vol aantekeningen over ceremonies, rituelen en tradities, maar aan de documentatie ervan moet ik nog beginnen. Er zijn nog zo veel mensen die ik nog moet interviewen, zo veel plaatsen die ik nog moet bezoeken. Ik begrijp nu waarom sommige mensen hun hele leven aan één onderwerp wijden. Mijn faalangst begint zich te roeren en wil dolgraag een duit in het zakje doen.

'Wanneer denk je dat je misschien terugkomt?' vraagt mijn moeder aan de telefoon. Ze wil me graag steunen, maar ik hoor de bezorgdheid in haar stem. In de afgelopen maanden is de spanning tussen India en Pakistan toegenomen, en nu staat het internationale nieuws bol van de verhalen over oorlog. India heeft zijn hoge commissaris uit Islamabad teruggeroepen en de Pakistaanse hoge commissaris voorgesteld om New Delhi te verlaten.

'Ik kan niet teruggaan als ik het hier niet met succes heb afgerond.'

'En wat noem jij een succes?' vraagt ze vriendelijk.

De waarheid is dat ik, liever dan wat dan ook, geaccepteerd wil worden. Ik wil het verhaal van de Bene Israël begrijpen en een manier vinden om dat te vertellen. Ik wil de goedkeuring van Rekhev. Ik wil dat de kruidenier en de groenteman in Bhaji Gali me herkennen als ik eraan kom. Ik wil mezelf begrijpelijk maken in het Hindi. Ik wil er helemaal bij horen, hier wonen en me thuis voelen. Ik wil mezelf hier aardig gaan vinden. Op sommige dagen lijken die doelen binnen handbereik. Op andere dagen zijn ze ongrijpbaarder dan ooit.

Op een middag zit ik in een taxi op weg naar huis, die gestopt is op een kruising dicht bij de Haji Ali-moskee. Schriele jongetjes van een jaar of twaalf, dertien drukken tijdschriften en boeken tegen de ramen van de auto's – glanzende exemplaren van *Cosmopolitan*, *Time* en *Popular Mechanics* – illegale kopieën van boeken die in het Engels zijn geschreven en zich in India afspelen. Er komt een jongetje bij mijn open raam en ik schud mijn hoofd al bij voorbaat, als om te zeggen: nee dank je, ik heb geen interesse. Maar hij houdt vol, met zijn kin boven op de stapel boeken terwijl hij me de omslagen laat zien en in sneltreinvaart de titels opnoemt.

'*Interpreter of Maladies?*' zegt hij hoopvol. '*God of Small Things?*' Ik schud mijn hoofd. Nee, nee. Geen interesse. Maar hij ziet mijn ogen oplichten bij een exemplaar van *Midnight's Children*.

'Hebben, mevrouw?' zegt hij. Hij houdt het boek in mijn taxi voor mijn neus en trekt zijn wenkbrauwen op om zijn woorden kracht bij te zetten.

Nee, nee. Ik schud mijn hoofd. Nee.

Hij kijkt snel over zijn schouder om te zien of het verkeerslicht al van kleur verandert. Precies op dat moment laat hij het boek in mijn schoot vallen. De taxi rijdt met hoge snelheid weg.

'Wacht!' roep ik naar de jongen. 'Je boek!'

We raken verzeild in de chaos die wordt veroorzaakt doordat verschillende rijbanen vol verkeer zich tot één baan moeten voegen, en door de achterruit zie ik dat de jongen zijn stapel boeken aan een andere jongen geeft en met razende vaart begint te rennen om mijn taxi bij te houden. Ik vraag de chauffeur haastig of hij aan de kant van de weg wil stoppen, waar we de hijgende jongen aan de andere kant van de kruising treffen.

'Ik vind het onvoorstelbaar dat je zoiets doet,' zeg ik in het Engels, terwijl de jongen zijn voorhoofd afveegt. Hij hijgt nog steeds en lijkt heel trots op zichzelf te zijn.

Ik schud mijn hoofd uit ergernis over zijn stunt. Ik geef hem driehonderd roepies, twee keer zoveel als het illegale boek waard is. De jongen kijkt naar het geld en vraagt me of ik wisselgeld wil hebben. Ik zeg dat hij het mag houden. Mijn chauffeur maakt klakkende geluiden ter afkeuring.

'Wees voorzichtig!' roep ik hem na als we wegrijden. Als ik omkijk zie ik de jongen gelukzalig naar me zwaaien, vanaf zijn pols fladdert zijn rechterhand als een vogeltje.

'Dag mevrouw!' roept hij naar mij. 'Dááág mevrouw!'

Een paar dagen later zie ik dezelfde jongen aan de overkant van de straat waar ik woon. Deze keer verkoopt hij plastic horloges in neonkleuren, en zijn ogen lichten op als hij me ziet.

'Mevrouw,' zegt hij. 'Horloge hebben?'

Ik bedank hem en zeg dat ik geen interesse heb. Ik kom te weten dat zijn bijnaam Rintu is en dat hij samen met zijn moeder, die ziek is, in de buurt van het Grant Road Station woont.

'Wat voor soort ziek?' vraag ik, en breng het Hindi in praktijk dat ik bij meneer Shukla heb geleerd.

Hij haalt zijn schouders op, hij weet niet wat hij daarop moet antwoorden. Alle straatkinderen hebben een verhaal, maar het kan natuurlijk zijn dat zijn moeder werkelijk niet goed in orde is. We staan voor het busstation. Daar is een theehuis waar ze de hete, stomende drank uit een grote ketel in theeglazen verkopen, en waar ze eenvoudige sandwiches grillen op een grote, vlakke bakplaat. Ik ben al vaak door zowel de thee als de sandwiches in verleiding gebracht, maar de starende blikken van de zwijgende mannen die me vanaf de weg bekijken hebben me er altijd van weerhouden om naar binnen te gaan.

'Wil je een sandwich?' vraag ik aan Rintu, en wijs naar binnen.

Zijn ogen gaan wijd open, vol ongeloof. Hij kijkt tegelijk hoopvol en weifelend, en wil niet geloven dat mijn aanbod misschien welgemeend is.

'Kom,' zeg ik, en loop de trap op.

'Eén sandwich,' zeg ik tegen de man die bij de bakplaat staat te wachten.

De man kijkt naar mij en naar Rintu, taxeert de situatie en grijnst dan naar mij.

'Wat voor soort sandwich?' vraagt hij.

'Rintu? Zeg tegen de man wat je wilt hebben.' Rintu kijkt in opperste verbazing naar het menu. Dan bestelt hij een sandwich met alle mogelijke ingrediënten.

'*Cheej*?' vraagt de man aan mij, waarmee hij duidelijk maakt dat Amul-kaas, de ingeblikte delicatesse van India, extra geld kost.

'Rintu, wil je kaas op je sandwich?' Rintu kijkt beteuterd, vervolgens opgetogen.

'Ja, mevrouw,' zegt hij glimlachend.

De kok werpt me een afkeurende blik toe, strooit geraspte kaas op het brood en grilt dan alles waar Rintu om heeft gevraagd – plakjes komkommer, uien, tomaten, aardappel.

Rintu kijkt aandachtig toe hoe de sandwich wordt gemaakt en begint de kok aanwijzingen te geven over de manier waarop hij zijn eten graag bereid wil hebben. Rintu is plotseling een gourmand geworden.

Als de sandwich helemaal klaar is gaan we in de zaak zitten, en ik kijk toe hoe Rintu de sandwich opeet – zijn ogen worden groter als hij de groente naar binnen werkt die nauwelijks tussen de flinterdunne sneetjes brood in bedwang wordt gehouden. De andere klanten gaan erbij zitten en bekijken ons heimelijk. We verlaten de zaak en lopen naar het busstation. Rintu loopt achter me aan.

Rintu kijkt naar me op alsof hij nog een laatste opmerking van me verwacht.

'Wat zeg je dan?' vraag ik, en voel me net een schooljuffrouw.

'Dank u, mevrouw,' zegt hij verlegen.

De schelle ringtoon van mijn telefoon doorboort de ochtend. Het is de Bombayse coördinator van Fulbright. 'Heb je het nieuws gevolgd?' vraagt ze.

'Ja,' zeg ik, maar ik weet niet zeker wat ze bedoelt. Ik ben bang dat er weer een terroristische aanslag is geweest.

'Het Amerikaanse ministerie van Buitenlandse Zaken ziet het liefst dat Amerikaanse burgers weggaan uit India.'

'Is er iets gebeurd?'

'Vanwege de oorlogsdreiging,' zegt ze.

'Met Pakistan?'

Recentelijk zijn er over en weer mortier- en granaatbeschietingen geweest langs de *Line of Control* [de bestandslijn uit 1947 – vert.] in de omstreden regio Kasjmir, en op het nieuws wordt voortdurend gesproken over een verslechterende verhouding tussen de twee regeringen. Maar ik kan me moeilijk voorstellen dat India en Pakistan nu aan een derde oorlog gaan beginnen. In vergelijking met de Indiase pers lijkt het in het westerse nieuws allemaal veel erger; daar lijkt het alsof de twee landen op het punt staan om een nucleaire aanval te beginnen.

Het ministerie van Buitenlandse Zaken geeft er de voorkeur aan dat Fulbrighters teruggaan naar de vs.'

'Maar ik kan ervoor kiezen om te blijven...'

'Ze hebben liever niet dat je dat doet.'

'Ik begrijp het,' zeg ik. Ik bedank haar en verbreek de verbinding.

Als ik de volgende ochtend word gewekt door een onregelmatige hartslag, maak ik een afspraak bij een specialist in het Breach Candy Hospital. Hij geeft me een Holter-monitor mee, waaruit een wilde bos veelkleurige draden steekt. Het apparaat wordt onder mijn salwar kameez op mijn huid vastgegespt.

'Wat heb je daar op je borst zitten?' roept Julie uit als ik binnen kom lopen en zij de leukoplast boven mijn boordje uit ziet steken. Ik leg haar uit dat het een monitor is die het slaan van mijn hart registreert, en dat de dokter zich zorgen om me maakt.

'U bent gewoon veel te verdrietig, Miss Sadia, dat is er mis met uw hart,' zegt Julie. 'U probeert een eigen plek te vinden, dat is alles.'

21

Reisadvies

Voordat ik uit Bombay vertrek komt Rekhev nog op bezoek. Als ik naar buiten ga om mijn post uit de brievenbus te halen, staat hij aan het eind van de oprit een sigaret te roken en voert een geanimeerd gesprek met de man in het geruite overhemd, degene die altijd in zichzelf praat. Als ze zijn uitgepraat wandelt de man afwezig weg en wendt Rekhev zich tot mij.

'Het is echt wonderbaarlijk,' zegt hij. 'Blijkbaar heeft hij jaren geleden een of andere beurs gekregen om in Frankrijk een doctorstitel in de wiskunde te behalen. Volgens mij denkt hij de helft van de tijd dat hij in Parijs is. Hij vroeg me of ik hem aan een plattegrond van de stad kon helpen, omdat hij voortdurend verdwaalt. Ongelooflijk. Figuren als hij fascineren me.'

Ik schiet in de lach, blij hem weer te zien.

'Je bent onderweg ergens naartoe,' zegt hij, als hij mijn spijkerbroek ziet.

'Ik moet een paar weken naar huis, naar Massachusetts,' leg ik uit. Mijn ouders hebben hun opdracht in Miami voltooid en zijn nu bezig met de renovatie van een oude boerderij in South Dartmouth, op ongeveer anderhalf uur ten zuiden van Boston. Ik vertel hem over het reisadvies. Ik vertel hem niet dat ik een second opinion wil met betrekking tot mijn vreemde, onregelmatige hartslag, noch dat het onderzoek dat de dokter in Bombay heeft gedaan geen uitsluitsel bood. Het geeft me een raar gevoel om tegen hem te zeggen dat ik wegga, alsof ik iets afkap. Ik weet niet precies wat.

'Ik begrijp het niet. Hoe jij reist,' zegt hij uiteindelijk, naar de straat kijkend.

'Hoe bedoel je?'

'Je zo snel bewegen tussen verschillende werkelijkheden. Ik kan dat niet.'

Rintu komt naar ons toe. Hij heeft heel uiteenlopende plastic voorwerpen bij zich: goedkoop speelgoed dat gemaakt is in China – bromtollen, lawaaiige ratels, dingen die een verstandig mens waarschijnlijk niet wil kopen. Hij zwaait de koopwaar voor ons heen en weer en probeert te taxeren of we onder de indruk zijn.

'Rekhev, dit is Rintu,' zeg ik.

'Je bent nieuwe vrienden aan het maken, zie ik,' zegt Rekhev. 'Wat heb je daar bij je?' vraagt hij in het Hindi aan Rintu, en pakt een pijp waaruit allemaal zilverkleurige draden tevoorschijn komen.

Rintu haalt zijn schouders op en kijkt alsof het hem niet interesseert. Hij biedt me een ratel aan.

'Eentje hebben, mevrouw?'

'Nee, dank je,' zeg ik.

'Dit is echt vreselijk spul, vind je niet?' zegt Rekhev droogjes tegen mij, waarbij hij een glanzende bromtol bekijkt.

'Echt-genoot?' vraagt Rintu, en zijn duim schiet in de richting van Rekhev.

'Nee,' zeg ik, en voel me een beetje in verlegenheid gebracht.

'Waar is echtgenoot?'

'Geen echtgenoot.'

'Géén echtgenoot?' zegt Rintu vragend. Hij trekt zijn wenkbrauwen op en ziet er geschokt uit. 'Waarom niet?'

Ik haal mijn schouders op. Het is toch niet te geloven dat ik me tegenover een straatkind uit de buurt moet verdedigen voor het feit dat ik ongetrouwd ben.

Rekhev en ik gaan mijn appartement binnen, en ik ga me bezighouden met theezetten. Ik doe de benodigde lepels vol suiker, thee en kardemom in een ketel en breng het geheel aan de kook. Ik ben er nog niet zo goed in, de resultaten zijn nogal wisselend.

Rekhev gaat aan mijn ronde glazen tafel zitten. 'Het probleem met jou is dat je wel wílt trouwen.'

'Hoe kom je daar nou bij?' vraag ik lachend.

'In dat opzicht ben je heel Indiaas. Niet Amerikaans.' Hij denkt even na. 'Je had met die Tony moeten trouwen,' zegt hij uiteindelijk. 'Daar heb je een fout gemaakt.'

Ik heb Rekhev ooit over Tony verteld. Dat hij en ik het er een keer over hadden gehad om te gaan trouwen en dat hij me toen had gevraagd of ik ooit op één plaats zou kunnen blijven. Ondanks mijn diepgaande gevoelens voor hem, wist ik dat we niet voor elkaar bestemd waren. Ik voel weerzin opwellen dat Rekhev dat nu ter sprake brengt. Ik ben het niet met hem eens, maar aan de vooravond van mijn vertrek heb ik geen zin in ruzie. Ik laat zijn opmerking in de lucht hangen. Op dit moment ben ik overweldigd door alle mogelijkheden die er voor me liggen, en door alle dingen die ik niet gedaan zou hebben als ik in de vs was gebleven. Ik kijk naar mijn geopende koffer op de grond. Ik heb dat leven achter me gelaten zodat ik hier kan zijn, met die enorme uitgestrektheid van niet-weten die voor me ligt.

De terugkeer zal tijdelijk zijn, hou ik mezelf voor. Het geeft me de mogelijkheid om even daar te zijn en een dokter te bezoeken, en dan ga ik weer terug naar Bombay.

Massachusetts lijkt hopeloos onwerkelijk, met te gelikte gewoonten en te groene straten rondom mijn ouders' huis. Ik word wakker in een stilte die me onbekend is. Vanuit mijn slaapkamerraam kan ik een silo en maïsvelden zien en in de verte een streepje blauw van een nabijgelegen rivier. Ik kijk met verwondering naar de stralen heet water die op elk moment van de dag uit de douche in de badkamer komen – het geeft me een gevoel van overdaad. Ik loop naar de buurtwinkel, een geel huis van gepotdekselde planken waar een al wat ouder echtpaar levensmiddelen en snoep verkoopt. 'Heb gehoord dat je in India bent geweest,' zegt de man als hij me de post uit onze postbus overhandigt. Ik vind het fantastisch om mijn vader, moeder en Cassim te zien, maar ik voel me niet op mijn plaats; het is alsof ik mijn aankomst van een afstandje bekijk. Ik bezoek mijn vrienden in New York en merk dat ik niet meer op de hoogte ben van de details van hun dagelijks leven, en van de speciale, korte wijze van communiceren die we minder dan een jaar geleden altijd gebruikten. Ik weet niet hoe ik in het kort moet vertellen wat ik in India heb meegemaakt. Ik weet de woorden niet te vinden waarmee ik kan uitleggen hoe ik mijn tijd heb doorgebracht, welk werk ik er doe, hoe vreemd afmattend het is. Ik weet niet hoe ik mijn vriendschap met Rekhev moet uitleggen of wat die inhoudt. Dit is de eerste keer dat ik het gespleten gevoel ervaar van een leven dat op meerdere plaatsen wordt geleefd.

Hoewel ik wel beter weet, heeft de opmerking die Rekhev over Tony maakte zich in mijn gedachten genesteld. Ik druk Tony's nummer in op het toetsenpaneeltje en geef toe aan de verleiding om hem te bellen. De telefoon gaat heel lang over, en ik neem me voor om een boodschap voor hem in te spreken. Ik ga hem alleen vertellen dat ik terug ben. Dan neemt hij op.

'Met Sadia,' zeg ik, en omdat ik zo opgetogen ben om zijn stem te horen praat ik heel snel. 'Ik ben terug uit India.'

Dan hoor ik hem praten met iemand anders in de kamer, met die warme, zachte stem die hij altijd bij mij gebruikte. Het is lang stil, en ik vraag me af of ik mijn woorden moet herhalen.

'Het is Sadia. Ik heb Sadia aan de telefoon,' hoor ik hem uitleggen. Ik voel hoe de wetenschap tot me doordringt dat hij niet langer van mij is om de laatste nieuwtjes aan te vertellen. Dat had ik eerder moeten beseffen.

We wisselen een paar korte begroetingen uit, maar hij klinkt gespannen, heel ver weg. Het is duidelijk dat hij het liefst wil ophangen.

'Kunnen we later een keer praten?' vraagt hij.

'Natuurlijk. Bel maar wanneer je wilt.' Ik verbreek de verbinding.

Ik ga zitten, kijk naar de telefoon en weet dat ik nooit meer iets van hem zal horen.

Mijn dokter in Boston zegt dat India me de longen van een roker heeft gegeven. Mijn vreemde hartslag is veel geheimzinniger. Tests wijzen uit dat ik een ectopische hartslag heb: sommige slagen komen te vroeg, en het klinkt alsof andere in paren optreden. Hij vraagt of ik India als stressvol ervaar.

'Niemand weet precies waar het vandaan komt, maar ze worden pvc's of extrasystolen genoemd. We hebben ooit een onderzoek gedaan met medisch studenten. Een van de studenten had er last van, waarna we hem tijdens zijn dagelijkse bezigheden een monitor hebben omgedaan. Elke keer als hij naar huis ging en zijn vrouw zag, kreeg hij last van die extrasystolen. Niemand kon het precies uitleggen, maar een jaar later waren ze gescheiden.' De herinnering doet hem zachtjes grinniken. 'Als je het mij vraagt, zou ik zeggen dat er in India iets is waardoor je onrustig wordt. Ik zou er nog eens goed over nadenken hoe lang je er wérkelijk nog moet blijven. Maar ga je eraan dood? Nee, dat niet.'

Op het nachtkastje van mijn moeder zie ik de kleine Koran liggen die ze al heeft zo lang ik me kan herinneren. Ik geloof niet dat ik hem ooit zorgvuldig heb bekeken. Ik pak het boek op en bestudeer aandachtig het donkergroene Arabische schrift.

Als ze de kamer in komt, ziet ze dat ik het boek bekijk en ze gaat naast me op bed liggen.

'Hoe lang hebt u dit boek al?' vraag ik.

'Al sinds ik een kind was,' antwoordt ze.

'Ditzelfde exemplaar?'

'We hadden een Koranlerares, Ustaaniji, die altijd naar ons huis kwam om mijn zus en mij te onderwijzen. Toen we de hele Koran vanbuiten kenden, hielden we een ceremonie en een feestje. Ik weet nog dat ik met de Koran op mijn hoofd stond en dat mijn vader met zijn Brownie-camera daar een foto van heeft gemaakt.'

'Hoe oud was u toen?'

'Een jaar of negen,' zegt ze, terwijl ze het zich probeert te herinneren. 'Mijn zus was zes jaar ouder, maar we zaten op hetzelfde niveau. Ze is daar altijd gepikeerd door geweest,' voegt ze er grinnikend aan toe. 'Maar voor mij was het veel gemakkelijker omdat ik een fotografisch geheugen had – ik kon de vormen van de tekens letterlijk voor ogen zien. Daarnaast is het Arabisch een fonetische taal.'

'Hoe vaak leest u nu in de Koran?' vraag ik haar terwijl ik door het boek blader.

'Ik lees elke avond de Pansoera,' zegt ze. 'De belangrijkste soera in de Koran. Ik heb altijd een kopie in mijn handtas. Dan zijn er nog mijn dua's, de verzen die ik opzeg en lees om me gerust te stellen als ik me ergens zorgen over maak. Volgens mij ben je vrij om de beste eruit te kiezen. Sinds Nana dood is lees ik er steeds vaker in. Het geeft me troost.'

'Hebt u zich ooit verbonden gevoeld met het judaïsme, mama?'

Ze denkt even na voordat ze antwoord geeft.

'Toen ik een baby was, hebben ze de *azaan*, de oproep tot gebed, in mijn oor gereciteerd. Ik vind het interessant dat het judaïsme deel uitmaakt van mijn DNA, maar ik weet dat ik een moslim ben. Het is het geloof waarbinnen ik ben geboren, ben opgegroeid, het is het geloof dat ik belijd. Daarin zitten de rituelen die ik mijn hele leven al heb gevolgd. Mijn moeder heeft mijn vader beloofd dat ze haar kinderen als moslims zou opvoeden, en dat ben ik. Ik ben de vervulling van die belofte.'

'Ik mis haar zo verschrikkelijk,' zeg ik.

'Sadia, je kunt bidden in elke taal die je maar wilt,' zegt ze. Ze steekt haar hand uit en legt die op mijn schouder. 'Je kunt altijd met God praten, Hem om raad vragen. Ik maak me zorgen omdat ik het gevoel heb dat jij denkt dat je alles zelf moet doen. Weet je, het is een soort arrogantie om te denken dat alles binnen je macht ligt... Je vader en ik hebben nooit iets aan jullie, kinderen, willen opdringen, maar ik wil ook niet dat je je ontheemd voelt.'

'Mama, hebben u en Abba het erover gehad om ons met één geloof op te voeden?'

'Toen je nog heel klein was, waren we verdeeld over de doop – we hebben er serieus over nagedacht, maar we wilden toch liever niet voor jou kiezen en zeggen: vanaf nu ben je een christen... Er is meer dan één weg naar God, dat staat in de Koran. Mijn vader zei altijd: "Voor ieder mens ligt een (andere) wet en een andere levensweg in het verschiet. Als God had gewild, had Hij jullie probleemloos tot één grote gemeenschap kunnen vormen." Ik heb je over mijn geloof verteld, je vader over zijn geloof... Nana leerde je wat zij erover wist, en nu leer je nog veel meer. Ik geloof dat wij dezelfde dingen zeggen maar in verschillende talen.'

'Vindt u dat ik een keuze moet maken, net zoals Nana?'
'Ik weet het niet,' zegt ze bedachtzaam. 'Moslims geloven dat elke religie de essentiële waarheid bevat dat God één en enig is. Mijn vader vertelde altijd dat Mohammed de laatste profeet was, maar dat alle profeten slechts boodschappers zijn. Onze belangrijkste plicht is God te dienen. Daar geloven we in.' Ze pakt de boord van mijn mouw, friemelt eraan. 'Lieverd, ik zou graag willen dat je thuiskwam.'

'Ik weet het, mama.'

'Hoe lang denk je dat je nog in India blijft?'

'Ik denk dat ik nog zeven of acht maanden nodig heb om mijn werk af te maken.'

'Zeven of acht máánden?' vraagt ze. 'Dan is het maart...'

'Misschien wel april.'

'Beloof me dat je naar huis komt als je klaar bent.'

'Dat beloof ik, mama.'

22

Hoogtijdagen

Bombay, september 2002

De oorlogsdreiging tussen India en Pakistan heeft zich verbreid, en ik keer op de dag voor Jom Kipoer, de Grote Verzoendag, terug in India. Er zijn verscheidene weken voorbijgegaan, en ik ben geschokt door het feit dat ik de golf van hitte die me omringt als ik de luchthaven verlaat als geruststellend ervaar, net als de lange rij wachtende familieleden en chauffeurs en de bekende manier waarop de kleren aan me vastkleven als we de kronkelende weg naar Gamdevi nemen – waar ik verwelkomd word door mijn eigen spullen. Het dringt tot me door dat dit de gemakkelijkste thuiskomst is die ik in dit deel van de wereld ooit zal hebben – een ingericht appartement, mijn kleren opgevouwen, de lades vol filmrollen. Ik heb een beurs gekregen van een stichting in New York waardoor ik door kan gaan met mijn werk als de financiering van de Fulbright-beurs over een paar maanden afgelopen is. Het is mijn streven om een fotografisch verslag te maken van de Bene Israël, er een tastbaar geheel van te maken dat Nana gewaardeerd zou hebben.

Bij zonsondergang begin ik met vasten voor Jom Kipoer. In overeenstemming met de tradities binnen de Bene Israël doe ik een volledig witte salwar kameez aan. Ik neem een taxi naar een deel van de stad dat bekendstaat als de Jacob Circle, waar ook de Magen Hassidim Synagoge zich bevindt. Dit jaar vallen de joodse hoogtijdagen en de ramadan, de islamitische vastenmaand, deels samen, en terwijl ik door het islamitische gedeelte rondom de Magen Hassidim loop, hoor ik de oproep tot gebed en instinctief trek ik de dupatta over mijn hoofd, net zoals mijn moeder doet als ze de azaan hoort. Het kost me moeite om de synagoge te vinden en tot mijn grote frustratie blijf ik maar rondjes lopen, totdat ik het gebouw ten langen leste zie – het grote, bekende bouwwerk, als een doos, dat een stukje van de weg staat en van de rest gescheiden wordt door het hek met blauw geverfde davidssterren.

Toen Cassim en ik kinderen waren, hielden we ons altijd aan de eerste en laatste vasten van de ramadan en af en toe aan eentje middenin. We vastten als gezin, zo mogelijk in een weekend, en we maakten er een dagje uit van. We gingen naar de bioscoop om niet aan de honger te hoeven denken, en praatten over de dingen waar we dankbaar voor waren. Tijdens onze vastendagen vertelde mijn moeder ons verhalen over hoe het tijdens de ramadan toeging toen zij nog een kind was, hoe het was om in een land te vasten waar dat regel was en geen uitzondering. 's Avonds gaf Nana ons dan dadels die we aten om het vasten te breken; we zegden een gebed op en dronken een glas water. Daarna aten we dan onze *iftari*-maaltijd, meestal Nana's kebabs gevolgd door zoetigheden die ze zelf had gemaakt: dunne laagjes deeg afgewisseld met een pasta van kokos, honing, rozijnen en fijngemalen noten, tot envelopjes gevouwen. In de afgelopen jaren heb ik niet gevast en slechts twee uur na het begin van de vasten voor Jom Kipoer overvalt me een lichte paniek omdat ik vierentwintig uur lang niets mag eten. Maar als ik de grote hal van de synagoge betreed, kijk ik om me heen en ik zie een groep die misschien wel de gehele Bene Israël-gemeenschap is, verzonken in een stil, contemplatief gebed, en ik voel me gerustgesteld.

Het marmer van de synagoge glanst door de poetsbeurt die het pas heeft gehad; de vloeren in de gangen zijn bedekt met nieuwe witte lakens. De gebogen schouders van de mannen zijn bedekt door gebedssjaals. Boven voeg ik me bij de verzamelde vrouwen, allemaal gekleed in wit, hun hoofden bedekt met witte zakdoeken, en zoek een plaatsje om te gaan zitten. Ik heb over Jom Kipoer gelezen, de heiligste dag van de joodse kalender, een dag waarop je spijt betuigt voor alle zonden die je in het voorgaande jaar hebt begaan. Het gaat dan om zonden tussen een mens en de Schepper, niet tussen mensen onderling, en ik begin na te denken over het verschil.

Terwijl ik op zoek ben naar een zitplaats, zie ik tante Shoshanna van ORT India. Ze kijkt op en zwaait naar me. Ze wijst op de plek naast zich en laat me zien waar ze zijn gebleven in het gebedenboek. De gebedenboeken zijn in het Marathi en het Hebreeuws, talen die ik geen van beide begrijp, maar ik neem het boek dankbaar aan en glimlach naar haar, dankbaar voor haar hartelijke aanwezigheid. Ze geeft uitleg over Kol Nidré, het gebed waarin we God vragen alle plechtige beloften teniet te doen die we in het komende jaar misschien proberen te maken. Daarna geeft ze uitleg over de belijdenis der zonden van de hele gemeenschap, waarbij de groep als geheel haar zonden opbiecht en daar verantwoordelijkheid voor neemt. Tussen deze gebeden door klinkt telkens de vraag om vergeving. Het is een machtig gevoel om omringd te worden door de kracht van deze gedeelde gedachten. Ik doe mijn ogen dicht en denk aan Nana, die als meisje in deze zelfde banken moet hebben gezeten. Ik doe op mijn eigen onbeduidende manier boete.

Het grootste gedeelte van de volgende dag breng ik door in de Magen Hassidim, mijn hoofd af en toe op de leuning voor me rustend en God om vergiffenis vragend voor de zonden die ik in het afgelopen jaar al dan niet bewust heb begaan, zoals me wordt opgedragen. Omdat dit de eerste keer is dat ik Jom Kipoer vier, vraag ik Hem ook vergiffenis voor de andere jaren van mijn leven en om raad voor de komende paar maanden. In het begin van de middag begin ik me flauw te voelen, maar de honger verschaft me ook helderheid. Tegen het eind van de dienst kijk ik toe hoe de congregatie gaat staan en samen een klaagzang aanheft. Verschillende mannen gaan naar de Ark toe en plaatsen de Thorarollen weer in hun beschermende enclave. Als de mannen de deuren langzaam beginnen te sluiten, spreken de vrouwen rondom me hun gebeden met steeds meer hartstocht uit, en stijgt de toon en het volume van hun stemmen. Dit is hun laatste kans om gedane zaken goed te maken en het nieuwe jaar openhartig tegemoet te treden.

Buiten, na het einde van de dienst, slaat Shoshanna een arm om me heen en zegt dat ze trots op me is. Uit haar tas haalt ze een klein, in papier gewikkeld pakketje, waaruit twee droge, sikkelvormige koeken met geribbelde randen tevoorschijn komen.

'Dit is *saath padar*, een traditionele zoetigheid voor vrouwen van de Bene Israël. Om de vasten te breken,' zegt ze, en geeft me er een. 'Dezelfde als je grootmoeder altijd maakte met haar recepten. Proef maar.'

Ik neem een hap uit de koek en die valt in mijn mond kruimelend uit elkaar. Binnenin proef ik de zoete vulling van kokos, rozijnen en gemalen noten. Ik herken het onmiddellijk. Het is dezelfde lekkernij die Nana ons tijdens de ramadan te eten gaf.

Ik bel Rekhev om te vertellen dat ik terug ben, en de volgende middag komt hij me een bezoekje brengen. In zijn hand heeft hij een vreemd uitziend instrument dat uit een plastic tas naar buiten steekt. Mijn verblijf in de Verenigde Staten heeft me doen vergeten dat we elkaar nooit aanraken. Als ik hem zie, sla ik tot zijn verbijstering in een opwelling mijn armen om hem heen en druk mijn wang tegen zijn gesteven overhemd.

Hij vertelt dat het instrument een soort hoorn is, gemaakt van een kalebas en omwikkeld met een touw, en speciaal voor hem gemaakt door het inheemse Warli-volk van Maharashtra. In de weken die ik in Massachusetts was heeft Rekhev zijn eerste documentaire gemaakt, een film over het Warli-volk, en hij heeft in een van hun dorpen gewoond, op meerdere uren afstand van Poona. Hij is vervuld van verhalen die bol staan van gezang, kampvuren en sagen die de dorpsoudsten hem tot diep in de nacht hebben verteld. Ik hoor zijn verhalen met verwondering aan. Hoewel hij zegt dat hij er een hekel aan heeft om vrienden te maken, ontfutselt hij de mensen gemakkelijk hun levensverhaal, net als mijn moeder. Het is een van zijn tegenstellingen die ik het interessantst vind.

'Toen ik daar was heb ik over jouw werk nagedacht,' zegt hij tegen me. 'Ik heb een essay gelezen van A.K. Ramanujan waarin de vraag wordt gesteld of er een Indiase manier van denken bestaat. Hij beweert dat we ruimte en tijd wel in een universele context kunnen beschouwen, maar dat ze in India over eigenschappen beschikken die veranderingen kunnen aanbrengen in een specifiek noodlot. De grond in een bepaald dorp levert oogsten op, die door de mensen worden opgegeten, en die oogsten, de aarde, de vegetatie eromheen, heeft invloed op hun karakter. De huizen hier hebben een stemming, ze veranderen het geluk en de ervaringen van hen die erin wonen. Ik ben altijd geïnteresseerd in het verhaal, in de mythen waarmee ik ben opgegroeid, in het vertalen van die beelden. Maar ik dacht eraan hoe jij research doet naar je foto's en ze vormgeeft, hoe de mensen voor je mogen poseren, voorstellen doen voor wat je zou moeten fotograferen. Ik heb die techniek bij het Warli-volk toegepast en de resultaten waren heel interessant. Ik weet niet of ik wel een film als deze had willen maken als ik jou niet had ontmoet.'

Hij wacht even. Hij geeft me de hoorn en zegt dat hij die graag aan mij wil geven, en ik vind het een van de allermooiste cadeaus die ik ooit van iemand heb gekregen.

We steken de weg over naar het theestalletje als begin van een lange wandeling door de lommerrijke lanen achter mijn huis, en gluren even bij een hare krisjnatempel naar binnen. We brengen een bezoek aan Mani Bhavan, het museum over Gandhi, waar ik op het balkon ga staan en me voorstel hoe Gandhi er zit te schrijven. Het is lang geleden sinds ik een hele dag in Bombay heb doorgebracht zonder aan mijn project te werken, en het geeft een gevoel van vakantie – een onverwachte kans om de stad te bekijken. Via Laburnum Road gaan we verder naar het park, waar Rekhev me vertelt dat de Quit India-beweging er vele bijeenkomsten heeft gehouden. Daar ontdek ik tot mijn genoegen een prachtige oude glijbaan in de vorm van een olifant, waar kinderen aan de ene kant de ladder op klauteren en aan de andere kant naar beneden roetsjen. We besluiten een andere keer met een 16-mm filmcamera terug te komen. Ik voel me bij Rekhev op mijn gemak en ben dankbaar voor zijn gezelschap. Het verbaast me dat ik me bij hem veel beter op mijn gemak voel dan met wie dan ook van mijn New Yorkse vrienden. Die gedachte maakt dat ik me tegelijkertijd heel ver weg en heel erg thuis voel.

'Zeg eens,' zegt hij, als we drie kwartier in stilte hebben gelopen, 'je had niet per se terug hoeven komen. Waarom ben je eigenlijk teruggekomen, om wat te doen?'

'Nou...' begin ik, 'tot nu toe heb ik alle synagoges langs de Kust van Konkan en Bombay gefotografeerd en via het lesgeven en het interviewen en fotograferen van de mensen heb ik de Bene Israël een beetje leren kennen.'

'Ja.'

'Maar ik weet nog niet wat het verhaal van hun gemeenschap is, wat het verhaal is dat ik hier wil vertellen en waarvoor ik hier ben gekomen.'

'Aha,' zegt hij, 'je wilt mijn hulp.'

'Ja,' zeg ik, 'als je daar tijd voor hebt.'

'Ik heb tijd.'

'Over een paar dagen is het Soekot en Simchat Thora,' zeg ik aarzelend, als we de hoek om gaan en teruglopen naar mijn huis, en op het moment dat ik het zeg realiseer ik me hoe graag ik wil dat Rekhev met me meegaat naar die feesten.

Om eerlijk te zijn zou het heel lastig voor me zijn om alleen naar Revdanda te reizen, maar er is nog een reden waarom ik hoop dat Rekhev met me meegaat. Ik heb het gevoel dat ik me heb ingescheept voor de reis die hij in de bibliotheek voor me heeft uitgetekend, en een deel ervan wil ik graag met hem maken. Ik probeer een luchtige toon aan te slaan om niet te verraden hoe ontzettend graag ik wil dat hij met me meegaat. 'Het is het oogstfeest waar David je over heeft verteld, waarbij de gemeenschap de jaarlijkse cyclus van Thoralezingen afsluit en opnieuw begint.'

'In Revdanda?'

Ik knik. Ik sta op het punt om hem te proberen te overreden, maar het blijkt niet nodig.

'Laten we daarnaartoe gaan,' zegt hij. 'Ik kom je morgen ophalen.'

Rekhev en ik herhalen onze eerdere reis van Bombay naar Revdanda: een boot naar de haven van Mandwa, een bus naar Alibag en een zespersoons riksja naar Revdanda. We hebben allebei een schoudertas bij ons met wat schone kleren, en om beurten dragen we de videocamera, het statief, de fotocamera en een doos met geluidsopnameapparatuur. Ik voel me onbehaaglijk groot. Ik ben me bewust van de mensen die naar ons kijken, naar onze stadse kleren en ons stadse gedrag – een buitenlands meisje en een jonge Indiase man die samen reizen. Ik zie hoe de alomtegenwoordige neonlichten, claxons en luide muziek van het stedelijke India plaatsmaken voor bossen, huizen die een stukje van de weg af liggen en kronkelende paden. Om de zo veel tijd is er een stalletje dat thee, sigaretten of limonade verkoopt. We delen het laatste gedeelte van onze reis, de riksja van Alibag naar Revdanda, met een jonge vrouw en haar dochtertje. De vrouw bekijkt ons steels door haar vingers en is duidelijk nieuwsgierig naar het doel van onze reis. Het kleine meisje staart ons openlijk aan. Ze steekt haar handje uit om mijn haar te voelen, maar ze trekt meteen een afkeurend gezicht, alsof ze iets zuurs heeft geproefd.

We bereiken Revdanda voor de schemering. Het is vrijdag en de sabbat staat op het punt te beginnen. Ik heb meerdere challes uit de ORT-bakkerij bij me om aan de Waskars te geven, maar ik heb er een hekel aan om onaangekondigd te verschijnen. Rekhev verzekert me dat ik me zorgen maak om niets.

Het laatste stukje, van de rand van het stadje naar het centrum, moeten we lopen, en na een bocht in het pad zie ik een uithangbord voor een gebouw aan onze rechterhand: het Sea Side Holiday Home.

Rekhev stopt er midden voor. 'Toen we hier de laatste keer waren, noemde David Waskar deze zaak – hier verblijven mensen uit Bombay als ze de synagoge komen bezichtigen.'

'Echt waar?' vraag ik, opgelucht dat iemand instaat voor de locatie. 'Zullen we naar binnen gaan?'

Het voelt een beetje ongemakkelijk om met Rekhev naast me om een hotelkamer te vragen. We vinden de hotelhouder, die ons rondleidt in zijn gezellige pension. In de grote kamers staan veldbedden naast elkaar op een rij, zodat een grote familie er ook met gemak samen kan slapen. De hoteleigenaar gaat ervan uit dat we samen één kamer nemen, maar ik corrigeer dat snel door te vragen of ik een andere kamer aan de overkant van de gang mag zien. Rekhev en ik hebben het niet over het zonderlinge gegeven dat we vanavond in kamers slapen op maar een paar meter bij elkaar vandaan.

In de synagoge zijn David en zijn zonen Ellis en Benjamin bezig met de voorbereidingen voor een weekend vol festiviteiten. Ze maken de centrale ruimte van de synagoge schoon, leggen witte lakens op de veranda voor de gasten om op te zitten en hangen bloemenslingers en gekleurd crêpepapier aan het plafond. Net als andere godsdienstijveraars in de rest van de wereld hebben de Waskars een soeka gebouwd, een tijdelijk onderkomen dat hen herinnert aan de veertig jaar die hun voorouders in de woestijn hebben rondgezworven. Ze hebben nog een andere gemaakt die ze bij hun eigen huis hebben staan. De soeka, gemaakt van jonge boompjes en lange rietstengels met een dak van palmbladeren, ziet er stevig en sterk uit, alsof iemand er prettig in zou kunnen bivakkeren. Vanavond worden de gebeden voor de sabbat gezegd en begint Simchat Thora. Simchat Thora is een feestelijke heilige dag, een viering van de Thora, en ze hebben me verteld dat jonge mannen en jongens in de synagoge liederen en gebeden zingen en dat de festiviteiten tot laat in de avond zullen duren.

Achter in de synagoge ontmoeten we een jongeman die kleine donkerpaarse besjes tot pulp plet om er de kiddoesjwijn van te maken voor de sabbatgebeden van die avond.

David begroet ons enthousiast – hij gooit zijn armen in de lucht en roept dat hij blij verrast is om ons weer te zien, en ik voel me eindeloos blij dat we zijn gegaan. Rekhev legt David uit dat we graag de voorbereidingen voor de feestdag en de ceremonies op video willen vastleggen, wat David onbedaarlijk doet lachen.

'Je wilt mij op de film hebben?' vraagt hij. 'Hahaha, waarom ook niet?'

Rekhev helpt me met het uitpakken en opzetten van de apparatuur. We beginnen met buitenopnamen van de synagoge: lange shots van de binnenplaats en de tuin, en vervolgens de ruimten binnen, waar de mannen aan het werk zijn. Rekhev is gefascineerd door elk ritueel, door de redenen achter elke beslissing, en stelt David en zijn zonen talloze vragen. Ik plaag hem ermee dat hij langzaamaan van een filmmaker verandert in een documentairemaker. Terwijl we opnamen maken, komt er een levendige jonge vrouw in een lichtgroene sari achter ons staan en ze kijkt nieuwsgierig door de zoeker.

'Ik heb ook een videocamera,' zegt ze trots, in het Hindi. 'Uit de Golf.'

We groeten haar en beginnen met opnamen van Benjamin die

het versierde zilveren omhulsel van de Sefer Thora aan het poet-
sen is, die zorgvuldig in de heilige ark van de synagoge wordt bewaard.

'Ik heb een heel moderne camera,' pocht ze, glimlachend.

Ik knik en glimlach tegen haar, maar ze is vastbesloten om ons
van het werk te houden.

'Mijn camera is kleiner dan die van jullie. Waarschijnlijk ook
minder zwaar.'

Rekhev kijkt de vrouw langdurig aan, en ik denk dat hij haar het
liefst een boze blik wil toewerpen.

'Wat kun je met die camera doen? *Special effects?*' vraagt ze.

Rekhev legt uit dat we met deze camera geen speciale effecten
gebruiken.

'Geen special effects?' vraagt ze ongelovig. 'Dat is jammer, zeg.
Ik heb heel veel verschillende special effects op mijn camera.'

Ze steekt haar hand uit om ons een hand te geven en ze stelt zich,
weer breed lachend, voor als Sangeeta Roi. Sangeeta is een aantrekkelijke, innemende vrouw met golvend zwart haar en lijkt achter
in de twintig. Ze spreekt de 's' in 'Sangeeta' uit met een sj-klank,
zodat haar naam als 'Sjangeeta' klinkt. Sangeeta vertelt dat ze aan
de overkant van de straat, tegenover de synagoge, een flat huurt.
Ze heeft niet zo'n lichte huidskleur noch de ronde trekken van de
meeste leden van de Bene Israël en ik zie de *bindi* op haar voorhoofd
en de *sindoor,* een rood gekleurd gedeelte in haar haar, waarmee ze
aanduidt dat ze een getrouwde hindoe is. Voordat ik Rekhev duidelijk kan maken dat ik nieuwsgierig ben naar Sangeeta's achtergrond,
legt Sangeeta het zelf al uit.

'Ik kom uit Calcutta,' zegt ze trots.

'*Calcutta se?*' vraagt Rekhev verrast. Calcutta is helemaal aan de
andere kant van het land. Hoe is ze in hemelsnaam in een plaatsje
als Revdanda terechtgekomen?

'Heb je familie hier?' vraag ik, plotseling nieuwsgierig geworden.

'Alleen mijn dochter en ik. Mijn man werkt op een schip. In de
Golf,' zegt ze trots. 'Op een heel grote olieboot.'

'Waarom woon je hier in Revdanda en niet in Calcutta?' vraagt
Rekhev, die zijn nieuwsgierigheid ook niet kan bedwingen.

'Ik zie er misschien wel dom uit, maar ik bén niet dom,' antwoordt Sangeeta vrolijk. Ze steekt haar hand uit. 'Dit is India, *na?*' zegt ze, waarbij haar handpalm de kaart is. 'De Golf ligt daar, *na?*' Ze wijst naar de ene kant van haar hand. 'En Calcutta ligt hier.' Ze wijst naar de andere kant van haar hand. 'Dus als mijn man terugkomt van de Golf, waar komt hij dan als eerste aan?' vraagt ze. 'Het is toch wel duidelijk dat hij eerst aan deze kant komt, *na?*'

Ze wendt zich tot mij, bekijkt mijn katoenen salwar kameez en kijkt vervolgens bezorgd naar Rekhev.

'Dat gaat ze toch niet naar het festival dragen, of wel?'

Rekhev vertaalt haar vraag voor mij.

'Dit of iets wat erop lijkt,' zeg ik tegen hem. 'Hoezo?'

'Nee, nee, nee,' zegt ze beslist, en maakt een klakkend geluid met haar tong.

'Ze moet een sari aan.'

'Een sari?' zeg ik. Dat woord herken ik. Ik heb geen sari.

'Kom maar met me mee,' zegt ze, glimlachend. Ze trekt me aan mijn arm mee naar buiten. Ik kijk over mijn schouder naar Rekhev, die geamuseerd zijn wenkbrauwen optrekt.

Ik ga met Sangeeta mee naar de overkant, naar haar flat, een helderwit gekalkte kamer op de eerste verdieping, met één bed, drie plastic stoelen, een flinke metalen hutkoffer en een grote televisie.

'Uit de Golf,' zegt ze, vol bewondering op de televisie kloppend. 'Kom maar hier zitten.'

We gaan op haar bed zitten en ze geeft me opdracht me uit te kleden. Ze haalt haar spullen uit de hutkoffer en vindt een witte rok die ik onder de sari kan dragen. Ze vindt ook een donkerpaarse sari en begint die om me heen te wikkelen, maar mijn armen zijn veel te dik voor de armsgaten. Ze begrijpt niet waarom de blouse niet past.

'Dat komt omdat jij veel kleiner bent dan ik...' zeg ik, terugvallend op Engels. 'Hier pas ik écht niet in...'

'*Arre...*' zegt ze, en laat haar tong geïrriteerd rollen.

Ze gaat naar het raam en begint iets te schreeuwen tegen Ellis, die op de binnenplaats van de synagoge aan het werk is. Ze gebaart naar me dat ik naar het raam moet komen, en ik doe snel mijn kurta aan zodat ik naast haar kan gaan staan.

Ze wijst naar mij, zegt iets wat ik niet begrijp en gooit haar armen in de lucht. Ellis knikt, alsof hij wil zeggen dat hij het begrijpt en stapt op zijn motor. Wat gebeurt er in hemelsnaam? Ik vraag het me af.

Sangeeta zegt me dat ik moet gaan zitten en haalt een doos uit de grote hutkoffer. Daar komen een dikke zwarte eyeliner, een potje knalrode rouge, een donkerrood lippenpotlood en een donkere kleur lippenstift uit tevoorschijn, en dan vraagt ze me mijn ogen dicht te doen. Ze werkt langzaam, trekt met het lippenpotlood een lijn langs de buitenkant van mijn lippen en vult de rest op met de lippenstift. Ze neemt het ogenpotlood en trekt een dikke lijn over mijn beide oogleden en ten slotte bewerkt ze mijn wangen met de rouge. Ik huiver bij de gedachte hoe ik eruitzie. Uit een andere doos komen gouden oorringen en een gouden ketting tevoorschijn die ze bij haar huwelijk moet hebben gedragen. Als ze de oorringen in mijn oren wil hangen, hou ik haar tegen.

'Weet je het zeker?' vraag ik haar, en ze knikt nadrukkelijk.

Er wordt op de deur geklopt en de vrouw van Ellis, Noorit, verschijnt met een pakket stof in haar handen. Nu begrijp ik pas wat er gebeurt. Blijkbaar heeft Sangeeta Ellis naar het huis van de Waskars gestuurd om Noorit en een sari op te halen die me misschien past. Maar Noorit is nog steeds een iel vrouwtje, ook al is ze iets groter dan Sangeeta. Ik wil de dames niet teleurstellen, maar ik kan me niet voorstellen dat dit gaat lukken.

Gedrieën worstelen we om mijn armen in een andere blouse te wurmen. Noorit neemt de blouse tussen haar tanden en scheurt de naden in om meer ruimte te maken. We duwen mijn armen in de gaten en gaan proberen de sari van een vrouw die half zo groot is als ik om mijn veel forsere gestalte te draperen. We moeten de slecht passende blouse op zijn plaats houden met grote veiligheidsspelden, die we met de *pallu* bedekken, het loshangende, versierde deel van de sari.

Als we daarmee klaar zijn, kamt en vlecht Sangeeta mijn haar en verklaart dat mijn transformatie nu voltooid is. Dan zegt ze dat ik moet gaan zitten, gaan staan en moet zwaaien terwijl zij opnames van me maakt met haar videocamera. Ze vraagt Noorit de camera vast te houden terwijl zij naast me gaat zitten en mijn hand vasthoudt. Ik bekijk mezelf in de spiegel. Ik heb donkere, dikke lijnen van het lippenpotlood om mijn mond en twee grote cirkels rouge op mijn wangen die me het uiterlijk geven van een ouderwetse porseleinen pop.

'Is het niet te veel van het goede?' vraag ik, en kijk de vrouwen aan.

'Nee, nee, nee,' houdt Sangeeta vol, die trots is op haar werk. '*Bee-yootiful*.'

Als we naar beneden gaan en de synagoge in lopen, word ik verlegen als ik Rekhev zie.

Hij lijkt overdonderd door mijn verschijning.

'Iemand zou een foto van jóú moeten maken,' zegt hij. 'Ik heb je nog nooit zo...'

'Vreemd gezien?' zeg ik.

'Heel erg vreemd,' zegt hij, en we moeten beiden lachen.

De mensen komen 's avonds de synagoge binnen voor de *ma'ariew*-dienst. Het zijn voornamelijk jonge mannen en tienerjongens en een paar vrouwen uit omliggende dorpen. De mannen dragen keppeltjes en gebedssjaals over hun geperste overhemden en broeken, en de vrouwen dragen hun mooiste zijden sari's. De vrouwen kijken goedkeurend naar mijn outfit en lijken niet te schrikken van mijn make-up. Af en toe zie ik Sangeeta naar me kijken en goedkeurend naar me glimlachen. Benjamin gaat voor bij het reciteren van de Sjemoné Esré op de *bimah*, de verhoging in het midden van de synagoge, wat gevolgd wordt door een verzameling Bijbelse verzen ter ere van God en de Thora. Nadat Benjamin een Bijbelvers heeft voorgelezen, wordt het herhaald door de andere gelovigen. Het lijkt misschien op gebrek aan respect om zo een persoonlijke aangelegenheid als een congregatie in gebed te filmen, maar Benjamin en Ellis verwijderen alle Thorarollen uit de Ark onder begeleiding van alle mannen van de gemeente, en ik begin weer opnamen te maken. Benjamin en Ellis beginnen aan een rondgang door de synagoge met de Thorarollen in hun handen. Ze leiden een kleine processie die zeven keer een rondgang door de synagoge maakt. Benjamin roept een zin en zijn woorden worden herhaald, als een roep en een tegenroep, door degenen die achter hem lopen en op de maat van de muziek in de handen klappen. Als de groep zich door de ruimte beweegt, krijgt de processie meer daadkracht, de stemmen worden hoger en krijgen meer volume. De zwetende mannen zien er triomfantelijk uit. Sommigen tillen hun jonge kinderen op en dansen met hen in hun armen. David Waskar beweegt heen en weer op de maat van de muziek, hij lacht en zijn kleinzoon Israël zit hoog boven op zijn hoofd alsof hij op de golven rijdt. Als de groep het hoogtepunt van het lied heeft bereikt, gooien zeven mannen hun armen over elkaars schouders en vormen zo een hechte, ronddraaiende cirkel die almaar sneller ronddraait, als een bromtol. Benjamin roept: 'Simchat Thora!' en de mannen schreeuwen 'Hai! Hai!'

Benjamin begint uitgeput aan een volgende ronde door de synagoge, dit keer langzamer.

De vrouwen steken twee vingers uit om de Thora aan te raken als die langskomt en brengen de vingers dan naar hun lippen. Ik kijk door mijn zoeker terwijl Sangeeta haar hand uitsteekt en de bewegingen ook maakt, haar ogen sluit en zelf een klein gebedje opzegt. Ik vraag me even af in welke taal ze bidt.

Aan het eind van de dienst wurmt de groep zich in riksja's en stapt op motorfietsen, en we rijden in een lange karavaan naar het huis van de Waskars, waar op het erf nog een soeka is gebouwd. Binnen in de hut staan rijen rode plastic stoelen langs de kant. Ik zie met enige verwondering dat er een geluidssysteem is gehuurd en dat een jongeman met een microfoon de rol van deejay op zich heeft genomen. Als ik omhoogkijk zie ik dat er overal aan het plafond verse groenten – lange, cilindervormige kalebassen en meloenachtige vruchten – net buiten bereik aan afzonderlijke touwen hangen. David neemt de microfoon over van de deejay en vraagt de jonge mannen zich in de hut te verzamelen. Ze komen enthousiast aangelopen, nauwkeurig bekeken door de jonge vrouwen in de andere groep. Dit is overduidelijk het deel van de avond waarop iedereen heeft gewacht. David begint af te tellen, en als hij bij nul is beginnen de jonge mannen te springen. Ze schreeuwen en lachen, hangen over elkaar heen om het fruit en de groente te raken en die van het plafond af te slaan. De vrouwen kijken, bedekken hun lachende monden met hun handen; ze zijn een beetje bezorgd maar genieten wel van de show.

Vanuit mijn ooghoek zie ik Ellis' vrouw Noorit, en Benjamins vrouw, Shoshanna, de jongere generatie van huize Waskar, hun eigen stapel fruit en groente optassen in een aparte, kleinere tent. Ik besluit op onderzoek uit te gaan.

'Zin om mee te doen?' vraagt Noorit, en ik glimlach, blij dat ik ook word gevraagd om mee te doen en om te zien dat de vrouwen zich niet van de festiviteiten laten uitsluiten.

We verzamelen de meisjes en vrouwen, inclusief de oude mevrouw Waskar, en kruipen bij elkaar in de ruimte. Met haar hoge maar krachtige stem begint Noorit af te tellen: '*Panch! Char! Theen! Do! Ek!*' Onze armen gaan omhoog, we strekken ze om het fruit te pakken en als het op de grond ligt gaan we er vrolijk op staan stampen. Hoewel ik ruim een kop groter ben dan de meeste vrouwen, heb ik de minste coördinatie en ben de slechtste in het spelletje. We keren hijgend van uitputting en lachend terug naar de hoofdtent.

De deejay doet een bepaalde aankondiging en vier jonge kinderen, duidelijk broertjes en zusjes, staan op van hun zitplaats en lopen naar voren. Hij zwaait met zijn armen alsof hij hen dirigeert, en de kinderen beginnen het traditionele sabbatlied, Shalom Aleichem, te zingen op een melodie die me zowel bekend als licht Indiaas voorkomt.

Shalom aleichem malachei ha-shareit malachei elyon,
mi-melech malchei ha-melachim Ha-Kadosh Baruch Hu.

Bo'achem le-shalom malachei ha-shalom malachei elyon,
mi-melech malchei ha-melachim Ha-Kadosh Baruch Hu.

Barchuni le-shalom malachei ha-shalom malachei elyon,
mi-melech malchei ha-melachim Ha-Kadosh Baruch Hu.

Tzeit'chem le-shalom malachei ha-shalom malachei elyon,
mi-melech malchei ha-melachim Ha-Kadosh Baruch Hu.

Ik maak een video-opname van de zingende kinderen, en een vrouw kijkt me aan en glimlacht. Uit haar trotse houding maak ik op dat zij hun moeder is.

Niet lang daarna zie ik tot mijn verrassing dat sommige volwassenen, en zelfs een paar vrouwen, zich achter in de tent hebben verzameld, waar ze kleine hoeveelheden whisky vermengd met Thums Up drinken. De whisky moet heel duur zijn, maar dit is duidelijk een speciale gelegenheid en reden tot feest. Ik ga naast de vader van de zingende kinderen zitten en hij stelt zich voor als Solomon.

'Kom je uit de vs?' vraagt hij.

'Ja, uit New York.'

'Ah, New York.' Hij trekt zijn wenkbrauwen op. 'Daar zijn veel joden.'

'Ja.'

'Zeg eens, weten zij van ons bestaan?'

'Sommigen wel,' zeg ik voorzichtig. 'Maar heel veel weten het niet.'

Ik maak hem een compliment over het zingen van zijn kinderen, en hij zegt dat zijn vrouw en hij heel erg trots zijn. Zijn kinderen leren allemaal Hebreeuws en zijn beide zonen leren hoe ze op de shofar moeten spelen, de traditionele ramshoorn waarop ze tijdens Rosj Hasjana, het joods Nieuwjaar, blazen.

'Hoeveel mensen horen bij jouw synagoge in New York?' vraagt hij. 'Vijfhonderd? Duizend?'

'Ik hoor niet bij een synagoge...' Ik aarzel.

'Niet bij een synagoge?' vraagt hij met verontruste blik. 'Maar waar vier je dan de hoogtijdagen?'

Ik heb niet zo veel zin om hem in deze context Nana's verhaal te vertellen. Ik besef dat ik korte tijd van de gedachte heb genoten dat ik joodse ben, dat ik hier thuis hoor. Terwijl ik mijn verhaal vertel komen er meer mensen om me heen staan luisteren. Ze vertalen het verhaal in het Marathi en ik word een nog grotere curiositeit. Degenen die het begin hebben gemist, vragen me het verhaal nog een keer te vertellen: hoe mijn grootmoeder in Castle Rock, Thane, Poona en Bombay is opgegroeid, hoe ze in de jaren dertig met mijn grootvader is weggelopen en hoe ze naar Pakistan is verhuisd. Ik kijk omhoog en vang Rekhevs blik op. Hij staat bij de uitgang van de tent en kijkt naar me, en ziet er oplettend, bijna beschermend uit.

'Maar hoe ben je opgevoed? Met welke godsdienst?' vraagt Solomon.

'Ik ben met drie religies opgevoed.'

'Drie religies? In één huis?' vraagt hij, en vertaalt dat voor de groep. 'Maar dat is onmogelijk!'

'Dat is niet onmogelijk.' Ik probeer niet verdedigend te klinken. 'Ik ben hier gekomen om over het judaïsme te leren.'

'Ben je hier gekomen om over het judaïsme te leren of over het judaïsme van de Bene Israël?' vraagt hij ad rem. Ik denk even na over die vraag.

'Ik ben hier om van alles te weten te komen over het judaïsme van de Bene Israël. Over het leven dat mijn grootmoeder achter zich heeft gelaten.'

'Je doet dit dus voor haar.'

'Ja,' zeg ik.

In de loop van de avond raken de tenten steeds voller. Rekhev zegt tegen me dat de mensen uit de hele streek hiernaartoe komen, en soms, na het einde van de vieringen in hun eigen synagoges, wel twee uur moeten reizen om op het feest van David te komen. Solomons kinderen smeken hem van de kans gebruik te maken om nog een dag langer in Revdanda te blijven. Ze hebben hun tenten opgeslagen in een huis op het terrein van de Waskars en genieten van de vakantieachtige sfeer.

Solomon lacht en wendt zich tot mij.

'Mijn kinderen komen uit de stad, maar ze voelen zich hier thuis,' zegt hij. 'Iedereen voelt zich thuis in Davids huis. Iedereen is welkom.'

Het is al lang na middernacht als Rekhev en ik van een van de vertrekkende auto's een lift krijgen naar Revdanda en we zachtjes de trap van het Sea Side Holiday Home beklimmen.

'Het was een fascinerende avond,' zegt Rekhev, als we de trap op lopen.

'Vind je?' Ik ben blij dat hij er zo over denkt. 'Heb je het naar je zin gehad?'

'Moet je nagaan dat ze dit verhaal elke week, in hoofdstukken, beleven. Daarna komen ze op deze avond bij elkaar en vieren dat verhaal – en dan beginnen ze opnieuw, dan gaan ze het met andere ogen weer opnieuw lezen. Sommige verhalen zullen in hun oren misschien eender klinken, maar andere zullen veranderen. De verhalen groeien met hen mee terwijl zij groeien, terwijl ze ouder worden.'

'Dat is een mooi idee,' zeg ik.

'Ik heb gezien hoe je vanavond je verhaal zat te vertellen,' zegt hij. 'Ik heb gezien hoe je dat verhaal vertelde om uit te leggen wie je bent. En ik denk dat dit alles' – hij zwaait even rond met zijn hand, doelend op alles om ons heen – 'daar deel van uit zal maken.'

We staan een ogenblik in stilte, in het flikkerende licht van een nachtlampje dat een insectenwerend middel verspreidt.

'Ik reis niet,' zegt hij. 'Nooit. Maar samen met jou ben ik hier ook een reiziger.'

Ik sla mijn armen om hem heen.

'Doe dat maar niet,' zegt hij zachtjes, en trekt zich terug. 'Ik wil geen hoofdstuk worden in jouw boek.' Hij draait zich om en pakt zijn sleutel. De sleutel draait in het slot. 'Welterusten.'

'Welterusten, Rekhev,' zeg ik, en zie hem zijn kamer binnengaan en de deur dichtdoen.

Ik ga volledig gekleed naar bed. Ik kijk naar de silhouetten van de palmbomen die voor mijn raam heen en weer bewegen. Ik probeer urenlang in slaap te vallen. Tegen zonsopgang sta ik uitgeput op, nog steeds in mijn geleende sari.

De volgende ochtend doen Rekhev en ik alsof er tussen ons niets ongebruikelijks is voorgevallen. We lopen zwijgend naar de riksja's voor de rit naar het huis van de Waskars, waar we de alledaagse bezigheden van het huishouden beginnen te filmen. Dat doen we een week lang – we plooien onszelf in het dagelijkse plaatselijke ritme. De kinderen komen ons een bezoekje brengen, drukken hun gezichtjes tegen de lens en vragen of ze door de camera naar elkaar mogen kijken. Maar meestal gaan we op in de achtergrond, worden onderdeel van de binnenplaats, net als de schommel en de waterpomp. Rekhev en ik bouwen afzonderlijk relaties op binnen de woongemeenschap van de Waskars: hij met de boeddhistische timmerlieden, ik met de vrouwen van Benjamin en Ellis: Shoshanna en Noorit.

Ik zit in kleermakerszit op de keukenvloer en maak video-opnames van Shoshanna en Noorit die gember schillen, knoflook pellen en groenten fijnhakken voor het middageten. Ik kijk toe als de plaatselijke vissersvrouwen van de Koli, met hun sari's handig tussen hun benen gestopt om er een soort korte broek van te maken, aan de deur komen om de vis te verkopen die ze in manden boven op hun hoofd dragen. Ik word herinnerd aan het volksverhaal van de Bene Israël dat ik heb gelezen, over een man genaamd Rahabi, een joodse reiziger, die honderden jaren geleden een bezoek bracht aan de Bene Israël aan de Kust van Konkan. Tijdens dat bezoek onderwierp hij de vrouwen van de gemeenschap aan een test: hij wilde dat ze voor hem een vismaaltijd zouden bereiden. Hij zag hoe ze een mand met vis doorzochten op vissen met vinnen en schubben en hoe ze de rest weggooiden, in overeenstemming met de koosjere spijswetten, en hij concludeerde dat ze echte joden waren. Shoshanna en Noorit vertellen over de andere manieren waarop ze koosjer blijven. Als ze 's avonds lamsvlees hebben gegeten, nemen ze de volgende ochtend geen melk in hun thee. Ik vraag hun hoe ze die dingen hebben geleerd, maar daar hebben ze geen antwoord op. Ze zeggen dat het altijd al zo is geweest.

Ik vraag of ze plannen hebben om naar Israël te emigreren. Ze zouden graag willen gaan, als ze zouden kunnen leven zoals ze nu leven: samen in één huis. Als ze apart zouden moeten wonen, willen ze liever hier blijven.

's Middags zit David op de veranda en onderhoudt een hele sliert mannelijke bezoekers, zijn hindoevrienden, zakenpartners en bekenden uit andere stadjes. Hij schenkt thee en kokoswater en geeft ze meloenen van zijn eigen boerderij, en zij vertellen hem de laatste nieuwtjes over de oogsten, en wie in de streek wat aan bezittingen heeft gekocht of verkocht en wie van wie heeft gestolen. Deze bezoeken zorgen ervoor dat David de nieuwtjes hoort en op de hoogte blijft van wat er op plaatselijk niveau gebeurt.

'Die twee maken video-opnamen van ons en nemen die mee terug naar Bombay,' vertelt hij zijn vrienden.

'Waarom?' vragen die.

'Ze willen alles weten over hoe het is om joods te zijn,' legt David uit. 'Wat we eten, hoe we bidden, wat de oude verhalen zijn, hoe we hier met een schip zijn gekomen…'

We houden lange en wijdlopige interviews met David, die ons verhalen vertelt over zijn leven en zijn visie op de geschiedenis van de Bene Israël. Hij vertelt ons dat de grootouders van zijn grootouders vroeger geen synagoge hadden. Hij legt ons uit dat zijn voorouders met Pesach, het joodse paasfeest, een lam offerden en dan bij elke deuropening in hun huis een handafdruk in bloed drukten, ter herinnering aan de opoffering die de Israëlieten op bevel van God de nacht voorafgaand aan de exodus uit Egypte brachten. Het bloed van dat offer werd op de deurposten van de Israëlieten gesprenkeld en was een teken dat de engel des doods de huizen van de joden moest overslaan. Samen met David lopen we over het terrein en hij laat ons de handafdrukken zien die nog steeds in elk Bene Israël-huis in de streek te vinden zijn.

Op Jom Kipoer kalkten zijn voorouders hun huizen altijd wit, kleedden zich volledig in het wit en baden. De buren wisten dat de Bene Israël op die dag niet werkten, dus boden ze aan om het vee op die dag voor hen te verzorgen. Op sabbat deden ze hetzelfde. Uit respect aten de Bene Israël-leden geen rundvlees, dat taboe was voor de hindoebevolking, hoewel het volgens hun eigen spijswetten niet verboden was.

'Hebben de Bene Israël altijd zo'n goede verhouding gehad met de andere gemeenschappen?' vraagt Rekhev.

'India is goed geweest voor ons joden. Op andere plaatsen hebben de joden veel problemen gehad. Maar hier niet,' zegt hij. 'De problemen tussen hindoes en moslims zijn niet onze problemen, hoewel dat in de stad niet altijd zo gemakkelijk is. Soms zitten we er midden tussen – we zijn de een noch de ander...'

'Hoe bedoelt u dat?' vraagt Rekhev.

'Dat zal ik je uitleggen,' zegt David. Hij trekt er een boomstronk bij en gaat zitten. 'Toen er in 1947 rondom de scheiding van India en Pakistan onlusten uitbraken, werkte ik in Bombay. Mijn broer had me meegenomen naar Bombay om daar te werken, maar de rellen waren op hun hoogtepunt en er was een avondklok ingesteld. We werkten overdag en 's avonds verstopten we ons onder het gebouw. Toen ik op een dag heel erge honger had, ging ik na de avondklok een *pav bhaji* kopen. Ik kon niet anders, ik had zo'n honger. Maar een mensenmenigte kreeg me te pakken.' David recht zijn rug en doet iemand uit de menigte na: '"Wie ben jij?" vroegen ze. "Vertel op! Ben je hindoe of moslim?" Wat moest ik doen? Ik ben een Israëli-sche jood. Ik wist niet wat ik moest zeggen, wat het antwoord was dat me zou kunnen redden. Ze pakten me op in een islamitische zaak, en ik besefte dat ze dachten dat ik een hindoe was. Ik was bang dat ze me zouden vermoorden. Dus toen heb ik mijn broek laten zakken!' David maakt een snelle beweging om te laten zien hoe hij zijn broek liet zakken en lacht, een scherpe ademstoot. 'En toen was ik naakt! En ik was besneden! En iedereen zei tegen elkaar: "Hij is een mohammedaan! Hij is een van ons!" En toen omhelsden ze me en lieten ze me gaan. Een van hen heeft me zelfs nog thuis afgezet.' David moet lachen bij de herinnering. 'Wat moest ik doen? Ik ben een Israëlische jood,' zegt hij. 'Maar je moet je aanpassen aan het land waar je woont...'

Het is onze laatste dag in Revdanda en ik vraag Rekhev of hij met me mee wil gaan om een paar straatscènes op te nemen op de markt van Revdanda. Als we klaar zijn komen we Sangeeta tegen, die ons uitnodigt om bij haar thuis thee te komen drinken. In haar appartement gaat Rekhev op een stoel zitten en ik op het bed, terwijl Sangeeta in de keuken water kookt. Ik kijk rond in de netjes opgeruimde kamer, die gereed is voor de komst van Sangeeta's echtgenoot. Haar dochtertje, Neena, komt terug uit school en Sangeeta vraagt het kind om Engels met mij te oefenen. Neena is verlegen, wordt bijna verzwolgen door haar moeders enorme persoonlijkheid, maar probeert toch met mij te praten. Ik vraag naar haar school en of ze goed kan opschieten met de andere kinderen. Ze leert Marathi en zegt dat ze het nu bijna vloeiend spreekt. Als de thee klaar is geeft Sangeeta ons allebei een kop met schotel, en daarna gaat ze in kleermakerszit op de grond zitten. Ze sluit de camera aan op de televisie en zoekt in de stapel banden. Ze wil ons haar films laten zien.

De meeste banden gaan over Sangeeta en haar man die in Maharashtra rondreizen en de plaatselijke tempels bezoeken en zijn voorzien van populaire Hindi-filmmuziek. In vrijwel alle films is Sangeeta te zien die vrolijk vanachter en uit kleine groepjes bomen springt en als een Bollywood-heldin naar de camera lacht. Ze heeft geen woord teveel gezegd: ze heeft uitgebreid gebruik gemaakt van de speciale effecten van haar camera. We kijken gebiologeerd toe terwijl Sangeeta en haar man in spiegelbeeld links en rechts in beeld verschijnen, danspasjes doen en naar ons zwaaien alsof ze een rol spelen in een lachspiegelpaleis. Sangeeta's man is groot, met een keurig geknipte snor, en het is duidelijk dat hij de romantische hoofdrol speelt bij Sangeeta de heldin. Op latere banden loopt een kleine Neena lief achter haar ouders aan, zwaaiend naar de camera en braaf de tempels en picknickplaatsen van hun familie-uitjes bekijkend. De muziek zwelt aan en er volgt een dramatische shot van

Sangeeta's man in een zwartleren jack en een donkere zonnebril, die boven op een kleine klif staat.

Ik vraag Rekhev of hij aan Sangeeta wil vragen wanneer ze denkt dat haar man uit de Golf terugkomt.

'Snel,' zegt ze, dromerig naar het scherm kijkend. 'Hij komt heel snel terug.'

Op onze reis terug naar huis persen Rekhev en ik ons in een volle zespersoons riksja, op weg naar Alibag. Mijn hele linkerkant is tegen zijn rechterkant gedrukt, en ik ben me nog eens extra bewust van onze nabijheid, als een elektrische stroom tussen schouder en knie. Als er een paar passagiers uitstappen en er meer ruimte in de riksja ontstaat, schuif ik niet van hem weg, en meer dan een uur blijven we zo zitten, dicht tegen elkaar aan, passend als een puzzel. Ik weet niet waar hij naartoe gaat als we weer terug zijn in Bombay. Misschien neemt hij wel de bus terug naar Poona, of blijft hij bij een vriend in de stad. Ik weet het niet zeker en vraag er niet naar, bang als ik ben om de betovering te verbreken die ons in dit ene moment verbindt.

Als we mijn huis hebben bereikt, helpt hij me de apparatuur naar binnen brengen, waarna we gaan uitpakken, de banden tellen die we hebben gefilmd en de rollen film apart leggen die ontwikkeld moeten worden.

'En hoe zit het nou met de Bene Israël?' vraagt Rekhev als we klaar zijn. Ik denk even na, overweeg wat ik zal antwoorden.

'Het gaat erom dat ze gevangen zijn tussen twee plaatsen, denk ik – India en Israël – en tussen twee identiteiten – de Indiase en de joodse. Ze moeten allemaal een beslissing nemen: of ze hier blijven of daarnaartoe gaan.'

'Je Nana zou trots zijn geweest op al je noeste werk,' zegt hij. 'Ben je gelukkig?'

'Ik ben gelukkig,' zeg ik, en merk dat ik het meen.

We zitten in een aangename stilte aan tafel. Rekhev leest in een van mijn boeken, ik plak etiketten op de banden. Als hij later op de avond vertrekt, doe ik de luiken om me heen dicht en troost mezelf met de vertrouwelijke rituelen van een leven alleen, kook water, hak groente fijn, schenk mezelf een drankje in. Ik ben benieuwd naar de klank van Amerikaans Engels en zoek het gezelschap van CNN. Het is een jaar na de aanvallen op het World Trade Center en de reporter zegt dat 52 procent van de Amerikanen vindt dat de dingen in de Verenigde Staten nog lang niet normaal zijn en niet gaan zoals ze daarvoor gingen. Als hun wordt gevraagd of ze denken dat de dingen ooit weer normaal zullen worden, zegt 54 procent nee. Ik kijk naar een verslag over de it-industrie in India. Er verschijnt een knappe verslaggever die in een drukke bazaar rondloopt en zijn verbazing uitspreekt over de Indiase efficiency met computers. Ik zie New York nu vanuit twee gunstige posities: met de ogen waarmee ik hiernaartoe ben gekomen en de ogen waarmee ik nu kijk. Ik begrijp voor het eerst waarom sommige mensen huis en haard verlaten en nooit meer terugkeren. Ik vraag me af of ik hetzelfde zou kunnen doen.

Ik zie het middelste deel van de avond voor me liggen. Ik denk aan alle dingen die ik Rekhev bij onze volgende ontmoeting wil vertellen.

De volgende ochtend belt mijn moeder. Ze is bezorgd omdat ze al twee weken niets van me heeft gehoord.

'Waar ben je geweest?' vraagt ze, en ik vertel over de vakantie, dat ik in Revdanda ben geweest. 'Waar heb je geslapen?' vraagt ze, en probeert zich er een voorstelling van te maken.

'In een hotel,' antwoord ik vaag.

Mijn moeder belt met slecht nieuws. Ze heeft van een van haar nichten gehoord dat het heel slecht gaat met oom Moses, het nogal norse familielid dat ik als eerste in India heb ontmoet, en dat hij misschien nog maar een paar weken of zelfs dagen te leven heeft. Ze vraagt of ik bij hem op bezoek wil gaan. Blijkbaar woont hij inmiddels bij zijn dochter in Bombay. Ik beloof mijn moeder dat ik hem zal opzoeken.

Het is nog maar een jaar geleden dat ik hem voor het eerst heb ontmoet, maar ik vind dat oom Moses heel erg is veranderd – zijn opvliegende karakter lijkt te zijn bedolven onder een gigantisch dikke laag pijn. Ik weet niet waaraan hij doodgaat en ik vraag het ook maar niet. Daar waar hij eerder in staat leek me met zijn stok de kamer uit te jagen, lijkt hij nu vermoeid, bijna te moe om zijn hoofd op te tillen.

Ik heb een paar van mijn foto's meegenomen, grote kleurenafdrukken die ik in een professioneel fotolab in Bombay heb laten uitvergroten. Ik had gedacht dat ik oom Moses misschien mijn werk kon laten zien, hem zou kunnen laten zien waar ik in het afgelopen jaar mee bezig ben geweest. Zijn dochter denkt dat hij niet genoeg energie heeft voor zoiets en dat zijn gezichtsvermogen achteruit is gegaan, maar ik haal ze evengoed uit de doos, trek mijn stoel dicht bij de zijne en leg ze op mijn schoot.

'Dit zijn Bene Israël-families in Bombay,' zeg ik tegen hem. 'Dat is de Magen Hassidim en dat de Gate of Mercy Synagoge... Dit is een trouwerij... Dit is een *mehndi*-ceremonie...'

Het lijkt nauwelijks tot oom Moses door te dringen wat ik zeg. Hij kan zich met moeite op mij focussen en doet af en toe zijn ogen dicht.

'Dit is een familie in het dorp Chorde,' zeg ik, wijzend op een portretfoto. 'Als ik het goed heb, was uw vrouw, tante Lily, ook een Chordekar.'

Hij lijkt mijn voortdurende commentaar niet te horen.

'Dit is een foto van de joodse begraafplaats in Bombay; dit is een foto van een jonge jongen die op de *shofar* leert spelen...'

347

Oom Moses schraapt zijn keel alsof hij iets wil gaan zeggen en ik buig naar hem toe. 'Die... zien... er duur uit,' zegt hij met moeite. 'De afdrukken?' vraag ik. 'Die kosten niet zoveel...'

'Geldverspilling!' zegt oom Moses, en ik ben opgelucht dat hij zijn lastige karakter nog niet kwijt is.

'Dit is de synagoge in Revdanda,' ga ik verder. 'Daar heb ik net Soekot en Simchat Thora doorgebracht. Ik denk dat het mijn lievelingsplaats in India is. Om de een of andere reden voel ik me thuis in die synagoge. Ik weet niet waarom.'

Tot op heden heb ik die gedachte nooit onder woorden gebracht, maar nu ik die heb uitgesproken, weet ik dat het waar is. Oom Moses kijkt me aan. Ik zie een flard van herkenning in zijn troebele ogen.

'Ik weet waarom,' zegt hij. 'Je overgrootouders kwamen daar vandaan.' Hij kijkt heel langzaam naar me op, ontmoet mijn ogen. 'Ze zijn er in de buurt opgegroeid. Ze waren lid van die synagoge.'

Er overvalt me een prikkelend gevoel, alsof ik dat al wist – maar hoe kon ik dat weten? In een flits herinner ik me de grote, met mos bedekte stenen muur die om de buitenste grenzen van Revdanda cirkelt. Het dorp binnen in een fort waarover mijn grootmoeder het had. Natuurlijk.

Ik omhels oom Moses. Hij voelt onbestaanbaar broos aan in mijn armen, als een stapel beenderen die met een stuk stof bijeen wordt gehouden. In de flat heerst een tastbaar gevoel van de naderende dood, alsof hij al vrede heeft gesloten met het idee dat hij gaat vertrekken en alleen nog maar hier is om degenen om hem heen de kans te geven afscheid te nemen. Hoe meer ik over de woorden van oom Moses nadenk, hoe opmerkelijker ik ze vind. Als de vader en moeder van mijn grootmoeder lid waren van die synagoge, dan ligt mijn oorsprong in Revdanda. Dan heb ik uiteindelijk toch mijn wortels gevonden.

23

Leah en Daniel

Bombay, januari-maart 2003

'Miss Sadia!'

Ik hoor de stem van een jonge vrouw. Als ik opkijk zie ik boven de trap in de ORT-school een hoofd opdoemen. Ik zie een vrouw van begin twintig in een zachtpaarse salwar kameez gemaakt van glanzend polyester. 'Miss Sadia, ik ga trouwen!' zegt ze, de trap af lopend, en ze overhandigt me een witte kaart waarop in gouden letters, gedrukt in een vloeiend sierschrift, staat:

Leah huwt Daniel

Natuurlijk, Leah. Ze was een van mijn leerlingen die het toneelstuk hebben opgevoerd. Een meisje dat zo verlegen was dat haar tekst op toneel nauwelijks te verstaan was, het meisje dat te timide was om over haar verloving te praten.

'Ga je al snel trouwen?' vraag ik, en lees de datum – over twee maanden.

'U komt toch wel?' vraagt ze.

'Natuurlijk, heel graag,' zeg ik. 'Vertel eens, wie is Daniel?'

Leah bloost en haalt haar schouders op en weet niet goed hoe ze de vraag moet beantwoorden.

'Hij is Daniel.'

'Is hij een lid van de Bene Israël in Bombay?' vraag ik.

'Zijn familie woont in Thane. Een uur daarbuiten. Hij woont in Israël.'

'Dus nadat je bent getrouwd...'

'De dag na ons huwelijk gaan we naar Israël.'

'Ben je daar al eerder geweest?' Ik voel me vreemd beschermend. Ik probeer me voor te stellen hoe de verlegen Leah zich in Israël zal redden.

'Nee, maar ik wil er al heel lang naartoe. Miss Sadia, u moet eerst voor mijn *malida*-ceremonie komen.' Ik heb gelezen over de malida, een ritueel van de Bene Israël waarbij de profeet Elia om zijn zegen wordt gevraagd, of dank wordt gezegd.

'Ga je malida doen om de zegen voor je huwelijk te vragen?'

'We gaan malida doen voordat we met de huwelijksvoorbereidingen beginnen. Op zondagavond om zeven uur bij mij. Kom alstublieft ook.'

Die zondag ga ik naar de oostkant van de stad, waar Leahs flat is – één kleine kamer, ongeveer drie bij vier meter, in een groot gebouw met identieke, op elkaar gestapelde kamers: een *chawl*. Ik heb andere Bene Israël-families in precies dezelfde soort gebouwen bezocht, en het valt me weer op hoe elke kamer in het gebouw een heel andere, eigen wereld is, volgepropt met meerdere leden van verschillende families en al hun bezittingen. Als ik de trap op loop, gluur ik in de vertrekken van andere mensen naar binnen. Ik zie kleine hindoeschrijnen, kalenders, televisies, vrouwen die groente hakken op de grond. Aan de deuropening van Leahs flat hangt een mezoeza en een tegeltje met daarop een Hebreeuws gebed, en binnen zie ik acht vrouwen gehurkt op hun hielen zitten, die druk doende zijn fruit te wassen en te snijden, rijst te slaan en kokos te raspen voor de malida. Het wordt een zoet mengsel dat na het reciteren van de gebeden wordt gegeten ter ere van de profeet Elia. Leah begroet me enthousiast en stelt me aan haar moeder voor. Ik zeg Leahs beste vriendin, Judith, gedag, die warm glimlacht als ze me ziet, en ik ga naast twee jonge vrouwen zitten en begin te helpen met het wassen en schillen van het fruit.

Leah woont er samen met haar moeder, vader en jongere broer, Joseph. Ik kan me niet voorstellen hoe ze hier allemaal in passen. Er is een systeem, legt Leah me zakelijk uit, waardoor het allemaal lukt. 's Ochtends is de kamer een keuken, waar Leahs moeder het eten voor haar gezin bereidt. 's Middags is de kamer een sociale ruimte, waar vrienden langskomen en op een bankje in het erkerraam zitten dat over de straat uitkijkt. 's Avonds wordt het weer een keuken, als Leah en haar moeder het avondeten bereiden, en na donker, als lakens en kussens uit de hutkoffer zijn gehaald en het gezin zij aan zij op de vloer ligt te rusten, is het een slaapkamer.

'Wil je wat water, Sadia?' vraagt Leah, en biedt me een fles mineraalwater aan. Ik realiseer me met evenveel schuldgevoel als dankbaarheid dat die fles speciaal voor mij, de buitenlandse gast, is gekocht. Ik kijk rond en probeer vast te stellen wie er familie van elkaar zijn. Iedereen zit op de grond, op een iets rijker uitziende gast in een zijden sari met gouden randen na, die in een hoek op een plastic stoel zit en de handelingen met een beminnelijke blik volgt.

Leah en Judith zijn samen opgegroeid. Ze zijn buren en hun ouders zijn vrienden. Judith wijst haar moeder aan, die aan de andere kant van de kamer druk is met kokos raspen.

'Judith is als een zus voor me,' zegt Leah. 'Al sinds we heel klein waren doen we alles samen.'

'Jullie zullen elkaar wel erg gaan missen als Leah naar Israël is vertrokken,' zeg ik tegen Judith, waarmee ik een open deur intrap.

'We zouden er vorig jaar samen naartoe gaan,' zegt Leah. 'Maar toen zei mijn moeder: "Je moet daar niet als alleenstaande naartoe gaan. Ga trouwen en ga er dan naartoe." Judith gaat zich binnenkort verloven en daarna zijn we allebei in Israël.'

Judith glimlacht bij die gedachte. 'Binnenkort,' zegt ze zuchtend.

'Zeg eens, wat is de betekenis van de malida?' vraag ik.

'De malida is een heel oude traditie binnen de Bene Israël, een offer voor de profeet Elia, onze Eliyahu HaNavi,' vertelt Leah. 'Als je de malida-ceremonie doet, maak je een mengsel van geplette rijst en kokos, en dat decoreer je met vijf vruchten. Degene die graag wil dat er een bepaalde wens uitkomt, vraagt de profeet Elia om hulp. Daarna verdeel je het mengsel dat moet worden opgegeten. Als de wens is uitgekomen, doe je nog een keer de malida om hem te danken.'

'Zonder die malida kunnen we niets doen,' voegt Judith eraan toe.

Voor de activiteiten van vanavond hebben we ook de beschikking over de naastgelegen flat van Leahs buren. Zo is er genoeg plaats voor de ongeveer dertig gasten die zich hebben verzameld om mee te doen aan de rituelen en gebeden. Als het malida-mengsel klaar is, gaan we samen naar de andere ruimte, waar we ons hoofd bedekken en ons gezicht naar de weg richten. De kamer zit boordevol gasten, veelal mannen, die de Hebreeuwse gebeden hardop zingen. Ik help Leahs moeder met het uitdelen van kleine papieren bordjes met daarop het malida-mengsel – ik schep een kleine portie van de geplette rijst en kokos op elk bordje, gevolgd door een plakje van elk van de vijf vruchten. Op een bepaald moment tijdens het gebed eten we de stukken fruit na elkaar op en uiteindelijk het malida-mengsel zelf, en bidden om de hulp van de profeet Elia om ervoor te zorgen dat Leahs huwelijk met Daniel zonder problemen zal verlopen.

De volgende dag ga ik terug naar Leahs flat voor een volgend ritueel, eentje dat ik in geen enkel boek over de Bene Israël heb zien staan. Leahs moeder neemt twee nieuwe koperen vaten en vult de ene met *jaggery*, een soort ongeraffineerde rietsuiker, en de andere met een pasta gemaakt van kurkuma. Ze bindt ze aan elkaar met helder gekleurde koorden, zegt een gebed op, plaatst ze boven op elkaar en zet ze weg op een hoge plank. Ze legt uit dat deze jaggery en kurkuma voor een ritueel gebruikt gaan worden om Leah voor haar huwelijk te zegenen. Daarna lopen zij, Leah en ik rond in het gebouw en verzamelen vijf gelukkig getrouwde vrouwen. Een van hen is een Bene Israël, maar de andere vrouwen zijn hindoe – het is maar net wie er thuis is en de lunch of het avondeten voor haar man aan het bereiden is. Leahs moeder legt in elke hand van ieder van de vrouwen een blad met daarop twee stukken jaggery, als klompjes geconcentreerde suiker. Naast de jaggery legt ze een stukje *paan* en een muntstuk van één roepie. De vrouwen krijgen ieder de opdracht om één stukje jaggery op te eten, zodat hun mond zoet is, en het andere stukje in Leahs mond te stoppen. Eenieder wenst Leah toe dat de eerstvolgende jaren van haar huwelijk zoet zullen zijn en dat ze een succesvol leven zal leiden.

Als het ritueel is voltooid, geeft iedere vrouw Leah een kus en wenst haar het allerbeste, waarna ze terugkeren naar hun eigen flat. Leahs moeder ziet er opgelucht uit.

'Nu kunnen we spullen voor de trouwerij gaan kopen,' legt ze uit. 'Ik moet sari's kopen voor de familie van de bruidegom, een groene sari voor de receptie, zo veel dingen…'

Ik vraag Leahs moeder wat ze ervan vindt dat haar dochter naar Israël gaat en Leah vertaalt mijn vraag in het Marathi. Haar moeder legt uit dat ze eerder, toen Leah samen met Judith naar Israël wilde gaan, heel bezorgd was. 'Ik dacht: wie gaat er dan voor haar zorgen? Nu heeft ze een partner die voor haar kan zorgen, dus ben ik niet langer gespannen. Ik voel me zowel blij als verdrietig dat ze naar Israël gaat.'

Ik vraag haar wat ze vindt van de politieke spanningen in Israël, en ze denkt even na. 'God is Eén, en Hij zal helpen,' zegt ze. 'Hashem zal haar helpen.'

Leah en ik zitten bij het erkerraam van haar flat en kijken uit over de drukke straat, en ik vraag haar naar Daniel. Wat is hij voor een man? Ze vraagt of ik zijn foto wil zien.

Giechelend haalt ze twee kiekjes uit een envelop. Het zijn de foto's die Daniel heeft gestuurd om in aanmerking te komen als mogelijke match voor Leah, en zij heeft hetzelfde gedaan.

Beide foto's zijn genomen tijdens huwelijksceremonies; de kleren zijn rijk versierd en de mensen zijn gehuld in rozenslingers. Op de ene heeft Daniel beide armen om zijn moeder heen geslagen; op de andere poseert hij met zijn moeder en broer. Ik zie tot mijn lichte verrassing dat hij erg knap is, met scherp getekende trekken en een bedachtzame blik. Ik denk erover hoe een meisje als Leah, sterk en betrouwbaar, maar niet bekendstaand als een schoonheid, van het systeem van een gearrangeerd huwelijk kan profiteren. Ze is duidelijk in de wolken met haar aanstaande echtgenoot. Leah heeft gescoord, om het simpel te zeggen. Ik hoop maar dat hij ook zo opgetogen is.

'Wat dacht je toen je deze foto's voor het eerst zag?' vraag ik Leah.

'Ik dacht dat hij wel een heel boze persoon moest zijn!' zegt ze lachend. 'Toen ik naar deze foto's keek, dacht ik: Baba, die heeft temperament!'

Ik kijk weer naar de foto's en probeer hetzelfde te zien. Ik denk dat je zijn serieuze blik op een bepaalde manier ook als streng kunt uitleggen.

'En nu?' vraag ik, en Leah krijgt een dieprode blos. Ik besef dat ze verliefd is.

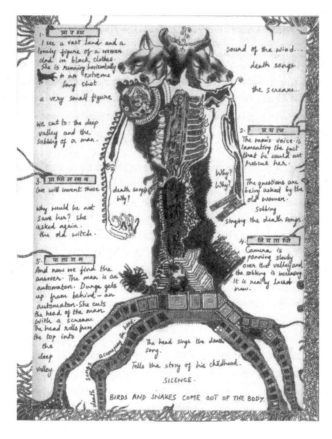

Rekhev komt vanaf nu een of twee keer per week naar Bombay om te vergaderen over een korte film die hij regisseert, een 35-mm verhalende film gebaseerd op de Indiase traditie van het verhalen vertellen. Als hij in de stad is komt hij bij mij langs om thee te drinken en soms blijft hij 's avonds eten. In zijn aantekenboeken laat hij me bladzijden vol tekeningen zien, lijsten van afbeeldingen en storyboards voor zijn aanstaande projecten: een dorp in de vorm van een vis, een verdwijnend boek, een mysterieuze figuur die in een robot verandert en een lichaam heeft dat vol vogels en slangen zit. Er zit een magie in Rekhevs werk die gebaseerd is op zijn kennis van de Indiase geschiedenis en mythologie. Het is heel iets anders dan mijn interesse in het alledaagse.

De tijd glijdt voorbij en ik ervaar dat op een manier die ik nooit eerder heb meegemaakt, zonder agenda's. Als januari in februari overgaat en februari in maart, merk ik dat het steeds heter wordt, maar zelfs dat voelt vertrouwd aan. Bombay is inmiddels een soort thuis voor me geworden. Nana maakt deel uit van mijn heden. Ik breng mijn dagen door met het maken van foto's en video-opnamen van gezinnen en vieringen van de Bene Israël, en de mensen weten nu wie ik ben. Ik ben de lerares van ORT India, het Amerikaanse meisje met de camera wier grootmoeder een Bene Israël was.

'Waarom zoek je hier geen baan?' vraagt Rekhev me op een middag, als een echo van mijn eigen gedachten. 'Je zou fulltime voor de joodse school of als filmmaker kunnen werken.'

'En hoe moet dat dan met mijn leven in de vs?'

'Moet je daarvoor terug?'

Het is waar dat er geen concrete dingen zijn die in New York op me wachten – geen baan, geen relatie, geen appartement. Wat is er mis mee om hier te blijven, vraag ik me af. Nog een jaar, misschien twee?

Op een dag zie ik een blanke vrouw, waarschijnlijk een Amerikaanse, die zich in dezelfde stijl als ik heeft gekleed: een bescheiden beige salwar kameez met een bedrukte dupatta over een schouder gedrapeerd, het bruine haar in een paardenstaart. Ik kan zien dat ze geen toerist is, die hier is voor een yogavakantie of op weg is naar een ashram. Er is iets in de manier waarop ze loopt – handig de mannen op straat ontwijkend, haar blik strak vooruit – die me zegt dat ze hier woont, en ik vraag me af hoe haar leven eruitziet. Is ze getrouwd met een Indiase man, heeft ze kinderen, is het middelpunt van haar belangstelling verschoven van haar eerdere omgeving naar hier? Ik vraag me af of ik dat ook zou kunnen, of mijn vrienden in New York op een dag tegen elkaar zullen zeggen: 'Wat is er toch met Sadia gebeurd?' en dat het antwoord dan is dat ik naar India ben gegaan en nooit meer terug ben gekomen.

Op het moment vergezel ik Leah of haar moeder een of twee keer per week tijdens het winkelen en leer ik hoe een huwelijk bij de Bene Israël wordt georganiseerd. Ondertussen bereidt Leah zich voor op haar IATA-examen bij ORT India, waarmee ze bevoegd is om in Israël bij een reisbureau te gaan werken, als ze dat zou willen. Leahs redenen om te emigreren zijn niet spiritueel van aard. Het zijn eerder praktische en economische overwegingen.

Op een middag nemen Leah en ik een taxi om de uitnodigingen voor het huwelijk op te halen in een stoffig oud drukkerijtje, dat via een lange trap te bereiken is. Er zijn voorbeeldkaarten in Hindi, Marathi en Engels, met afbeeldingen van vogels, bruidsklokken en bloemen. Leah betaalt voor verschillende dozen vol formele trouwkaarten en verdeelt ze in twee stapels: een voor haar familie en een voor die van Daniel.

Ik zie hoe efficiënt Leah zich door Bombay beweegt, de enige stad waar ze ooit heeft gewoond, en ik bewonder haar besluit om naar Israël te vertrekken, maar toch begrijp ik het niet helemaal.

'Eigenlijk was ik niet tevreden over de baantjes die ik hier met mijn opleiding kon krijgen,' legt ze uit tijdens de taxirit naar huis. 'Toen dacht ik: het is goed om naar Israël te gaan en daar een goede baan te zoeken. Voor mijn carrière wilde ik dus naar Israël. En toen...' Ze lacht zenuwachtig en haar praktische aard lost op bij de gedachte aan haar verloofde.

'En wat gebeurde er toen?' vraag ik, en prik haar plagend in haar schouder.

'Toen zag ik Daniel.'

Als we weer in Leahs flat zijn, is haar moeder nogal geïrriteerd en loopt kruiselings door de denkbeeldige kwadranten tussen woon- en kookruimte.

'We moeten nog heel veel doen. Leah, Joseph, jullie moeten me helpen... De helft van de uitnodigingen moeten bij de familie van Daniel in Thane worden afgeleverd...'

Ik bied aan om de uitnodigingen naar Daniels familie te brengen. Leahs ogen lichten op bij dat idee.

'Dan kun je hem ontmoeten, Sadia,' zegt ze met een glimlach. 'Dan kun je met hem praten en erachter komen wat hij denkt.'

Daniel en ik ontmoeten elkaar in een riksja op het station van Thane, en hij lijkt een heel ander iemand dan mijn leerlingen op ORT India. Hij lijkt meer zelfvertrouwen te hebben en volkomen op zijn gemak als hij met een onbekende westerse vrouw praat. Op weg naar zijn huis vertelt Daniel dat hij de laatste twee jaar zelfstandig in Israël woont. Ik vraag me af wat hij van zijn aanstaande huwelijk denkt, of het iets is waarvoor hij heeft gekozen of iets is wat zijn familie wil. Voor Leahs bestwil hoop ik maar dat híj degene is die wil trouwen.

Ik geef de huwelijksuitnodigingen aan Daniels moeder, een opgewekte vrouw met een bril op en donker krullend haar. Ze kust me op beide wangen en vertelt me hoe blij ze is me te ontmoeten. Hun appartement bevindt zich in een relatief nieuw, gepleisterd complex met een binnenplaats. Het huis is vrij groot en een uitgesproken contrast met Leahs flat, met twee slaapkamers en een grote woonkamer. Ik zie een heel kleine vrouwelijke hindoebediende met een bezem de keuken in en uit dribbelen. Daniel vertaalt het Marathi van zijn moeder voor mij in het Engels, en tijdens de thee kom ik erachter dat Daniels moeder een weduwe is die haar man een aantal jaren geleden al heeft verloren. Ze vertelt dat haar oudste zoon en zijn vrouw en zoontje dichtbij wonen; Daniel woont uiteraard in Israël. Haar twee zonen zijn haar grootste vreugde in het leven. Toen Daniel drie jaar geleden voor het eerst het idee om naar Israël te vertrekken te berde bracht, was ze niet erg enthousiast geweest; ze wilde niet dat hij zo ver bij haar vandaan zou gaan. Maar nu is ze blij dat hij er zich opnieuw heeft gevestigd en dat het hem goed gaat. En als daar nog een joodse vrouw bij komt, beschouwt ze hem als gesetteld en is ze tevreden. Heeft ze lang naar een vrouw voor hem gezocht? Niet lang, zegt ze, en schudt haar hoofd. Ze kondigt aan dat ze naar de markt gaat om etenswaren te kopen, en ze instrueert Daniel dat hij een goede gastheer moet zijn en me cake aan moet bieden.

'Zo, Sadia,' begint hij, als hij gaat zitten en me nog wat thee inschenkt, 'jij bent dus die beroemde Amerikaanse fotografe...'

'Niet echt,' zeg ik, lachend.

'Maar heus,' zegt hij, 'iedereen heeft het momenteel over jou. Dat je hier bent gekomen om foto's te maken en interviews met leden van de Bene Israël op te nemen. Je volgt toch een soort opleiding, of niet?'

'Een soort persoonlijke opleiding.'

Ik vertel Daniel over Nana en over mijn reden om naar India te komen, wat hem intrigeert. 'Ze was dus heel belangrijk voor jou,' zegt hij, en ik knik. 'Mag ik je een persoonlijke vraag stellen?' Ik zeg ja. 'Denk je dat je grootmoeder gewild zou hebben dat je met een jood zou trouwen?'

Daniel en ik sluiten zo ter plaatse vriendschap. We praten vrijelijk over het leven, de familie en zijn plannen voor de toekomst. Ik zeg tegen hem dat ik denk dat Nana heel gelukkig zou zijn geweest als ik uiteindelijk een jood zou vinden, maar dat zij niet iemand was die aan haar mening vasthield, die zelfs niet altijd verkondigde.

'En heb je wel eens overwogen om te trouwen?' vraagt hij. 'Als je me mijn vraag tenminste niet kwalijk neemt.'

'Eén keer,' zeg ik, 'heb ik het overwogen. Maar toen besefte ik dat ik nog veel meer moest reizen en nog heel veel werk moest verzetten.'

'Aha, je bent een dromer, dat weet ik zeker,' zegt Daniel. 'Dat is ook mijn probleem.' Hij zucht en kijkt uit het raam. 'Maar daarom is Leah een goede partij voor mij.'

Plotseling voel ik me een spion, gestuurd door de andere kant, maar ik vind het wel spannend om in die positie te verkeren.

'Gaf jij de voorkeur aan een gearrangeerd huwelijk?' vraag ik tussen neus en lippen door.

'Ik denk dat een gearrangeerd huwelijk het beste is,' zegt hij, knikkend. 'Met iemand die mijn mams voor mij heeft uitgezocht. Want zij kent mij beter dan wie dan ook. Dus ze weet mijn… met wat voor soort meisje ik het best de rest van mijn leven kan doorbrengen. Zij kan dat het beste beoordelen. Dus heb ik de beslissing aan haar overgelaten.'

Ik vraag hem of hij wel eens heeft gedacht aan Bene Israël-meisjes die in Israël wonen.

'Ik heb een paar Bene Israël-meisjes ontmoet die in Israël geboren zijn. Maar eigenlijk vond ik ze meer Israëlisch dan Indiaas. Het is niet zo dat ik Indiaas beter vind, maar… er zijn bepaalde normen en waarden. Ik voel me meer op mijn gemak met het idee dat ik een Indiase joodse vrouw heb.'

Daniel begint te vertellen wat hem ertoe heeft gebracht naar Israël te verhuizen, hoe hij door de Thora te bestuderen het belang van het Heilige Land heeft leren inzien.

'Volgens de Thora is het heel belangrijk dat een jood naar Israël gaat.' Hij tikt drie keer met zijn rechterhand op zijn hart. 'Ik kreeg het gevoel dat ik, ook al beviel het me goed in India, voorbestemd was om daar en niet hier met kwesties uit de Thora te worstelen.'

'Het is me opgevallen dat mensen soms geen verschil maken tussen het Israël van de Thora en het moderne Israël. Is er een verschil?'

'Die twee kun je niet scheiden, Sadia. Al sinds de vernietiging van de Tweede Tempel en de verspreiding van de twaalf stammen van Israël hebben we verlangd daarnaar terug te keren en in Jeruzalem verenigd te worden. Zelfs tijdens huwelijksceremonies – zelfs bij de mijne – zullen we een glas stukmaken. Waarom? Ter herinnering aan de vernietiging van de Tweede Tempel, om in een tijd van grote blijdschap dat verdriet niet te vergeten. We bidden met het gezicht naar Jeruzalem, zelfs nu nog. Het Israël van nu is een bevrijding, een vernieuwing.'

'Maak je je zorgen om het geweld daar? Vind je het niet erg dat je kinderen in een plaats met zo veel onzekerheid moeten opgroeien?'

'Ik wil mijn kinderen in een joods land laten opgroeien, met joodse scholen, waar ze Hebreeuws leren spreken, en dan niet zoals ik, maar als moedertaal, samen met joodse kinderen uit de hele wereld. Dat wil ik voor hen.'

'Was het moeilijk om je aan te passen toen je van India naar Israël ging?'

'Om eerlijk te zijn, Sadia, was het de tweede keer dat ik emigreerde.'

'De tweede keer?'

'De eerste keer dat ik een poging deed was drie jaar geleden,' legt hij uit. 'Ik vertrok met één, vrijwel lege koffer. Ik vond een plek om te wonen en een baan, en 's avonds zat ik in mijn kamer te huilen omdat ik mijn moeder en India zo miste.'

Na een maand was hij teruggekeerd naar huis, naar Thane, en hij voelde zich een mislukkeling. Hij werkte nog een jaar in Bombay, spaarde geld, leerde Hebreeuws en bestudeerde de Thora. Aan het eind van dat jaar was hij vastbesloten het opnieuw te proberen, en deze keer maakte hij er een succes van. Hij vond werk in een hotel en deelde een flat met meerdere mannen van zijn leeftijd. Maar er ontbrak iets. Zijn moeder begon hem foto's toe te sturen van jonge vrouwen uit de Bene Israël-gemeenschap.

'Dit is Leah,' zegt hij, en laat me twee foto's zien van Leah en haar familie in de Magen Hassidim Synagoge die als introductie werden gebruikt. Op de foto draagt Leah make-up en ze ziet er heel gelukkig en aantrekkelijk uit. Hij glimlacht als hij naar de foto's kijkt, en ik besef dat ze op hem dezelfde uitwerking hebben als zijn foto's op haar.

'Wat gebeurt er nadat de foto's zijn uitgewisseld?' vraag ik. Daniel legt uit dat er een ontmoeting wordt geregeld, mits beide families er positief tegenover staan. De toekomstige bruid en bruidegom mogen dan een paar minuten met z'n tweeën doorbrengen.

'Toen we elkaar voor het eerst ontmoetten, merkte ik dat ze heel erg gespannen was en zo. Ze vroeg me: "Hoe is je karakter?" en ik zei dat ik een heel relaxte jongen was en dat er in mijn huis geen geboden en verboden waren.'

'Kon je merken dat Leah er niet zeker van was?' vraag ik.

'Als je een meisje gaat ontmoeten, en een meisje een jongen ontmoet, is het meestal zo dat je niet meteen een antwoord geeft. De familie van de bruid zegt dan dat ze het je naderhand wel zullen laten weten…'

'Maar met Leah?'

Daniel bloost tot achter zijn oren. 'Op dat moment voelde ik dat het… dat het áán was. Heel erg aan.' Hij glimlacht. 'En toen was ik *on top of the world*.'

Daniel zingt dat laatste gedeelte en moet zelfs giechelen. Zijn opwinding werkt aanstekelijk.

Meestal ga ik een keer per week lunchen bij Daniel en zijn moeder. Ik film interviews met hen beiden en bied Daniel aan om te helpen met het uit het hoofd leren van zijn trouwlied, de traditionele Bene Israël-hymne die alle bruidegoms zingen als hun bruid de synagoge binnen komt lopen. Het is een prachtig, welluidend lied over de schoonheid van de bruid, terwijl zij naar de *bimah* loopt om haar toekomstige echtgenoot te ontmoeten en de huwelijksbeloften te geven. Daniel vindt het lastig om de moeilijke melodie in samenhang met de woorden onder de knie te krijgen, maar als ik voor de vierde keer in Thane kom heeft hij vooruitgang geboekt.

'Ik geloof dat ik het nu door heb.' Hij gaat staan, doet zijn ogen dicht en zingt de woorden met toewijding. Als hij klaar is applaudisseer ik om blijk te geven van mijn enthousiasme.

'Het is je gelukt, Daniel! Leah is vast en zeker erg onder de indruk.'

'Ik hoop het maar,' zegt hij. 'Sadia, denk je dat Israël haar bevalt?'

'Ik weet het niet, Daniel,' zeg ik. 'Ik ben er nooit geweest.'

'Ik maak me zorgen dat ze India heel erg gaat missen,' zegt hij. 'Haar moeder en haar vriendinnen en de rest. Maar voor mij is Israël inmiddels thuis. Ik hoop dat dat op een dag voor haar ook zo zal zijn.'

24

Waar is het oosten?

Miami, maart 2000

De laatste tijd word ik telkens met dezelfde gedachte wakker, alsof ik gevangen zit in een specifiek moment dat ik heb beleefd. Het is geen echte droom, maar meer het gevoel dat ik me inleef in een herinnering.

Hoewel ik wel weet dat ik in Bombay ben, ben ik er de eerste paar tellen na het wakker worden van overtuigd dat ik me in Nana's kamer aan de Aragon Avenue in Coral Gables bevind. Ik kan me haar nabijheid herinneren, en ik blijf er even hangen, onwillig om wakker te worden. Ik denk aan haar iele gestalte naast me in bed, het geluid van haar tikkende breinaalden naast mijn oor. De herinneringen die ik ophaal, spelen zich af in maart 2000. Mijn ouders zijn dan uit het Bostonse vertrokken om aan de universiteit van Miami architectuurcolleges te gaan geven.

Nana kan niet langer tegen de koude winters in Boston en wil dichter bij haar zonen zijn, die nu in andere delen van Florida wonen. Mijn vader, moeder en grootmoeder wonen voor het eerst in een appartement. Het is een ruimte die mijn vader ongezien heeft geaccepteerd: een L-vormig appartement in een roze gepleisterd gebouw van vierhonderd appartementen, een steakhouse op de begane grond en palmbomen rondom. Na Boston lijkt Miami het buitenland, en ik zie niet goed hoe mijn familie hier een leven wil opbouwen. Het koloniale, mahoniehouten meubilair van mijn vader staat hier belachelijk, is te groot en ouderwets voor deze omgeving. Mijn moeders miniatuurschilderijtjes uit Pakistan lijken hier misplaatst, als overblijfselen uit een andere werkelijkheid.

Ik ben vanaf de universiteit in Californië voor een bezoek naar huis gevlogen. Ik zit in een masterprogramma op Stanford, waar ik leer hoe ik foto's en documentairefilms moet maken. Ik ben vierentwintig, Nana is tweeëntachtig. Ik probeer Nana's verhaal vast te leggen, spoor haar aan in mijn kleine taperecorder te praten. Er lijkt nooit genoeg tijd te zijn. Er zijn doktersafspraken, mijn moeder heeft hulp nodig met de was, het avondeten moet worden klaargemaakt en Nana kan maar heel weinig doen zonder te rusten. Ze heeft last van haar knieën en haar rug is gebogen over haar stok. Haar zachte, kleine lichaam is nog kleiner geworden. Ze is nog net zo eigenwijs als altijd en ze wil het niet toegeven, maar ze heeft pijn en ik kan het zien.

Vanmiddag ben ik vastbesloten om bij Nana in haar slaapkamer te blijven en haar zover te krijgen dat ze me over haar leven vertelt. In haar slaapkamer staat de oude houten ladekast met vijf laden. Je kunt ze nog maar moeilijk opentrekken, nu ze vol zitten met Nana's schatten: briefkaarten, kluwens garen, cadeautjes die nooit zijn gegeven, veiligheidsspelden, wenskaarten, geboorteaktes, oude foto's, recepten. In dit nieuwe appartement vormt dit meubelstuk de enige verbinding met haar verleden, de enige plaats met sedimentaire lagen vol voorwerpen. Als ik binnenkom schuift Nana net de bovenste la dicht, en terwijl ze met een kleine borstel haar haar borstelt, kijkt ze me vragend aan. Mijn moeder heeft me verteld dat Nana altijd bang is geweest dat ik geen respect meer voor haar zal hebben als ik de waarheid leer kennen over haar leven en over de fouten die ze als jong meisje heeft gemaakt. Ik wil haar zeggen dat ik graag alles wil weten, dat niets wat ze zegt mijn mening over haar zal veranderen. Soms krijg ik haar zover dat ze gaat praten – en dan spreekt ze duidelijk en vloeiend – maar dat gebeurt maar zelden en meestal zonder aanleiding. Ik sta bij de spiegel naar haar te kijken terwijl ze haar haar borstelt, en vraag me af in wat voor een bui ze is.

'Nana, ik wil u graag interviewen.'

'Mij? Waarom? Ik heb niets te vertellen.'

'Dat is niet waar, Nana, u hebt juist een heleboel te vertellen.'

Ze legt de borstel neer en kijkt nadenkend naar haar handen. Dan doet ze de onderste la open en haalt daar drie setjes gebreide wollen babykleertjes uit. Een wit, een zachtgroen en een roze stelletje.

'Vind je ze mooi?' vraagt ze zacht, en legt ze voorzichtig op het bed. 'Ik heb ze bijna klaar.'

'Ze zijn prachtig, Nana. Voor wie zijn ze?'

'Ze zijn voor jouw baby.'

Het idee dat ik een kind zal baren hangt als een flauwe luchtspiegeling boven mijn vage toekomst – iets waar ik op hoop voor later, als ik volwassen ben. Ik besef plotseling dat Nana weet dat ze er niet meer zal zijn als voor mij de tijd gekomen is om een kind te krijgen, dat deze babykleertjes Nana's laatste project zijn en dat ze ons zal verlaten als ze ze af heeft. Mijn ogen prikken door die wetenschap.

Zo lang als ik me kan herinneren heb ik me er al op voorbereid dat ik Nana zal verliezen. Als je haar kent, weet je hoe fragiel haar lichaam is en hoe sterk haar wil. Tijdens een van mijn laatste bezoeken zei een dokter tegen me dat het feit dat ze leeft onder zulke helse pijnen – in haar knieën, haar rug, haar benen, die opzwellen als gevolg van te veel medicijnen voor te veel kwalen – laat zien hoe vastberaden ze is. We weten pas sinds kort dat ze kleine scheurtjes binnen in een van haar nieren heeft, een aangeboren erfelijke ziekte. Maar haar vastbeslotenheid zie ik nu veranderen, als een besluit van iemand die vindt dat het werk dat ze op deze aarde moest volbrengen volbracht is.

'Nana, vertelt u me eens een verhaal,' zeg ik, om van onderwerp te veranderen. Ik til haar benen, zwaar van het vocht, een voor een op en leg er dikke kussens onder. Ik wrijf haar benen met lange bewegingen, van haar dij tot haar enkel, en probeer dat wat haar pijn doet eruit te trekken.

'Wilt u het verhaal vertellen van uw voorouders die naar India gingen? Over de schipbreuk?'

'Waar is dat goed voor, lieverd?' vraagt ze, terwijl ze de baby-kleertjes opvouwt. 'Waarom wil je dat verhaal nog een keer horen?'

'Ik wil het u horen vertellen,' zeg ik. 'Zoals u het altijd in Chestnut Hill vertelde.'

Ze zucht even en begint dan met haar verhaal. Ze vertelt me dat haar voorouders het land Israël hebben verlaten en voor de kust van India schipbreuk hebben geleden. Zeven mannen en zeven vrouwen overleefden de schipbreuk. Ze vestigden zich in kustplaatsjes, gingen voor hun broodwinning olie uit zaden persen en konden zich slechts één joods gebed herinneren.

'Er was eens een schip, een schip dat tweeduizend jaar geleden, na de vernietiging van de Tweede Tempel, uit Israël wegvoer. Een schip dat veertig dagen en veertig nachten bleef varen, totdat het op de Kust van Konkan, bij Bombay, te pletter sloeg...'

Shema Israël: Hoor Israël, de Heer is God, de Heer is Een.

Dit verhaal is mijn erfenis en mijn mysterie.

Die week brachten we meerdere middagen door met het inplakken van stapels kleine zwartwitfoto's in plastic albums.

'Maak je daar toch geen zorgen over,' zei ze afkeurend. 'Het is niet belangrijk.'

Op de achterkant van elke foto schreef ik met potlood wat ze zich er maar van kon herinneren: soms het jaar waarin of de plaats waar de foto was genomen, of de naam van een van de personen. Ik was vooral gefascineerd door de oudste afbeeldingen, de foto's die in India waren gemaakt – verstolen kijkjes in haar jeugd die voorafgingen aan de formele foto's van huwelijken en verjaardagen in Pakistan. Op een van de foto's staat Nana als een heel jong meisje, met een dansende vlecht, schommelend op een schommel met een vriendinnetje of een nichtje. Ze beweegt en lacht. Op een andere foto zitten zij en haar echtgenoot glimlachend op een heuvel en poseren samen met een ander stel. Op de knie van mijn grootvader rust vrolijk een zwierige hoed.

De latere foto's waren kleurenfoto's van Nana uit de jaren tachtig en negentig, toen ze bij mijn ooms in Florida, Texas en New Jersey in verschillende huizen woonde. Het is geen gewoonte dat een vrouw bij haar dochter en schoonzoon in huis woont, en elk van die langdurige logeerpartijen was een poging om bij een van haar zonen te wonen. Maar het was onvermijdelijk dat ze altijd terugkwam naar Chestnut Hill, naar haar kamer boven aan de trap. Cassim en ik waren haar speciale project, de twee kinderen die ze naar eigen inzicht kon verwennen en bestraffen, en toen ze was teruggekeerd maakte ze zich nuttig in de keuken, bereidde het ontbijt en knipte waardebonnen uit alsof ze nooit was weggeweest. Voor ons was ze meer dan een grootouder, ze was onze steun en toeverlaat, en ik had een hekel aan de gedachte dat ze niet genoeg aan ons had.

In de twee jaar nadat mijn ouders naar Miami waren verhuisd, wisselde Nana vaker van woonplaats – ze verbleef maanden achtereen in het huis van een van haar zonen. Ik heb haar op al die plaatsen bezocht en ik heb gezien hoe haar andere kleinkinderen haar vanaf een afstandje respecteerden, maar haar beschouwden als oud en als buitenstaander bij hun leven op dat moment. Ze betrokken haar niet bij hun gesprekken en vroegen haar niet om advies, en in die huishoudens had ze lang niet zoveel te vertellen als bij ons. Niemand wilde haar verhalen horen. Nana's judaïsme riep als gespreksonderwerp te veel onbeantwoorde vragen op: als zij joodse was, wat waren zij dan? Ze trok zich steeds meer terug in haar slaapkamer, in haar innerlijke wereld van televisie en herinneringen.

Maar in Nana's gedachten nam het judaïsme een steeds grotere plaats in. Steeds vaker vertrouwde ze mijn moeder toe dat ze zich voortdurend zorgen maakte om de dood – niet om de fysieke pijn van het doodgaan, maar om het vooruitzicht haar ouders in de hemel te ontmoeten. Ze was doodsbang om haar vader en moeder onder ogen te moeten komen, nadat ze zelf had beslist om het geloof dat ze bij haar geboorte had gekregen te verlaten.

Mijn moeder nam haar mee naar de bibliotheek om boeken over het judaïsme te lenen en naar een plaatselijke synagoge om kennis te maken met een jonge rabbijn.

'Mijn man heeft me een joodse begrafenis beloofd,' zei Nana op een middag, toen we met de auto van de synagoge naar huis reden. 'Hij heeft me beloofd dat ik als jood zou mogen sterven als ik jullie, kinderen, als moslims zou opvoeden.'

Mijn moeder raakte ervan overstuur om haar moeder over doodgaan te horen praten.

'Ssst, Amma. Laten we het daar maar niet over hebben.'

De laatste keer dat ik Nana zag was in Miami, waar ik met haar meeging naar een afspraak met de fysiotherapeut die haar hielp met het versterken van haar rugspieren en het losmaken van haar knieën. De praktijk van de therapeut lag tussen een rij winkels en zag er heel alledaags uit, maar de man was aardig en had geduld met haar, en hij liet haar zien hoe ze haar oefeningen moest doen. Toen Nana na de behandeling weer haar gewone kleren aandeed, nam hij mij apart – hij keek bezorgd.

'Ik kan zien dat jullie tweeën goed met elkaar kunnen opschieten,' zei hij.

'Ja,' zei ik. 'Het is fijn om bij haar te zijn.'

'Luister, ik heb je hulp nodig. Ze komt wel hier, maar thuis doet ze haar oefeningen niet. Ze geeft het op, geeft toe aan de pijn.'

'Ik begrijp het.'

We namen een taxi terug naar het appartement van mijn ouders en ik sloeg mijn arm om Nana's smalle rug en hield haar dicht tegen me aan. Het was iets wat ik nog nooit eerder had gedaan.

'De fysiotherapeut zegt dat u uw oefeningen niet doet.'

'Maakt niet uit,' zei ze, koppig uit het raam kijkend. 'Wat heeft het voor zin?'

'Zeg dat nou niet.' Ik merkte dat ik overstuur raakte. 'Als ik straks ga afstuderen moet uw conditie weer goed genoeg zijn om naar Californië te kunnen komen.' Ik zou over drie maanden op Stanford afstuderen, en we hadden het erover gehad dat ze dan de reis naar Californië zou maken. Ik wist wel dat ze niet precies wist wat ik studeerde, maar we dachten dat het een gebeurtenis zou zijn die ze erg zou waarderen, met rode gewaden en vlaggen, en een football-stadion vol familieleden – het soort Amerika dat ze altijd voor haar kleinkinderen had gewild.

'Ik zal het proberen,' zei ze afwezig, en klopte op mijn knie. 'We zullen zien.' We reden in stilte verder.

Die avond liep ik op mijn tenen Nana's kamer in. Nana had me gevraagd of ik tijdens dit bezoek bij haar op de kamer wilde slapen in plaats van op de bank, en ik was geroerd dat ze dicht bij me wilde zijn. Ik ging de slaapkamer in en hoorde het rustige, schrapende geluid van haar ademhaling. Ik was bang om haar broze lichaam te hinderen. Ze rook naar troost en talkpoeder met rozengeur. Toen ik in bed gleed, maakte ik haar wakker. Ik hield me heel stil in de hoop dat ze weer in slaap zou vallen.

'Ik had kunnen blijven,' zei ze.

Ik liet haar woorden even in het donker zweven en vroeg me af wat ze bedoelde.

'Waar had u kunnen blijven, Nana?'

'In Bombay,' zei ze. 'Ik had er mijn eigen huis, Rahat Villa, en mijn broers woonden er, mijn moeder woonde er. Het was 1948 en ik had er kunnen blijven. Als Rachel Jacobs had ik niet naar Pakistan hoeven vertrekken. Ik had de rest van mijn leven in Bombay kunnen blijven.'

'Bedoelt u te zeggen dat u wilde dat u India nooit had verlaten?' Ik was geschokt door het feit dat ze spijt leek te hebben van haar leven met mijn grootvader in Pakistan, spijt van de decennia die op de afscheiding waren gevolgd.

'Ik had moeten blijven.'

Op mijn laatste dag in Miami, toen ik in mijn schrift aantekeningen van onze gesprekken zat te maken, kwam Nana stilletjes naast me staan om me niet te storen.

'Zoekt u iets speciaals?' vroeg ik haar, en ze schudde haar hoofd ontkennend.

Toen zei ze: 'Kom, laten we een koekje gaan eten.'

Ik volgde haar naar de keuken, nieuwsgierig naar wat ze bedoelde. Zoiets had ze nog nooit eerder voorgesteld.

We pakten allebei een koekje uit de keukenkast en toen gebaarde ze dat ik naast haar moest komen zitten op de bank.

'En,' zei ze plechtig, toen we allebei zaten, 'wat zijn je plannen?'

'Met m'n leven?'

Ze knikte.

'Nou, binnenkort ga ik afstuderen...' begon ik. 'En dan zou ik graag een baan willen, het liefst in New York.'

'Wat wil je daar dan doen?'

'Ik wil films maken,' zei ik tegen haar. 'Documentairefilms.'

'Ga je ook boeken schrijven? Net als je moeder?'

'Ja, dat hoop ik wel.'

Ze legde haar hand op mijn arm en zei op plotseling ernstige toon: 'Je moet me één ding beloven. Ga naar India om erachter te komen wie je voorouders waren.'

Nana had me nooit eerder om iets gevraagd, behalve om de tafel te dekken of haar even te bellen als ik ergens was aangekomen. Maar het idee kreeg handen en voeten, zonderling en steeds duidelijker, hardnekkig en vragend om acceptatie.

'Dat zal ik doen, Nana,' zei ik, mijn keel schrapend. 'Ik beloof u dat ik dat ga doen.'

Ik keerde terug naar Californië met wat losse aantekeningen over Nana's verhalen in mijn schrift gekrabbeld en opgenomen op mini-cassettebandjes, en ik belde haar om te zeggen dat ik de zomer weer in Miami zou zijn. Ik zei dat ik nog meer interviews wilde houden. Ik vroeg haar of ze me wilde leren breien.

Ze zei spottend: 'Jij en je moeder hebben daar geen geduld voor,' maar ik verzekerde haar dat ik het echt wilde proberen.

'En koken,' zei ik. 'Nana, u hebt me nooit koken geleerd.'

'Studeren is belangrijker.'

'Maar ik ben bijna klaar met mijn studie,' zei ik. 'Nu wil ik leren.'

Twee maanden later moest Nana naar het ziekenhuis voor een serie routineonderzoeken voor haar nieren, maar vervolgens moest ze er voor nog meer tests blijven en uiteindelijk voor permanente observatie. Toen ze eenmaal in het ziekenhuis lag, was het lastig om er weer uit te komen. Ze had een infectie opgelopen die het noodzakelijk maakte dat ze bleef. Ik sprak vaak met mijn moeder. Gaat het goed met haar? vroeg ik. Moet ik ergens mee helpen? Nee, nee, zei mijn moeder – ze klonk afwezig. Het zou allemaal goed komen.

Kort daarna kwam mijn moeder naar San Francisco voor een paar bijeenkomsten op Berkeley. Tony en ik ontmoetten haar tijdens een brunch op zondagmorgen. Het was een zonnige ruimte, de muren waren lichtgeel geverfd en versierd met afbeeldingen van zonnebloemen. Ik wilde dat ze de plaats die ik had uitgekozen aardig vond, ik wilde dat ze Tony aardig vond.

Ze leek bezorgd. 'Het is hier heel leuk,' zei ze, het menu bekijkend. 'Het spijt me, maar ik kan me nauwelijks concentreren. Ik denk de hele tijd aan Nana.'

'Hoe was het op Berkeley?' vroeg ik, en probeerde mijn stem neutraal te laten klinken. We waren allebei bang dat Nana er niet meer zou zijn als mijn moeder van dit reisje terug zou keren, dat ze dit reisje beter niet had kunnen maken.

'Goed,' antwoordde mijn moeder.

Ik wilde zeggen: neem me met je mee, maar dat zei ik niet. Ik had nog één maand te gaan tot mijn afstuderen en ik worstelde met de laatste weken van mijn proefschrift. We wisten allebei dat ik meteen het vliegtuig naar Miami zou nemen als Nana's conditie zou verslechteren, maar we bespraken niet welke criteria er voor mij zouden gelden om voortijdig van school weg te gaan.

'Je hebt een belangrijke week in het verschiet, nietwaar?' vroeg mijn moeder.

'Dat klopt,' zei ik, maar ik vroeg me pas later af of dat wel waar was.

Onder de tafel kneep Tony in mijn hand en hij draaide glimlachend zijn hoofd naar me toe, waarbij zijn lichtbruine haar in zijn ogen viel. Hij wist me altijd gerust te stellen, zelfs als ik zelf niet precies wist wat er aan de hand was. Ik glimlachte kort terug, dankbaar voor zijn gezelschap, en we gingen weer over boeken, films en het weer praten.

De rest van de dag lukte het me niet om te werken. Mijn eindverhandeling was een 16-mm film over een klein stadje in Stewart, Mississippi, dat van de kaart zou worden geveegd om ruimte te maken voor een vierbaans snelweg. Ik had weken doorgebracht met het interviewen van de oudere inwoners van het stadje over het feit dat de gebouwen waarmee ze waren opgegroeid met de grond gelijk zouden worden gemaakt. Die middag bekeek ik de opnamen die heen en weer gleden over de radertjes van mijn editing machine. Ik kon niet veel wijs worden uit de woorden. Ik besefte dat ik de grootmoeders van anderen had geïnterviewd.

's Avonds vergat ik te eten. Laat op de avond nam ik een handvol van Nana's *sev puri*-mix uit een doos die ze me had gestuurd. Ik boog achterover en liet het eten in mijn mond glijden, precies zoals ik haar had zien doen. Ik nam me voor dat ik het met kleine hoeveelheden tegelijk zou opeten totdat er helemaal niets meer over zou zijn. Je moet je concentreren, zei ik tegen mezelf. Nana zou willen dat ik aan het werk ging. In het ziekenhuis deed mijn moeders mobiele telefoon het niet altijd, maar 's avonds laat probeerde ik haar te bereiken. Ze zei dat het goed ging met Nana, dat ze wakker was geweest toen mijn moeder in het ziekenhuis was aangekomen. Toen viel ik in slaap, in de wetenschap dat mijn moeder er was om voor haar te zorgen.

Op maandag belde ik weer, maar kreeg geen reactie. Ik ging naar de bibliotheek en probeerde te lezen. In aansluiting op de film was ik een paper aan het schrijven over de inwoners van Stewart en hoe zij hun stadje hadden verloren. Ik was boeken aan het lezen over landschapstheorie, over hoe we gevormd worden door de gebouwen, de bomen en de heuvels die ons omringen. Ik ging helemaal op in die boeken. Toen ik de bibliotheek verliet was het grootste deel van de dag voorbij, en ik voelde me verdrietig en gedesoriënteerd, verraden door het zonlicht. Hoe laat is het? vroeg ik me af. Het was hier drie uur later dan in Miami. Drie uur later op de avond. Ik belde mijn moeder, plotseling doodsbang. Ze nam op. Ik was zo bezorgd, zei ik. Maar mijn moeder nam al mijn angst weg.

'Met Nana gaat het goed,' zei ze. 'Ze hebben een paar onderzoeken gedaan – heb jij gebeld?'

'Ik heb eerder vandaag gebeld, vanmorgen,' zei ik. Ik had 's middags ook moeten bellen, bedacht ik. Maar met Nana ging het goed.

'Moet ik naar jullie toe komen?' vroeg ik. 'Ik kan zo vertrekken.' Mama aarzelde. 'Nee,' zei ze. 'Blijf daar maar. Het is veel te duur. Doe gewoon je werk.'

'Maar zeg je het wel als ik moet komen?'

'Dat doe ik,' zei ze. 'Ik zal Nana vragen of ze wil dat je komt.'

Er ging een week voorbij. Ik vond een paar foto's van Tony en mij, opgedirkt, op een Weens bal waar we op Stanford naartoe waren geweest. Tony droeg een gehuurde smoking en een donkerroze boutonnière die paste bij mijn lange jurk, zijn haar was voor de gelegenheid kort geknipt, waardoor hij veel leek op de foto's van zijn vader toen die bij de marine zat. Zoals hij daar naast me stond zag hij er lang uit; niet zo lang als mijn vader, maar net zo slungelachtig en net zo burgerlijk, traditioneel Amerikaans, met zijn rechte postuur en zijn blik strak vooruit. Nana zou die foto's prachtig vinden, bedacht ik. Ik vond een kaart en schreef haar over Tony, school en de film die ik aan het maken was. Deze ene keer maakte ik het niet eenvoudiger dan het was. Ik schreef in mijn eigen handschrift, mijn eigen gekriebel, en niet in de grote, ronde letters die ik normaal gebruikte om haar te schrijven. Een paar dagen later vroeg ik aan mijn moeder of Nana de kaart had gelezen. 'Binnenkort hebben we een doctor in de familie,' had ze trots tegen mijn moeder gezegd. 'Heb jíj een doctorstitel?' Mijn moeder had glimlachend nee gezegd. 'Zie je wel?' had Nana hoofdschuddend en met opgetrokken wenkbrauwen gezegd, onder de indruk.

Dat voorjaar was ik een oude, tweedehands fiets gaan gebruiken om van mijn kamer in het studentenhuis voor promovendi naar mijn faculteit in de Old Quad te fietsen. Mijn vrienden vonden het maar vreemd dat ik nu nog fietsen ging leren. 'Heb je als kind nooit gefietst?' vroegen ze lachend. 'Natuurlijk wel,' zei ik, 'alleen niet meer tussen toen en nu.'

Toen ik op een ochtend op weg was naar school, dacht ik aan Nana, over alle dingen die ik haar nog wilde vertellen. Ik trapte heel hard op de pedalen om sneller te gaan, om de wind langs me heen te voelen. Ik wilde dat alles sneller voorbij zou gaan dan ik kon bewerkstelligen. Ik zag het pad dat ik moest nemen en volgde het. Ik zag waar ik de bocht om moest, links onder de poort door. Vanuit een ooghoek zag ik een onbeduidende, kleine steen liggen. Daar moet ik omheen fietsen, bedacht ik. Ik moet Nana bellen, bedacht ik. Plotseling voelde ik dat ik slipte, ik ging met fiets en al onderuit, met mijn handen over het grind. De steentjes op de grond sneden dwars door mijn spijkerbroek, schraapten het vel van mijn knieën en schenen. In mijn handpalmen en knokkels hadden zich kleine steentjes genesteld, aangekoekt met modder en doordrenkt met bloed. Ik zat helemaal onder de modder, zoals ik dat zelfs als kind nooit had meegemaakt, toen ik altijd te bang was geweest om zo hard te fietsen. Ik gooide mijn fiets aan de kant en ging te voet naar mijn faculteit, mijn armen om me heen geslagen. Met de telefoon in de kelder van het gebouw belde ik met Nana's ziekenhuiskamer. Haar stem klonk vreemd, krakend over de telefoonlijn.

'Liefje,' zei ze.

'Ik ben gevallen, Nana.'

'Wat zeg je?'

'Ik ben gevallen. Met mijn fiets, op de grond. Ik heb m'n handen bezeerd.'

'O, liefje, daar moet je aandacht aan schenken,' zei ze, en klonk bezorgd. 'Je moet alcohol pakken en daar de wonden mee wassen, en doe er een beetje jodium op. Dat zal wel even prikken, maar het wordt er wel beter van.' Ze lag in het ziekenhuis en zat vast aan allerlei slangen, maar ze was nog steeds verpleegster.

'Dat doe ik, Nana, dat doe ik.' Ik huilde, maar ik wilde niet dat ze dat hoorde. 'Zo erg is het niet. Ik mis u.'

'Doet het pijn?'

'Nee, dat valt wel mee, Nana. Ik had het niet eens moeten noemen.'

'Wanneer kom je hiernaartoe?'

'Volgende week,' zei ik. Ik verzon het ter plaatse.

'Wanneer kom je hiernaartoe?' vroeg ze weer. Ik kon niet uitmaken of ze me niet kon horen of dat ze suf was van de medicijnen.

'Volgende week.'

'Morgen?' vroeg ze.

'Volgende week.'

'Ik zie je morgen,' zei ze. 'Ik reken op je.' Ik leunde met mijn hoofd tegen de wand van de telefooncel en probeerde niet te huilen. 'Jij bent mijn zonnestraaltje,' zei ze voordat ze ophing.

De volgende ochtend om zes uur rinkelde mijn telefoon. Ik droomde over Karachi. Nana was in de tuin van Siddiqi House de was aan de lijn aan het ophangen. Met Nana gaat het prima, zei iemand. Waar maakten we ons toch zo'n zorgen om? We stelden ons aan, zei mijn droom. In mijn slaap nam ik de telefoon op, en wist op de een of andere manier dat het mijn moeder was. Ik dacht: ik vertel mijn moeder het goede nieuws dat het prima gaat met Nana. Ik hoorde geruis en toen mijn moeders stem, en ik was meteen klaarwakker.

'Mama?' Plotseling sijpelde het ochtendlicht van zes uur 's morgens mijn kamer binnen en ik kon het niet tegenhouden. Ik voelde mezelf de lucht om me heen wegduwen.

'Ze is er niet meer.' Mijn moeders stem klonk alsof ze werd gewurgd. 'Neem jij hem maar,' hoorde ik haar zeggen, en ze gaf de telefoon aan mijn neef Salim. Voordat ik wist wat ik deed, had ik Salim de geluiden laten horen die ik maakte. Hij luisterde naar me totdat hij er niet meer tegen kon.

'Weet je, ze was ook mijn grootmoeder,' zei hij kortaf, en gaf de telefoon door aan mijn oom Salman.

Ik had moeten blijven. Ik had moeten blijven. Ik had moeten blijven.

In het vliegtuig naar Miami liet ik mijn vingers over mijn knokkels glijden en ik kon nog steeds het zand voelen dat vastzat onder mijn huid. De laatste keer dat ik met haar praatte stond in mijn vuist gekerfd. Ik vloog dwars over het land met een lastminuteticket – een vlucht die ik net zo goed een week eerder had kunnen maken. Ik staarde door het ovale raampje en liet het gezoem van het vliegtuig overeenkomen met het geluid dat ik in mijn binnenste hoorde. Mijn vader haalde me af op het vliegveld. Hij zag er vermoeid uit met holle wangen. We wisten niet wat we moesten zeggen, waarover we op weg naar huis moesten praten. Hij vertelde dat Cassim later die dag zou aankomen, dat het niet goed ging met mijn moeder en dat hij zich zorgen om haar maakte. Ik voelde me opgeblazen, alsof het minste of geringste tikje me in iets vloeibaars zou veranderen.

Ik was geschokt toen ik mijn moeder zag. Ze zag er zoveel jonger uit, net een jong meisje. Ze was in de war. Het maakte me doodsbang haar zo te zien. Ik omhelsde haar en probeerde haar te troosten, maar ik wist niet hoe.

'Het was een onderzoek,' zei ze keer op keer. 'Maar de arts in opleiding heeft haar status niet bekeken. Hij heeft niet gezien dat ze allergisch was voor heparine. Haar bloed is te dun geworden. Ze had nu nog niet mogen gaan,' bleef ze maar zeggen, telkens weer. 'Haar tijd was nog niet gekomen. Ze had de droom nog niet gehad.'

Ik ging op mijn moeders bed naast haar liggen, net als toen ik klein was. Ze las de Koran, drapeerde een dupatta over haar hoofd en sloot haar ogen.

Ze zei dat we morgen naar West Palm Beach zouden gaan, de woonplaats van twee van mijn ooms, en dat Nana een islamitische begrafenis zou krijgen.

'Maar ze wilde een joodse begrafenis,' zeg ik, gealarmeerd. 'Uw vader heeft haar dat beloofd.'

Mama schudde haar hoofd. 'Mijn broers hadden het voor het zeggen. Zo had ze het ook gewild, dat haar zonen het zouden regelen.'

'Maar ze wilde als joodse sterven.'

'Ik weet het,' zei mijn moeder zachtjes, en ze vertelde wat er die laatste ochtend, terwijl ik in Californië lag te slapen, was gebeurd. Een week eerder had mijn moeder ervoor gezorgd dat de jonge rabbijn van de plaatselijke synagoge Nana een bezoek zou brengen om met haar te praten over de opvatting van het judaïsme en het hiernamaals. Ze hadden om elf uur een afspraak en toen hij kwam trof hij mijn moeder, mijn vader en twee van mijn ooms aan Nana's bed aan, en Nana gekluisterd aan een machine die haar in leven hield. Mijn moeder vroeg de rabbijn of hij de joodse geloofsbelijdenis van Nana in het Hebreeuws wilde uitspreken, en dat deed hij.

'We hebben gekeken of het mogelijk was om haar een joodse begrafenis te geven, maar de regels hier in Florida waren zo lastig, zo anders dan wij ze kennen. We willen haar begraven zoals wij dat gewend zijn, met vrouwen die haar nabij staan die haar lichaam wassen en haar klaarmaken. We willen haar in een vurenhouten kist begraven, net zoals we dat thuis zouden hebben gedaan. Op de manier zoals haar moeder is begraven.'

'Maar we moeten iets doen, iets joods,' dring ik aan.

'In het judaïsme bestaat zoiets als de tijd van de Elf Maanden,' zegt mijn moeder. Elf maanden na nu onthullen we de steen en wijzigen we haar rustplaats van een plaats van rouw in een plaats van reflectie. Dat kunnen we doen.'

Ik bracht uren door in Nana's kamer. Ik maakte haar bureau open, zachtjes, alsof ze me nog steeds zou kunnen betrappen. Ik wist niet waarnaar ik op zoek was, maar het idee dat zij geheime zaken in de spleten van deze laden had verstopt, troostte me, ik had het idee dat er nog steeds lagen te ontdekken waren, ook al was ze er niet meer. In een theekop waarvan de rode verf door ouderdom gebarsten was, vond ik een vreemd uitziende sleutel – hij had drie hoeken en was van koper. Ik liet de ketting waar hij aan hing om mijn nek glijden, voelde de koelte en vroeg me af waar hij voor was. In de onderste lade van haar bureau vond ik de babykleertjes, nu helemaal af. Wit, zachtgroen en roze. Ik ging op haar bed liggen, de lakens roken nog steeds naar haar, en bedekte mijn hoofd met haar kussen. Dit is dus verdriet. Zo voelt dat dus.

De volgende dag reden we naar West Palm Beach om Nana te begraven. Ik probeerde aan het idee te wennen dat ik een van de uitgekozen vrouwen was om Nana te wassen. Ik was bang om haar dood te zien. In de ontvangsthal van de begraafplaats hadden de vrouwen van mijn ooms de vloeren met witte lakens bedekt. Volgens de tradities waren we allemaal gekleed in witte kurta pajama's, op de westerse gasten na, die een beetje onwennig achteraf stonden. Bekenden en onbekenden gingen staan om mijn moeder te begroeten, die hen nauwelijks aan kon kijken. Overal om ons heen klonk het geluid van huilende mensen, die zich ongemakkelijk voelden. Een iele Pakistaanse vrouw met een stok kwam voorzichtig aanlopen om mijn moeder te omhelzen. Ze sprak Urdu en trok mijn moeders gezicht met beide handen dicht bij het hare. Ze had lichtblauwe ogen waar de tranen uit stroomden. Ik begreep niet wat ze zei, maar ik zag hoe dankbaar mijn moeder was, hoe gretig ze haar als reactie omarmde.

Mama vertelde me dat dat Ruko Apa uit Karachi was, een nicht van haar vader en een vriendin van mijn grootmoeder. De laatste paar maanden had ze bij haar zoon in Chicago gewoond. Toen ze twee dagen geleden het nieuws van Nana's overlijden had gehoord, had ze haar zoon gesmeekt om in de auto te stappen. Ze hadden achttien uur gereden om hier vandaag te kunnen zijn. Ruko Apa kende de riten voor het wassen van het lichaam. Ze was gekomen om ons voor te gaan bij dat ritueel. Voor Nana's lichaam had ze zoette *attar* uit Mekka meegebracht. Kom, zei ze. Het is tijd.

Ik volgde twee van mijn tantes, mijn moeder en Ruko Apa naar een aparte ruimte, koud en wit, waar ik Nana's lichaam op een stuk marmer zag liggen, haar kleine lichaam bedekt door een laken.

Ruko Apa gaf ons instructies, maar ik begreep niets van haar Urdu. Ik volgde de bewegingen van haar arm, de manier waarop ze een doekje inzeepte en dat over Nana's schouders en haar rug liet gaan, maar ik was altijd als laatste klaar met mijn deel van de taak. Terwijl we door de details van het ritueel, de gebeden en de nauwgezette uitvoering van elke stap werden geleid, voelde ik angst om haar aan te raken, maar ik liet mijn hand toch op Nana's schouder liggen omdat ik niet wilde dat ze zich verlaten zou voelen. Ik deed mijn ogen dicht en zei een kort gebed – ik vertelde haar hoezeer ik haar miste.

Toen de wassing klaar was, bleef ik achter in het vertrek. Ik kuste Nana op haar voorhoofd, zoals ik altijd had gedaan voordat ik naar school ging. Ik zei dat ik het verschrikkelijk bij het verkeerde eind had gehad en dat ik eerder had moeten komen.

In de hal gingen we op de vloer zitten wachten totdat het graf gedolven zou zijn. Toen hoorden we geluiden van hard pratende mannen die het niet eens waren met elkaar. Mijn vader en broer gingen kijken wat er aan de hand was. Het graf was gedolven, maar mijn neef Sartaj vond dat er in de verkeerde richting was gegraven, dat het graf niet naar behoren naar Mekka was gericht. 'Waar is het oosten?' hoorde ik ze aan elkaar vragen. 'Waar is het oosten? Wie heeft er een kompas?'

Ik voelde dat de vrouwen om me heen ongeduldig werden.

'Wat een schande,' hoorde ik iemand zeggen.

Het duurde nog een uur voordat er een nieuw graf was gedolven dat goed gesitueerd was. We wachtten en baden, en ik voelde hoe Nana op ons neerkeek en onze verwarring aanschouwde. Mijn vader, broer, ooms en neven droegen de kist met Nana's lichaam boven hun hoofd en droegen Nana's lichaam lopend naar haar laatste rustplaats. De imam zegde de gebeden en we bogen onze bedekte hoofden.

Toen het allemaal voorbij was, lag Nana verborgen onder een grote hoop aarde.

'Ik wil haar hier niet achterlaten,' zei mijn moeder. Ze keek op naar mijn grote vader, haar stem ging omhoog en brak. 'Hoe kan ik haar hier achterlaten?'

Mijn vader drukte mijn moeder tegen zijn borst en sloeg zijn armen stevig om haar heen. Ze bleven even zo staan. Ik had hetzelfde gevoel van paniek.

We liepen naar de auto en reden terug naar Miami. Vanaf nu waren we definitief met z'n vieren en niet meer met z'n vijven.

25

Vertrek

Bombay, mei 2003

Ik verander de datum van mijn retourticket naar New York. Een keer, twee keer, nog een derde keer. Maart wordt april, en weer voel ik de temperaturen in de straten van Bombay tot bijna ondraaglijke hoogten stijgen. Ik veeg het zweet met een zakdoek uit mijn nek, die ik nu speciaal voor dat doel bij me heb. Ik blijf nog om opnamen te maken van Leah en Daniels huwelijk. Ik zie hoe ze inkopen doen voor hun nieuwe leven in Israël, hoe ze Leahs papieren op het Israëlische consulaat invullen en hun koffers met kruiden vullen. Ik hoor ze beiden opgewonden praten over hun nieuwe leven dat voor hen ligt, verhalen die gaan over het opwindende vooruitzicht van de tijd die ze samen vrijelijk kunnen doorbrengen. Twee nachten voor het huwelijk pendel ik heen en weer tussen hun mehndi-ceremonies die in naburige synagoges worden gehouden. Ik geef eerst de bruid mijn zegen en vervolgens de bruidegom, door een klein stukje *jaggery* in hun mond te stoppen en rijst over hun schouder te gooien, begeleid door de pulserende beat van de allernieuwste Bollywood-hits. Op de dag van hun huwelijk kleed ik me in een zachtgroene zijden salwar kameez en ga voor de synagoge staan. Ik begroet de gasten alsof ik een familielid ben en leg de ceremonie op video vast. Het verbaast me hoeveel mensen ik inmiddels van de gemeenschap ken – hoeveel mensen ik heb gefotografeerd en hoeveel mensen mij kennen. Ik kijk toe hoe Leah verlegen maar welbewust de *bimah* nadert, terwijl Daniel haar een serenade brengt. Ze is gekleed in de sierlijke kanten bruidsjurk die Judith en ik haar hebben helpen uitzoeken in de katholieke bruidswinkel, en is van top tot teen gehuld in een lange sluier die vanaf een fantastische strik boven op haar hoofd als een waterval naar beneden valt. Ik kijk toe hoe Leah en Daniel hun gebeden opzeggen, hoe Daniel een ring aan Leahs met henna bedekte vinger schuift en hoe ze de huwelijksakte ondertekenen en rondom de synagoge lopen waarmee ze iedereen bedanken die hun het beste wenst. Op de receptie, in een nabijgelegen feestzaal, vertelt de ceremoniemeester enthousiast wat de gang van zaken zal zijn en roept '*Mazzel tov! Mazzel tov!*' als Leah en Daniel de helder verlichte tent betreden en op de rood met gouden, met rozenslingers versierde tronen gaan zitten. Hun eerste kus vindt plaats tijdens een wilde stoelendans, waarbij ze beiden in rode plastic stoelen hoog boven de hoofden van hun gasten uittorenen. Daniel beroert Leahs lippen tijdens een kort en onhandig moment, en de menigte juicht. De dag erna vliegen ze naar Israël.

Later in april, tijdens Pesach, maak ik foto's van meer dan honderd Bene Israël-vrouwen die in kleermakerszit in een tent op de binnenplaats van de Magen David Synagoge zitten en ballen ongezuurd deeg tot platte, ronde broden slaan. *Tip-tap* klinken de ballen deeg in een syncopisch ritme door de tent, als ze de achterkant van de pannen raken voordat ze plat worden uitgerold. *Tip-tap. Tip-tap.* 'Matse!' roept een van de vrouwen uit als haar brood plat is en klaar om naar de oven te worden gebracht. 'Matse!' echoot een andere vrouw, en er komt een jongen met een schotel aanlopen waarop hij het platgeslagen deeg legt, waarna hij het snel wegbrengt naar de oven waar het kan worden gebakken en ervoor kan worden gebeden.

Zo gaat de winter over in het voorjaar. Binnenkort zullen de regens komen. Ik heb ze vorig jaar gemist, toen ik in Massachusetts was. Julie heeft me verteld dat je op bepaalde dagen in juli nauwelijks gewoon door de straten kunt lopen omdat het water dan zo snel langs je voeten stroomt. Ik denk aan het najaar, weer de hoogtijdagen, gevolgd door de gematigde winter – die zeldzame maanden dat je in Bombay midden op de dag naar buiten kunt. En dan herhaalt de cyclus zich weer. Mijn onontkoombare terugkeer naar de Verenigde Staten is een idee dat zich steeds meer opdringt, maar in mei ben ik nog steeds niet zover dat ik terug kan gaan. Nog niet, denk ik, en duw de gedachte weg. Ik maak een lijst van foto's die ik nog moet maken en interviews die ik nog hoop te houden. Maar wanneer? hoor ik een andere stem vragen. Wanneer is mijn werk hier klaar?

'Kom naar huis, Sadia,' zegt mijn moeder aan de telefoon. Mijn vader zegt het niet, maar ik kan aan zijn stem horen dat hij me ook graag thuis wil hebben. Ik blijf koppig waar ik ben.

Op een middag belt Rekhev bij me aan, en als ik naar de poort loop om hem binnen te laten, zie ik dat hij er afwezig en vreemd uitziet.

'Gaat het wel goed met je?' vraag ik hem, en hij zegt dat hij de hele nacht op is geweest en samen met een editor aan een nieuwe korte film heeft gewerkt. Het is een bewerking van een volksverhaal, vertelt hij, gebaseerd op een sage waarmee hij is opgegroeid. Hij sluit mijn videocamera aan op de televisie en laat me een ruwe videobewerking zien. Ik kijk als gehypnotiseerd toe hoe de tekeningen uit Rekhevs schrift tot leven komen – een boek waarvan de bladzijden omhoog vallen, een meisje dat verandert in een boom. Zelfs in deze onbewerkte vorm kan ik nog zien dat het prachtig wordt, en ik raak helemaal opgetogen, vraag hem hoe hij bepaalde dingen heeft gedaan en zeg hem wat ik vind dat hij hierna zou moeten doen.

'Ik vind het fijn om je dit te laten zien,' zegt hij. 'Het is alleen maar een vingeroefening, maar het begin is er.' Hij staat op en steekt een sigaret aan. Hij gaat bij het raam zitten en ik kijk toe als hij lange witte rookpluimen door de ijzeren spijlen van het traliewerk blaast. Het is stil in de kamer, op het piepje van een vrachtwagen die achteruitrijdt na. Er is iets in zijn zwijgen waardoor ik meer rechtop ga zitten. 'Sadia,' zegt hij, 'ik moet je iets vertellen.'

Hij draait zich om en kijkt me aan, en ik krijg een vreemd gevoel langs de onderkant van mijn schedel, zoiets als duizeligheid. 'Ik vind dat je in India zou moeten blijven,' zegt hij uiteindelijk. 'Ga niet weg. Blijf nog een jaar in India en kom bij me wonen.'

'Bij je wonen?' vraag ik. Ik wil er zeker van zijn dat ik hem goed heb verstaan.

'We zouden naar de Konkan kunnen gaan en daar een klein huisje kunnen huren. Net als Sangeeta's woning in Revdanda. Of naar Bombay of de Himalaya, waar je maar wilt. Jij kunt aan jouw projecten werken, ik aan de mijne – we zullen het goed hebben samen. Ik kan je heel veel dingen leren. Ik vraag je niet om met me te trouwen. Ik vraag je om een jaar hier te blijven.'

Ik denk na over de vorm waarin dat denkbeeldige jaar gegoten moet worden en over de onvermijdelijke problemen, hoe dat alles eruit gaat zien en gaat aanvoelen. Ik voel me een beetje uit het veld geslagen door de vrijpostigheid van zijn voorstel, maar ook door zijn intuïtie dat ik me wel aangetrokken zal voelen door een dergelijk plan. We hebben dezelfde romans gelezen.

'En aan het eind van dat jaar? Wat dan?'

'Aan het eind van dat jaar kun je teruggaan naar je leven in Amerika en daar verder aan je plannen werken. Dit is alles wat ik vraag: één jaar.'

Ik word overvallen door een verpletterend gevoel van spijt bij de gedachte aan de consequenties als ik hier in deze kamer hardop benoem wat we zijn en wat we niet zijn. Ik had nog graag langer in onze onbenoemde hoedanigheid verder geleefd.

'Zeg maar niets,' zegt hij, terwijl hij opstaat om te vertrekken. 'Denk erover na.'

Ik loop door Bombay en denk na over Rekhevs voorstel. Ik merk dat ik dezelfde wegen bewandel als toen ik anderhalf jaar geleden in Bombay aankwam. Ik loop langs de Marine Drive naar het Cama Hospital, waar Nana als afdelingshoofd heeft gewerkt, en over het vieze zand van Chowpatty Beach. Ik loop naar de Gateway van India, door de stille lanen van Coaba in de buurt van het Taj Mahal Hotel, en denk erover na hoezeer Nana naar deze stad verlangde, naar de mensenmenigten en de elegante straten. Ik kwam hier om te proberen de wegen te vinden die Nana niet had gekozen, maar nu vraag ik me af of ik haar toch op nog een andere manier zal leren begrijpen door haar stad achter me te laten, die ik ongetwijfeld ga missen.

Als ik op een middag bij mij de straat oversteek naar het theestalletje, zie ik een vrouw die me bekend voorkomt. Het is de Amerikaans uitziende vrouw die ik eerder heb gezien, gekleed in een salwar kameez. Bij nader inzien lijkt ze me wel tien of vijftien jaar ouder dan ik, en ik zie wat ik beschouw als de sporen van haar leven hier, de manier waarop ze haar gezichtsuitdrukking heeft aangepast om zich uit te drukken, het feit dat ze de heldere kleuren van de pas aangekomen bezoekers heeft ingeruild voor de gedempte bruine en beige kleuren die ze nu draagt. Ik zie hoe ze zich bedreven een weg door de menigte baant en tegen haar chauffeur gebaart dat hij haar aan het eind van het huizenblok moet opwachten. Ik zie hoe ze zichzelf vrijwel onzichtbaar maakt. Misschien heeft ze hier in de buurt een appartement. Een lidmaatschap bij een van de voormalige Britse clubs. Een Indiase echtgenoot, Indiase kinderen. Ik vraag me af wanneer haar ouders zijn opgehouden met te vragen wanneer ze naar huis zou komen, wanneer dit haar thuis is geworden. Ze merkt dat ik naar haar kijk, ze draait zich om en kijkt terug – een soort spiegel. Ze bekijkt mijn verschijning, dezelfde kleren, mijn Amerikaanse sandalen en ze wacht, staat doodstil – als een vraag om gezien te worden. Als ik naar haar kijk, zie ik heel even een weg voor me opdoemen, de beklemmende herkenning, en dan, net zo snel als het gevoel is opgekomen verdwijnt het ook weer. Haar chauffeur zwaait naar haar vanaf zijn parkeerplaats. 'Madam!' roept hij. Ze klimt in de auto en ze rijden met grote snelheid weg.

Ik kies ervoor om de datum van vertrek samen te laten vallen met Nana's sterfdag, die mijn moeder elk jaar herdenkt met gebeden en met het bereiden van mijn grootmoeders lievelingsgerechten. Ze is nu drie jaar dood, en daarvan heb ik de helft hier, in haar stad doorgebracht.

Ik bel Rekhev en zeg dat ik een vertrekdatum heb geprikt.

'Ben je daar?' vraag ik. 'Ben je daar nog?'

Er volgt weer een lange stilte en dan hoor ik hem ademen.

'Ik moet naar huis, Rekhev,' zeg ik.

Ik vraag of hij naar Bombay komt om me op te zoeken, maar hij antwoordt niet. We beëindigen het gesprek met een serie korte, afschuwelijke stiltes, zonder dat we concrete plannen maken om elkaar weer te zien.

Ik begin met afscheid nemen. Ik begin gemakkelijk, met de kruidenier, de groenteman, de winkels waar ik regelmatig kom. Dan ga ik afscheid nemen van mijn lievelingsplekjes: mijn treinstation op Grant Road, B. Merwan van het Iraanse buurtcafé, de Magen Hassidim Synagoge, mijn bushalte, de glijbaan in het park in de vorm van een olifant. Bij ORT India vraagt Benny Isaacs wanneer ik terugkom, en ik zeg tegen hem dat ik dat nog niet weet, maar dat ik, nu ik hier heb gewoond, het gevoel heb dat ik hier telkens zal terugkeren.

'Ik hoop toch wel dat je een of ander diploma krijgt? Voor al dat werk dat je hebt gedaan? Of een beoordeling of zo?'

Ik weet niet hoe ik het moet uitleggen.

'Nou, ik hoop dat je een tien krijgt,' zegt hij, en ik bedank hem omdat hij me zo'n welkom gevoel heeft gegeven.

Ik tref Sharon aan in zijn kantoor, waar hij met een groep middelbare scholieren de wekelijkse discussie houdt over een stel Thorateksten, en ik ben onder de indruk van de overgave waarmee de jongens debatteren.

Als de jongens klaar zijn en Sharon gedag zeggen, ga ik naar zijn bureau en zeg tegen hem dat ik heb besloten dat voor mij de tijd is gekomen om terug naar huis te gaan. Sharon vertelt dat hij nu maandelijks naar de Kust van Konkan gaat om daar Hebreeuwse les te geven, en dat hij de kinderen van Benjamin en Ellis Waskar ook op les heeft. Ik vraag hem of hij me wil helpen om een brief naar de Waskars te schrijven, en hij stemt opgewekt toe en vertaalt mijn Engelse tekst in het Marathi. In mijn brief vertel ik hun dat ik snel naar Amerika ga vertrekken en dat ik hen zal missen. Ik vertel dat ik heb ontdekt dat mijn oorsprong in Revdanda ligt.

Als Sharon de brief af heeft, wendt hij zich naar mij. 'Heb je al een besluit genomen? Over je geloof?' Hij glimlacht vriendelijk en ik denk na over een reactie. 'Goed,' zegt hij, 'vertel me eens,' en buigt zich voorover in zijn stoel. 'Laten we zeggen dat je thuis bent, in New York, en dat je wilt bidden, en voor je staan een kerk, een moskee en een synagoge. Bij welke van de drie zou je naar binnen willen gaan?'

Ik probeer het me voor te stellen. Ik zie mezelf in Manhattan door de deuren van verschillende gebedshuizen gluren. Wat ik me er ook bij voorstel, ik sta altijd buiten en kijk naar binnen.

'Soms heb ik het gevoel dat er van me verwacht wordt dat ik kies, dat mijn ouders deze mogelijkheden voor me hebben verzameld en dat ik nu moet kiezen. Het wonen in India heeft me heel erg bewust gemaakt van die keuze. Maar om eerlijk te zijn, Sharon, krijg ik het gevoel dat ik niet loyaal ben als ik de een boven de ander verkies. De waarheid is dat ik me met alle drie emotioneel verbonden voel.'

'Aha,' zegt Sharon, 'dus je hebt nog meer werk te doen.'

'Ja, ik denk het wel.'

'Ik wens je het allerbeste met je zoektocht, Sadia.' Sharon staat op en steekt zijn hand uit. 'Dat het maar een blije tocht mag worden.'

Op de avond van vertrek is mijn appartement plotseling een soort ontmoetingsruimte geworden en komen er allerlei mensen langs om gedag te zeggen: Julie, mijn leerlingen, de man die mijn foto's van de Bene Israël afdrukt. Het is de tijd voor rijpe mango's en ik serveer ze aan mijn gasten. Ze zitten op de grond, verorberen het fruit en kijken toe hoe ik de spullen verdeel waar ik in mijn koffers geen ruimte meer voor heb – boeken, kleine apparaatjes, extra kleren. Elke keer als de bel gaat, kijk ik vol verwachting naar de deur in de hoop dat het Rekhev is, maar hij is nergens te bekennen.

Julie drukt me op het hart niets schoon te maken, zij zal ervoor zorgen dat het goed komt. 'Sadia, je bent nog niet klaar met inpakken! Hou op met schoonmaken en ga eerst je koffers pakken!' berispt ze me en pakt de bezem uit mijn handen.

Ze zegt tegen me dat ik, als ik vertrek, de sleutel gewoon op de plank moet leggen waar ik die altijd neerleg. Ze zal de dag erna komen om alles schoon te maken en de sleutel bij mijn huisbaas in te leveren.

Tegen een uur of elf 's avonds zijn mijn gasten vertrokken en kijk ik nog één keer rond in de kleine kamer die de laatste veertien maanden mijn wereld is geweest. Naar de kaarten aan de muur en naar de overgebleven boeken en kleren die ik voor Julie heb achtergelaten en de cadeautjes voor haar kinderen. Ik leg de sleutel op de plank, precies zoals Julie gezegd heeft, en ik loop naar buiten met mijn koffers achter mij aan rollend. Ik hoor het ijzeren hek dicht vallen. Er is geen weg terug, bedenk ik.

Als ik aan het eind van de oprit ben en probeer uit te vinden hoe ik het best elke koffer naar de straat kan rollen en een taxi kan roepen zonder dat ik er eentje onbeheerd laat staan, zie ik Rekhev pas. Ik zie zijn vage gestalte in het licht van de straatlantaarn, de vorm van de bekende rugzak over één schouder.

'Hoe lang ben je er al?' vraag ik.

'Nog maar een paar minuten. Ik wist nog niet of ik wel zou blijven.'

'Ik ga nu naar het vliegveld.'

Hij knikt. 'Ik ga met je mee.'

Samen houden we een taxi aan en vinden ruimte voor mijn te zwaar beladen koffers. De chauffeur en Rekhev hebben een touw nodig waarmee ze de achterklep met grote knopen aan de bumper vastsjorren, zodat er niets uit kan vallen. We leggen het uur rijden naar het vliegveld in onzeker zwijgen af, maar ik ben oneindig blij met Rekhevs gezelschap.

Rekhev koopt een ticket van zestig roepies zodat hij op het vliegveld mee naar binnen kan om me weg te brengen, en we lopen langs de rij wachtende families en chauffeurs, gekleed in met kwastjes versierde jacks, die borden dragen met opschriften.

'Ik had niet gedacht dat je echt weg zou gaan,' zegt Rekhev. 'In elk geval niet nu.'

We lopen in het fluorescerende licht van de luchthaven naar de ticketbalies waar ik incheck en exorbitant hoge kosten moet betalen voor mijn overgewicht aan bagage. Het duurt nog uren voordat mijn vlucht vertrekt, die voor iets voor drie uur 's nachts gepland staat, en ik zeg tegen Rekhev dat hij maar beter weg kan gaan.

'Hoe kan ik nu weggaan,' zegt hij, 'als er nog maar zo weinig tijd over is?'

Ik knik. We vinden twee stoelen en kopen twee minuscule plastic bekertjes met thee.

We zitten er zwijgend en het lijkt wel een uur te duren, hoewel het misschien wel korter is. Ik weet niet goed wat ik moet zeggen.

'Zeg eens, Sadia,' zegt Rekhev uiteindelijk, me aankijkend. 'Is dit voor jou de werkelijkheid of een illusie?'

'Wat bedoel je?'

'In het begin, toen ik pas van Jammu naar Poona was gekomen, deed alles me aan een fantasiewereld denken. Wat echt was, wat ik begreep, was het huis van mijn vader, mijn moeders maaltijden die ik in de keuken opat, een baan zoeken. Poona, al dat gepraat over ideeën en een kunstenaar worden, over het ontmoeten van nieuwe mensen, dat alles was een illusie. Ik ging 's avonds vaak met een riksja een stuk rijden. Dan keek ik alleen maar om me heen en verwonderde me over alles en over het feit dat mij dat allemaal kon overkomen. Alles was zo nieuw. Na verloop van tijd werd het allemaal wat beter te bevatten, maar soms denk ik nog steeds dat ik wakker word en thuis blijk te zijn, dagdromend. Ik vraag me dus af of datzelfde voor jou geldt. Als je teruggaat naar New York, is dat dan werkelijkheid voor jou of een illusie? En wat is Bombay in dat geval dan?'

Ik ben even stil om erover na te denken. 'Op dit moment voelt Bombay heel erg echt aan. Maar een deel van mij denkt dat het altijd een illusie zal blijven, vooral als ik weer thuis ben.'

'Betekent New York thuis voor jou?'

'Ja.'

'Zul je nog eens aan dit moment hier op de luchthaven denken als je weer in New York bent?'

'Natuurlijk zal ik hieraan terugdenken,' zeg ik, en kijk hem aan. Ik leg een hand op mijn hals en probeer niet te huilen.

'Ga maar gauw,' zegt hij. Hij lacht en wrijft met zijn hand over zijn gezicht. 'Voordat ik eraan kapot ga.'

'Ja,' zeg ik.

We omhelzen elkaar onhandig, en ik loop zonder om te kijken snel naar de bewakers. Ik geef ze mijn verblijfsvergunning, het laatste symbool van mijn tijdelijke burgerschap hier, en ik loop zo snel als ik kan naar de veiligheidscontrole.

In het vliegtuig duw ik mijn gezicht tegen het kleine ovalen raampje en ik zie de miljoenen lichtjes van mijn geadopteerde woonplaats uit zicht verdwijnen.

Terugkeer

West Palm Beach, mei 2003

Toen ik terug was uit India ben ik naar Nana's graf gegaan. Ik heb een vlucht genomen naar Miami en ben in een huurauto naar West Palm Beach gereden. Zuid-Florida, met zijn brede wegen en lage rijen naast elkaar gelegen winkels en de altijd aanwezige airconditioning, scheen me nu eigenaardig toe. Plotseling kwam het me voor als vreemd en willekeurig dat Nana hier begraven lag. Toen ik bij de begraafplaats aankwam, bestond die uit een grote oppervlakte met ongebruikelijk egaal, kunstmatig groen gras, geflankeerd door een vierbaansweg. Ik reed langzaam naar binnen, nam de versierde witte boog aan de ingang en de ordelijk geplaatste rijen graven die versierd waren met plastic bloemen in me op. Zo had ik dat destijds niet gezien, toen ik me overweldigd had gevoeld door het feit dat ik haar nog maar zo kort ervoor had verloren. De begraafplaats was verdeeld in secties, in overeenstemming met de religieuze overtuiging, aangeduid met wegwijzers die er als ouderwetse handwijzers uitzagen – zwarte blokletters op een witte achtergrond vormden de woorden 'Hoop', 'Geloof' en 'Liefde'. Ik vond Nana's graf naast een kruising tussen twee kleinere weggetjes en zette de auto aan de kant. Ik stapte langzaam uit en voelde meteen de drukkende hitte die er overdag heerste – wolkeloos met veel te veel zonlicht.

Ik dacht aan de laatste keer dat ik hier was. Elf maanden na Nana's dood kwamen we bijeen voor een ceremonie waarbij de steen werd onthuld, zoals mijn moeder had beloofd. Mijn moeder had ervoor gezorgd dat er twee familieleden van mijn grootmoeder bij aanwezig waren – haar nicht Lena en haar jongste broer, Nassim – die over waren gekomen uit Israël en India. Zij waren de enige aanwezigen die de joodse gebeden kenden. De rest – mijn moeder, vader, broer en twee van mijn ooms – luisterden aandachtig naar de rabbijn terwijl die ons door de rituelen leidde, en bogen ons hoofd toen hij verzen uit de Thora reciteerde. Hij legde uit dat op deze dag de periode van rouw volgens de joodse traditie ten einde komt en dat het graf wordt getransformeerd in een herdenkingsplaats.

De grafsteen, die was ontworpen door mijn ouders, was de dag ervoor geplaatst en werd bedekt door een paarsfluwelen doek met Hebreeuwse letters, en was geleend van de plaatselijke synagoge. Toen het doek werd weggetrokken, zagen we dat mijn ouders Nana's twee namen, 'Rachel' en 'Rahat', er in het Hebreeuws, Arabisch en Engels op hadden laten zetten, en ik hoorde de verraste geluiden toen de steen werd onthuld. Een van mijn ooms zei: 'De naam van onze vader staat niet op de steen. Hij hoort er ook op te staan.' Maar mijn moeder haalde simpelweg haar schouders op, accepteerde die zienswijze maar was vastberaden over haar beslissing. Ik had gewild dat er meer familieleden bij waren geweest om het te zien. Ik stelde me voor hoezeer Nana van dat moment genoten zou hebben, de kans om haar te erkennen als het pluriforme individu dat ze was.

Rachel Jacobs
17 juni 1917

Rahat Siddiqi
16 mei 2000

Later die dag vertelde oom Nissim dat Nana hem een paar maanden voor haar dood in India had gebeld met de vraag of hij wilde nagaan of ze misschien in Israël begraven zou kunnen worden. Ze zei tegen hem dat ze hem zou terugbellen als ze erover na had kunnen denken, maar ze had nooit teruggebeld. Destijds maakte zijn verhaal me duidelijk hoe moeilijk Nana het had met die keuzes en hoeveel er aan haar was dat ik niet begreep. Vier maanden gingen voorbij en toen vertrok ik weer naar India.

Nu, twee jaar later, zat ik in kleermakerszit op de grond en legde een kleine witte steen, die ik had meegebracht van Chowpatty Beach in Bombay, boven op haar grafsteen. Ik bleef er de rest van de middag, luisterend naar de voorbijrazende auto's en het lage, zoemende geluid van een nabije straatlantaarn die dag en nacht brandde. Ik dacht eraan hoe Nana ons altijd had verzekerd dat ze ons zou waarschuwen als ze zou sterven. Het was alsof ik iets erkende wat ik eigenlijk al heel lang wist, maar nu drong het tot me door dat ze een droom moet hebben gehad, maar dat ze had besloten deze laatste droom voor zichzelf te houden om ons de pijn van die voortijdige kennis te besparen. Terwijl ik daar zat maakte ik een lijstje van alle dingen die ik haar graag had willen vertellen. Ik voelde me dankbaar voor de boom die mijn vader een jaar eerder dichtbij had geplant. Toen het donker werd stond ik op en liep naar mijn auto. Die avond zou ik dezelfde weg terug nemen als waarlangs ik was gekomen, en dan naar huis gaan. Naar New York.

OPMERKINGEN VAN DE AUTEUR

In dit boek verschijnen soms mensen onder een andere naam, hetzij op eigen verzoek hetzij in een poging hun privacy te beschermen. In een aantal gevallen heb ik ook herkenbare omstandigheden veranderd en een tijdsperiode korter of langer gemaakt. Een paar van de gesprekken die in dit boek staan zijn op videoband opgenomen, andere in mijn dagboeken, maar de meeste zijn uit mijn geheugen opgediept. Een groot gedeelte van dit boek is gebaseerd op de tijdlijn van mijn leven en van het leven van mijn grootmoeder. In een paar gevallen heb ik me in het belang van het verhaal vrijheden veroorloofd. Het verslag van de gebeurtenissen in Siddiqi House is alleen verteld vanuit mijn perspectief. Als mijn familieleden de vertellers zouden zijn geweest, weet ik zeker dat ze dat op een andere manier zouden hebben gedaan.

Het was Bombay en niet Mumbai dat mijn grootmoeder zo erg miste, en om die reden heb ik voor de oude naam gekozen.

Mijn welgemeende dank gaat uit naar redacteur Thijs Bartels van uitgeverij Meulenhoff, die deze uitgave deskundig heeft begeleid, en naar Janet van der Lee. Haar zorgvuldige vertaling heeft ervoor gezorgd dat dit verhaal de taalgrenzen kon overschrijden. Carin Besser, die haar inzichten en haar scherpe gevoel voor tempo en structuur heeft aangewend en me liet zien hoe een tekst gevormd en bijgeschaafd kan worden, als filmopnames. Ik ben haar veel dank verschuldigd voor haar expliciete aandacht voor de grammaticale tijden en de tijdsperioden in dit verhaal en voor alles wat ze me al doende heeft geleerd. Ik bedank haar voor haar nooit aflatende kalmte en haar voortdurende streven om er een beter boek van te maken.

Mijn agente, Frerica S. Friedman, die me ervan overtuigde dat ik dit boek kon schrijven, koesterde geduldig het begin van een idee en begeleidde dat vastbesloten tot een voorstel, waarna ze me stimuleerde om door te gaan als ik aan de ingeslagen weg twijfelde.

Ik ben alle mensen die deze verhalen met mij hebben willen delen en mij hebben toegestaan die opnieuw te vertellen heel erg dankbaar, vooral degenen die me uitnodigden om mee te doen en foto's te maken van de rituelen, vieringen en aspecten van het dagelijks leven van de Bene Israël. Ik wil vooral graag dankzeggen aan Benjamin Isaacs en ORT India, Elijah Jacob en The American Jewish Joint Distribution Committee (Mumbai), Sharon en Sharona Galsurkar, Bunny en Krishna Reuben, Samson Massil en familie, Abraham Moses, Abraham Samson Mhedeker, Samson Solomon Korlekar en familie, Jonathan en Ruth Solomon, Shoshanna Nagavkar, Hannah Kurulkar en Ronen Solomon, en David, Erusha, Ellis, Benjamin, Shoshanna en Noorit Waskar.

Rekhev Bharadwaj liet me kennismaken met ideeën en werelden die ik me daarvoor niet had kunnen voorstellen, waarvan er hier slechts enkele worden opgevoerd. Er zijn zo veel reizen – op papier, in levenden lijve en in gedachten – die zonder hem niet mogelijk zouden zijn geweest, en zijn zienswijzen en medewerking blijven me inspireren.

In het huis van Pheroza, Jamshyd, Navroze en Raika Godrej vond ik een toevluchtsoord, en ze voorzagen mij van de zo noodzakelijke begeleiding bij mijn voortdurende ontdekkingstocht door Bombay. De meelevende aandacht van dr. Rati Godrej heeft het me mogelijk gemaakt om in India gezond te blijven. Rachel Reuben verwelkomde me als de verloren gewaande 'nicht-zus'.

Een Fulbright Scholarship, verstrekt door het Institute for International Education en de United States Educational Foundation in India, bood me de gelegenheid om in 2001 met dit project te beginnen. Het werk in Bombay dat daaruit voortvloeide werd mogelijk gemaakt door het wijze mentoraat van Ann Kaplan en door een beurs van de Jeremiah Kaplan Foundation. Ik ben Nathan Katz dank verschuldigd voor zijn advies aan het begin van mijn onderzoek, en Joan C. Roland, wier wetenschappelijke kennis over de Bene Israël mijn begrip voor hun geschiedenis nog groter heeft gemaakt. Via het Fund for Jewish Documentary Filmmaking zorgde de Foundation for Jewish Culture voor subsidie. Aan het begin van mijn schrijfproces zorgden Anne Greene en een Wesleyan beurs voor de Wesleyan Writers Workshop ervoor dat ik naar Middletown kon terugkeren. John Taylor 'Ike' Williams voorzag me zwierig van goede raad. Suketu Mehta liet me op een andere manier naar Bombay en boekomslagen kijken. Richard Nash Gould, mijn zelfbenoemde peetvader, liet me op kritieke momenten in dit proces beslag leggen op zijn tijd en zijn kantoor, en herstelde en verbeterde met eindeloos geduld de afbeeldingen in dit boek. Andreas Burgess hielp me bij het ontwikkelen van veel van de aspecten van het 'openbare gezicht' van dit boek, en was in de laatste stadia een klankbord dat bestond uit gelijke delen enthousiasme en wijsheid.

Hope Hall en Purcell Carson zijn tijdens deze reis compagnons geweest op afstanden zo groot als tussen New York en Bombay en zo klein als tussen Second Street en de Bowery. Mijn leven is rijker geworden door hun begeleiding, vriendschap en niet-aflatende steun. De zorgvuldige en herhaaldelijke leessessies van William Elison zorgden voor talloze correcties in de tekst en voor waardevolle inzichten – de fouten die er nog in staan komen geheel en al voor mijn eigen rekening. Adam Chandler deelde zijn gedachten met mij over het belang van de worsteling met ideeën over het persoonlijk geloof. Lucas Bessire heeft me geleerd wat veldwerk inhoudt.

Mijn ouders, Richard Shepard en Samina Quraeshi, onversaagde reizigers, zoekers en leraren, hebben elke fase van dit project, van begin tot eind, op honderden onnavolgbare manieren gevolgd en gesteund. Zij zijn een onuitputtelijke bron van wijsheid, humor en begeleiding, en ik prijs me gelukkig dat ik hun dochter ben. Ik dank mijn familieleden in Karachi die me de wetten van gastvrijheid hebben geleerd en die mij ondanks de afstand in overtuiging en geografie altijd als een familielid en een vriendin hebben verwelkomd. Ten slotte wil ik mijn broer Cassim Shepard bedanken – een kameraad, medewerker en secondant. Niet alleen zijn intuïtie en taalgebruik zijn zonder weerga, hij kan zich alles ook nog eens veel beter dan ik herinneren.

LIJST MET ILLUSTRATIES